Liberte sua personalidade

Dados Internacionais de Catalogação na Publicação (CIP)
(Câmara Brasileira do Livro, SP, Brasil)

Maltz, Maxwell.
  Liberte sua personalidade / Maxwell Maltz. 5. ed – São Paulo: Summus, 1981.

  Tradução de: Psycho-cybernetics : a new way to get more living out of life.

  ISBN 978-85-323-0048-5

  1. Felicidade 2. Personalidade 3. Sucesso I. Título.

81-0874   CDD-158.1

Índices para catálogo sistemático:

1. Êxito : Psicologia aplicada 158.1
2. Felicidade : Psicologia aplicada 158.1
3. Personalidade : Aperfeiçoamento : Psicologia aplicada 158.1
4. Sucesso : Psicologia aplicada 158.1

Compre em lugar de fotocopiar.
Cada real que você dá por um livro recompensa seus autores
e os convida a produzir mais sobre o tema;
incentiva seus editores a encomendar, traduzir e publicar
outras obras sobre o assunto;
e paga aos livreiros por estocar e levar até você livros
para a sua informação e o seu entretenimento.
Cada real que você dá pela fotocópia não autorizada de um livro
financia o crime
e ajuda a matar a produção intelectual de seu país.

Liberte sua personalidade

Uma nova maneira de dar mais vida à sua vida

Maxwell Maltz

summus
editorial

Do original em língua inglesa
PSYCHO-CYBERNETICS
A new way to get more living out of life
Copyright © 1960 by Parker Publishing Company
Direitos desta tradução adquiridos por Summus Editorial

Editora executiva: **Soraia Bini Cury**
Assistente editorial: **Michelle Campos**

Summus Editorial
Departamento editorial
Rua Itapicuru, 613 – 7º andar
05006-000 – São Paulo – SP
Fone: (11) 3872-3322
http://www.summus.com.br
e-mail: summus@summus.com.br

Atendimento ao consumidor
Summus Editorial
Fone: (11) 3865-9890

Vendas por atacado
Fone: (11) 3873-8638
e-mail: vendas@summus.com.br

Impresso no Brasil

ÍNDICE

	Prefácio	7
I —	A auto-imagem — Sua chave para uma vida melhor	15
II —	Descobrindo o mecanismo de êxito que há em você	25
III —	Imaginação — A primeira chave para o seu mecanismo de êxito	36
IV —	Procure desipnotizar-se de falsas convicções	48
V —	Como utilizar o poder do pensamento racional	59
VI —	Acalme-se e deixe que seu mecanismo de sucesso trabalhe por você	70
VII —	Você pode adquirir o hábito de ser feliz	82
VIII —	Ingredientes da personalidade "tipo sucesso" — e como adquiri-los	94
IX —	O mecanismo do fracasso: como fazê-lo trabalhar para você em vez de contra você	108
X —	Como remover cicatrizes emocionais e dar a si mesmo um soerguimento emocional	122
XI —	Como libertar sua verdadeira personalidade	135
XII —	"Prepare" os seus próprios tranqüilizantes	149
XIII —	Como transformar uma crise numa oportunidade criadora	161
XIV —	Como obter o "sentimento de vitória"	174
XV —	Vida mais longa e mais plena	189

PREFÁCIO

O SEGREDO DE COMO USAR ESTE LIVRO
PARA TRANSFORMAR A SUA VIDA

A DESCOBERTA da "auto-imagem" — a imagem mental que o indivíduo faz de si mesmo — representa um avanço na psicologia e no terreno da personalidade criadora.
 Faz mais de dez anos que se reconheceu a importância da auto-imagem. Contudo, pouco se tem escrito a respeito dela. E, o que é curioso, não porque a "psicologia da auto-imagem" não tenha surtido resultados, mas porque deu resultados assombrosos. Como disse um de meus colegas: "Hesito em divulgar minhas descobertas, principalmente para o público leigo, porque se eu apresentasse alguns de meus casos e descrevesse as espetaculares melhorias em personalidade que observei, seria acusado de exagero ou de pretender criar um culto, quando não de ambas as coisas".
 Eu, também, sinto igual espécie de hesitação. Qualquer livro que pudesse escrever sobre este assunto seria provavelmente olhado com estranheza por alguns de meus colegas. Em primeiro lugar, porque, de certa forma, não é usual que um especialista em cirurgia plástica escreva livros sobre Psicologia. Depois, porque determinados setores provavelmente considerariam mais estranho ainda sair alguém do estreito dogma — o "sistema fechado" da "ciência da psicologia" — e procurar respostas, sobre o comportamento humano, nos terrenos da Física, da Anatomia, e na nova ciência da Cibernética.
 Minha réplica a tais objeções é que todo médico que faz cirurgia plástica é e deve ser um psicólogo. Quando alteramos as feições de um homem, quase invariavelmente alteramos o seu futuro também Mudemos sua imagem física e quase sempre mudaremos o homem — sua personalidade, seu comportamento e, algumas vezes, seus dons naturais e aptidões.

A beleza não está à flor da pele

O especialista em cirurgia plástica não altera simplesmente o rosto da pessoa. As incisões que faz vão além da superfície da pele; elas freqüentemente atingem a psique também. Há muito tempo percebi que esta é uma enorme responsabilidade e que era meu dever, para com meus clientes e comigo mesmo, conhecer alguma coisa do que estava fazendo. Nenhum médico responsável se abalançaria a uma prática extensiva de cirurgia plástica sem conhecimento especializado e intenso treinamento. Sou por isso de opinião que se a alteração do rosto de uma pessoa significa igualmente a alteração de seu íntimo, compete-me a responsabilidade de adquirir conhecimentos especializados nesse terreno também.

Malogros que conduzem à vitória

Num livro anterior, escrito há cerca de vinte anos *(Novos Rostos — Novos Futuros)*, publiquei como que uma coleção de casos em que a cirurgia plástica, em especial a do rosto, abriu as portas a uma nova vida para muitas criaturas. Fiquei entusiasmado com meus êxitos a este respeito. Mas, tal como *Sir* Humphrey Davy, aprendi mais com meus insucessos do que com minhas vitórias.

Alguns pacientes não mostraram *nenhuma* alteração em sua personalidade depois da operação. Na *maioria dos casos,* a pessoa que teve corrigido pela cirurgia um rosto manifestamente feio ou algum traço "esquisito", experimenta quase imediatamente (em geral dentro de vinte e um dias) um aumento do respeito próprio e da autoconfiança. Mas em *alguns casos,* os pacientes continuaram a experimentar sentimentos de inferioridade. Em suma, esses "pacientes-fracassos" continuavam a se sentir e comportar *tal como se* tivessem ainda um rosto feio.

Isso me indicou que apenas a reconstrução da imagem física não era a verdadeira "chave" das mudanças da personalidade. Havia algo mais que era *geralmente* influenciado pela cirurgia facial, mas às vezes não era. Quando esse "algo mais" não era reconstruído, a pessoa permanecia a mesma, embora seus característicos físicos fossem radicalmente diferentes.

O rosto da personalidade

Era como se a própria personalidade tivesse um "rosto". Este "rosto da personalidade", não-físico, parecia ser a verdadeira chave da mudança da personalidade. Se ele permanecesse com marcas de cicatrizes, desfigurado, "feio" ou inferior, a própria pessoa passava a agir de maneira correspondente, independentemente das mudanças havidas em sua aparência física. Se esse "rosto da personalidade" pudesse ser reconstruído, então a própria pessoa mudaria, mesmo sem a cirurgia plástica. Desde que comecei a explorar essa área, descobri mais e mais fenômenos que confirmaram o fato de que a "auto-imagem", ou "retrato", que cada qual faz de si mesmo, era a verdadeira chave da personalidade e do comportamento.

A verdade está onde a encontramos

Sempre acreditei que se deve ir aonde for necessário para encontrar a verdade. Quando resolvi me especializar em cirurgia plástica, faz muitos anos, os médicos alemães estavam bem mais adiantados que os dos demais países, nesse terreno. Fui, pois, para a Alemanha.

Em minhas pesquisas sobre a "auto-imagem" tive também que cruzar fronteiras, embora invisíveis. Se bem que a ciência da psicologia reconhecesse a auto-imagem e seu papel-chave no comportamento humano, a resposta da Psicologia às perguntas: "De que maneira a auto-imagem exerce sua influência?", "Como *cria* ela uma personalidade?", "Que acontece no sistema nervoso humano quando se altera a auto-imagem?", a resposta era invariavelmente — "de algum modo".

Encontrei a maioria de minhas respostas na nova ciência da Cibernética, que devolveu à Teleologia um respeitável conceito na Ciência. Não deixa de ser estranho que a nova ciência da Cibernética nascesse dos trabalhos de físicos e matemáticos, antes que de psicólogos, sobretudo quando temos em mente que a Cibernética se relaciona com a Teleologia — conjunto das especulações aplicadas à noção de *finalidade* dos sistemas mecânicos. A Cibernética explica "o que acontece" e "o que é necessário" no comportamento predeterminado das máquinas. À Psicologia, com todo o seu decantado conhecimento da psique humana, não tinha resposta satisfatória para uma situação tão simples e deliberada como, por exemplo, "Como é possível para um ser humano pegar o cigarro da mesa e levá-lo à boca?" Foi um físico que encontrou a resposta. Os proponentes de muitas teorias psicológicas eram, de certo modo, comparáveis aos homens que especulavam sobre o que havia nos espaços siderais e em outros planetas, mas não sabiam dizer o que havia em seus próprios quintais.

A nova ciência da Cibernética tornou possível um importante progresso na Psicologia. A mim não cabe mérito nesse progresso, a não ser o de o ter reconhecido.

O fato de ter esse avanço nascido do trabalho de físicos e matemáticos não deve surpreender-nos. Toda novidade em ciência nasce quase sempre fora do sistema. Qualquer *novo* conhecimento deve usualmente partir de fora — não dos "especialistas", mas de algum leigo na matéria. Pasteur não era médico. Os irmãos Wright não eram engenheiros aeronáuticos, mas mecânicos de bicicleta. Einstein não era físico, mas matemático; no entanto suas descobertas no terreno da Matemática revolucionaram todas as teorias, de há muito aceitas, da Física. Madame Curie não era médica, mas física, e contudo trouxe importantes contribuições para a ciência médica.

Como você pode aplicar este novo conhecimento

Procurarei neste livro não apenas informá-lo sobre este novo conhecimento no campo da Cibernética, mas também demonstrar como você pode aplicá-lo em sua própria vida para atingir objetivos que são importantes para você.

Princípios gerais

A "auto-imagem" é a chave da personalidade humana e do comportamento humano. Mudemos a auto-imagem e mudaremos a personalidade e o comportamento.

Mais ainda: a "auto-imagem" estabelece as fronteiras das realizações individuais. Ela define o que você pode e o que não pode fazer. Expandir a auto-imagem é expandir a "área do possível". A aquisição de uma auto-imagem realista, adequada, parece insuflar no indivíduo novas faculdades, novas aptidões e, literalmente, transformar o fracasso em sucesso.

A psicologia da auto-imagem não apenas foi comprovada graças aos seus próprios méritos, como também explica muitos fenômenos que desde há muito tempo eram conhecidos, mas que não foram devidamente compreendidos no passado. Por exemplo: existem hoje no campo da psicologia individual, da medicina psicossomática e da psicologia industrial, irrefutáveis provas clínicas de que há "personalidades do tipo sucesso" e "personalidades do tipo fracasso", "personalidades propensas à felicidade" e "personalidades propensas à infelicidade", e "personalidades propensas à saúde" e "personalidades propensas à doença". A psicologia da auto-imagem projeta nova luz sobre o "poder do pensamento positivo" e, o que é mais importante, explica porque este "dá certo" com alguns indivíduos e não com outros.

Para compreender a psicologia da auto-imagem e poder aplicá-la em sua própria vida, você precisa conhecer um pouco do mecanismo que ela emprega para atingir seus objetivos. Há abundância de provas científicas que mostram que o cérebro e o sistema nervoso humanos operam deliberadamente de acordo com os princípios conhecidos da Cibernética para atingir os objetivos do indivíduo. O cérebro e o sistema nervoso constituem um complicado e maravilhoso "mecanismo perseguidor de objetivos", uma espécie de sistema *inerente* de orientação automática que trabalha *para* você como um "mecanismo de êxito" ou *contra* você como um "mecanismo de fracasso", dependendo de como "VOCÊ", o operador, o opera.

A Cibernética, que por ironia começou como um estudo de máquinas e princípios mecânicos, está contribuindo muito para restaurar a dignidade do homem como um ser incomparável, dotado de espírito criador. A Psicologia, que começou com o estudo da psique, ou alma humana, quase acabou por privar o homem de sua alma. Os behavioristas, que não compreendiam nem o homem, nem sua máquina, e portanto confundiam um com a outra, nos afirmavam que o pensamento é o mero movimento de elétrons, e a consciência simples reação química. A "vontade" e a "resolução" eram mitos. A Cibernética, que começou com o estudo de máquinas, não comete tais erros. A ciência da Cibernética não nos diz que o homem é uma máquina, mas sim que o homem *tem* e *usa* uma máquina. Além disso, ela nos ensina como essa máquina funciona e como pode ser utilizada.

O segredo está em "experimentar"

A auto-imagem é alterada, para melhor ou para pior, não apenas pelo intelecto, ou pelo conhecimento intelectual, mas também pela "experiência". Intencionalmente ou não, você desenvolveu sua auto-imagem graças à sua experiência criadora no passado. Você pode alterá-la pelo mesmo processo.

Não é a criança a quem se ensinou *a respeito* do amor, mas aquela que experimentou o amor, que se transforma no adulto saudável, feliz, bem ajustado. Se o nosso estado atual é de autoconfiança e equilíbrio, isto resultou daquilo que "experimentamos" e não do que aprendemos intelectualmente.

A psicologia da auto-imagem elimina também o abismo existente entre os vários sistemas terapêuticos usados hoje, ao mesmo tempo que resolve os aparentes conflitos que há entre eles. Ela fornece um denominador comum para orientação, psicologia clínica, psicanálise e até auto-sugestão. Não há quem, de uma forma ou outra, não use experiência criadora para desenvolver uma auto-imagem melhor. Independente de teorias, é isto o que realmente acontece, por exemplo, na "situação terapêutica" empregada pela escola psicanalítica: o psicanalista jamais reprova, critica ou moraliza; nunca se mostra escandalizado, à medida que o paciente desfia seus receios, seus vexames, seus sentimentos de culpa e seus "maus pensamentos". O paciente, talvez pela primeira vez na vida, *experimenta* aceitação como ser humano; ele "sente" que seu eu tem algum valor e dignidade, e chega a aceitar a si mesmo e a fazer de seu "eu" uma nova opinião.

A ciência descobre a experiência "sintética"

Outra descoberta, desta vez no terreno da psicologia experimental e da psicologia clínica, nos habilita a usar a "experiência" como método direto e controlado de mudar a auto-imagem. Atire um homem na água de ponta-cabeça e a experiência pode ensiná-lo a nadar. A mesma experiência pode fazer outro homem afogar-se. O exército "faz homens" de muitos rapazes. Mas não há dúvida de que a caserna produz também muitos psiconeuróticos. Há séculos se sabe que "nada tem tanto êxito quanto o êxito". Nós aprendemos a atuar com êxito experimentando o êxito. As lembranças de êxitos passados agem como "informações armazenadas" que nos dão autoconfiança para executarmos a tarefa que temos em mãos. Mas quem só conheceu derrotas como pode servir-se de memórias de experiências bem-sucedidas no passado? É a situação do jovem que não conseguia emprego porque não tinha experiência, e não podia adquirir experiência porque não conseguia emprego.

Esse dilema foi resolvido por outra importante descoberta que, para todos os fins práticos, nos permite sintetizar "experiência" e, literalmente, "criar" experiência, e controlá-la, no laboratório do nosso espírito. Psicólogos clínicos e experimentais demonstraram, além de qualquer sombra de dúvida, que o sistema nervoso humano não é capaz de distinguir entre uma experiência "real" e outra que seja *imaginada vividamente e em detalhes*. Embora tal afirmação possa parecer extravagante, examinaremos neste livro algumas experiências de laboratório, controladas, em que esse tipo de experiência "sintética" foi aplicada de maneiras bastante práticas para aumentar a perícia de atletas no lançamento do dardo e na marcação de "cestas" no jogo de bola-ao-cesto. Veremos essas experiências em ação nas vidas de indivíduos que as usaram para melhorar sua capacidade de falar em público, vencer o medo do dentista, conseguir aprumo social, desenvolver a confiança em si mesmos, vender mais mercadorias, aumentar sua perícia no jogo de xadrez — e em praticamente todos os outros tipos concebíveis de situações em que se sabe que a "experiência" traz sucesso. Iremos ver uma impressionante experiência em que dois proeminentes médicos prepararam as coisas de maneira a que alguns neuróticos se sentissem "normais" — e, assim, foram curados!

E, o que é talvez mais importante de tudo, veremos como pessoas cronicamente infelizes aprenderam a apreciar a vida "experimentando" a felicidade!

O segredo de como usar este livro para mudar sua vida

Este livro foi escrito não apenas para ser lido, mas para ser *experimentado*. Você pode adquirir fatos pela leitura de um livro. Mas para "experimentar" você precisa responder criadoramente aos fatos. A aquisição de informações é em si mesma passiva. A experiência é ativa. Quando você "experimenta", algo acontece em seu sistema nervoso e seu mesencéfalo. Novos "engramas" e padrões "neurais" são registrados na massa cinzenta do seu cérebro.

Este livro foi feito para, literalmente, obrigá-lo a "experimentar". Os "casos" sob medida e pré-fabricados foram aqui intencionalmente reduzidos ao mínimo. Em lugar disso, pede-se que você apresente seus próprios "casos", utilizando-se de sua imaginação e memória. Não se fez "sumário" ao fim de cada capítulo. Ao invés disso, pede-se que você anote os pontos que lhe pareçam pontos-chave e que devam ser lembrados. Finalmente, você encontrará, através de todo este livro, coisas para fazer e exercícios práticos que deve executar. São exercícios simples e fáceis mas precisam ser feitos com regularidade para você tirar deles o máximo proveito.

Reserve o seu julgamento durante 21 dias

Não se permita ficar desanimado se nada parece acontecer depois que você começou a pôr em prática as várias técnicas delineadas neste livro para mudar sua auto-imagem. Em vez disso, reserve seu julgamento — e continue praticando — por um período mínimo de 21 dias.

Em geral é necessário um mínimo de aproximadamente 21 dias para se efetuar qualquer mudança perceptível numa imagem mental. O paciente médio, depois de uma operação plástica, leva mais ou menos 21 dias para se acostumar às suas novas feições. Quando se amputa um braço ou uma perna, o "membro fantasma" persiste por cerca de três semanas. Estes, e muitos outros fenômenos comumente observados, tendem a mostrar que é necessário um mínimo de mais ou menos 21 dias para a velha imagem mental dissolver-se e a nova se cristalizar.

Por conseguinte, você tirará deste livro mais benefícios se obtiver de si mesmo o "consentimento" de reter seu julgamento crítico pelo menos três semanas. Durante esse tempo não esteja, por assim dizer, a olhar continuamente por cima dos ombros, ou tentando avaliar o seu progresso. Durante esses 21 dias não discuta intelectualmente com as idéias aqui apresentadas, nem provoque consigo mesmo debates sobre se tais idéias irão dar certo ou não. Execute os exercícios, mesmo que lhe pareçam pouco práticos. Insista em desempenhar seu novo papel, em pensar sobre si mesmo de nova maneira, ainda que ao fazê-lo você se julgue um pouco hipócrita, e que sua nova auto-imagem se sinta pouco à vontade ou "antinatural".

As idéias e conceitos contidos neste livro, você não poderá demonstrá-los nem refutá-los com argumentos intelectuais, ou simplesmente conversando sobre eles. Você *pode* demonstrá-los a si mesmo *executando-os* e julgando por si mesmo os resultados. Peço apenas que você retenha seu julgamento crítico e argumentação analítica por 21 dias, de maneira a dar a si mesmo a justa chance de comprovar ou refutar a validade deles em sua própria vida.

A construção de uma auto-imagem adequada é algo que deve continuar a vida toda. É evidente que não podemos realizar o progresso de toda uma vida num prazo de três semanas. Mas você pode dentro de três semanas experimentar uma melhoria — e às vezes essa melhoria chega a ser espetacular.

Que é o sucesso?

Uma vez que empregamos em todo o decorrer deste livro as palavras "sucesso" e "bem-sucedido", acho que é importante dar desde já uma definição desses termos.

Em minha maneira de empregar essas palavras, "sucesso" ou "êxito" nada têm que ver com símbolos de prestígio. A bem dizer, nenhum homem deve procurar ser "um sucesso", mas todo homem pode e deve procurar ser "bem-sucedido". Quem procura ser "um sucesso", no sentido de adquirir símbolos de prestígio e usar certos rótulos, está fadado a ser presa de neuroticismo, frustração e infelicidade. Mas procurar ser "bem-sucedido" traz não apenas êxito material, como também satisfação, preenchimento e felicidade.

Noah Webster define sucesso como sendo "a colimação satisfatória do objetivo procurado". A luta criadora em busca de um objetivo que é importante para *você,* como resultado de suas necessidades, aspirações e aptidões fundamente sentidas (e não os símbolos que os "outros" esperam que você exiba), traz felicidade ao mesmo tempo que sucesso, porque você está então agindo como deve realmente agir. O homem é por natureza um ser "perseguidor de objetivos". E por ser "feito dessa maneira" ele não é feliz se não agir como a providência destinou que ele agisse — lutar por objetivos. Assim, o verdadeiro sucesso e a verdadeira felicidade não apenas caminham juntos, como um aumenta a outra.

CAPÍTULO I

A AUTO-IMAGEM — SUA CHAVE
PARA UMA VIDA MELHOR

Durante a última década uma revolução silenciosa se processou no terreno da Psicologia, da Psiquiatria e da Medicina. Novas teorias e conceitos sobre o eu nasceram do trabalho e das descobertas de psicologistas clínicos, psiquiatras e médicos que se dedicam à cirurgia plástica. Novos métodos oriundos dessas descobertas resultaram em impressionantes mudanças em personalidade, saúde e, aparentemente, até em aptidões e dons naturais básicos. Pessoas cronicamente vencidas se transformaram em indivíduos vitoriosos. Péssimos estudantes passaram a ser alunos-modelos em questão de dias e sem necessidade de aulas particulares. Personalidades tímidas, reservadas, inibidas, se tornaram comunicativas e felizes.

Escrevendo na edição de janeiro de 1959 da revista *Cosmopolitan*, T. F. James resume da seguinte maneira os resultados obtidos por vários psicólogos e médicos:

"A compreensão da psicologia do eu pode significar a diferença entre o êxito e o fracasso, o amor e o ódio, a amargura e a felicidade. A descoberta do verdadeiro eu pode salvar um casamento que se desmorona, consolidar uma carreira periclitante, transformar vítimas de "fracassos da personalidade". Num outro plano, a descoberta do nosso verdadeiro eu significa a diferença entre a liberdade e as compulsões do conformismo".

Sua chave para uma vida melhor

A mais importante descoberta psicológica deste século foi a da "auto-imagem". Quer saibamos disso, quer não, cada um de nós traz consigo uma imagem mental de si mesmo. Ela pode ser vaga e de contornos mal definidos para o nosso olhar consciente. Na verdade, ela pode nem sequer ser conscientemente perceptível. Ela porém ali está, completa até o último detalhe. Esta auto-imagem é a nossa própria concepção da "espécie de pessoa que eu sou". Ela foi construída de conformidade com as *convicções* que temos a respeito de nós mesmos. Mas essas convicções em sua maior parte se formaram inconscientemente, de acordo com nossas experiências, êxitos e fracassos passados, nossas humilhações, nossos triunfos, e a maneira como outras pessoas reagiram com relação a nós, mormente na primeira infância. De tudo isto, nós mentalmente construímos uma personalidade (ou a imagem de uma personalidade). Desde que uma idéia ou convicção que temos sobre nós mesmos entra nessa imagem, ela se torna "verdadeira". Jamais pomos em dúvida a validez dela, e passamos a agir, com relação a ela, *tal como se fosse verdadeira*.

Esta auto-imagem se torna uma chave dourada para uma vida melhor, graças a duas importantes verificações:

(1) Todas as nossas ações, sentimentos, comportamento — até nossas aptidões — são sempre coerentes com essa auto-imagem.

Em resumo, você "agirá como" a espécie de pessoa que julga ser. E não só isso, como também você, literalmente, não pode agir de outra maneira, apesar de todos os seus esforços conscientes ou de sua força de vontade. O homem que a si mesmo se julga "um indivíduo do tipo derrotado" sempre achará um jeito de fracassar, apesar de todas as suas boas intenções ou de sua força de vontade. O homem que se julga vítima de injustiça, alguém "cujo destino é sofrer", encontrará invariavelmente as circunstâncias que confirmarão suas opiniões.

A auto-imagem é uma "premissa", uma base, sobre a qual toda a nossa personalidade, nosso comportamento, e até nossas situações são construídas. Em virtude disto, nossas experiências parecem corroborar e, portanto, robustecer nossas auto-imagens, e assim um círculo vicioso ou benéfico, conforme o caso, se estabelece. Por exemplo, um colegial que se considera mau aluno ou aluno "fraco em matemática" verificará que seu boletim confirma essa opinião. Ele tem então a "prova". A menina que faz de si mesma a imagem da criatura que ninguém aprecia descobrirá que realmente todos a evitam na escola ou até em casa. Ela literalmente convida à rejeição. Sua expressão acabrunhada, suas maneiras servis, sua exagerada vontade de agradar, ou talvez sua hostilidade inconsciente para com aqueles que, supõe, vão ofendê-la — tudo isso contribui para afastar as pessoas que em outras circunstâncias se sentiriam atraídas por ela.

É por causa dessa "prova" objetiva que só muito raramente ocorre a alguém que o mal está em sua auto-imagem ou na idéia que ele faz de si mesmo.

(2) A auto-imagem pode ser modificada. Numerosos casos observados mostraram que nunca se é jovem ou velho demais para modificar-se a auto-imagem e, assim, começar uma vida nova.

Uma das razões por que achamos difícil mudar nossos hábitos, nossa personalidade ou nosso modo de vida é que até agora quase todos os nossos esforços para nos modificar foram dirigidos, por assim dizer, para a "periferia", em vez de para o centro de nós mesmos. Numerosos pacientes me disseram mais ou menos isto: "Se o Sr. está falando de 'pensamento positivo', eu já experimentei isso e comigo não deu certo." Todavia, esses indivíduos empregaram o "pensamento positivo", ou tentaram empregá-lo, seja sobre circunstâncias particulares externas, seja sobre determinados defeitos de hábito ou caráter. Mas nunca pensaram em mudar sua idéia do próprio eu, que era o que iria conseguir tais coisas.

Jesus nos advertiu sobre a insensatez de pôr remendo novo em roupa velha, ou de guardar vinho novo em odres velhos. O "pensamento positivo" não pode ser usado eficazmente como remendo ou muleta da mesma auto-imagem antiga. Aliás, é literalmente impossível pensar positivamente sobre uma determinada situação enquanto mantivermos um conceito negativo sobre nós mesmos. E numerosas experiências demonstraram que desde que modifiquemos nosso autoconceito, outras coisas *coerentes* com o novo conceito que fazemos de nós mesmos podem ser atingidas facilmente e sem esforço.

Uma das primeiras e mais convincentes experiências nesse sentido foi levada a efeito por Prescott Lecky, pioneiro no terreno da psicologia da auto-imagem. Lecky considerava a personalidade como sendo um "sistema de idéias", todas as quais *devem aparecer* coerentes uma com a outra. Idéias que estejam em contradição com o sistema são rejeitadas, não merecem crédito, e sobre elas nenhuma ação é baseada. Idéias que *parecem* coerentes com o sistema são aceitas. No centro mesmo desse sistema de idéias — sua pedra angular — está o "ego ideal" do indivíduo, sua "auto-imagem", ou seu conceito de si mesmo.

Era teoria de Lecky que, se um aluno tinha dificuldade em aprender determinada matéria, podia muito bem ser porque (do ponto de vista dele aluno) seria para ele incoerente aprendê-la. Lecky era porém de opinião que, se fosse possível modificar o conceito que o aluno tinha de si mesmo, conceito que apoiava aquele ponto de vista, sua atitude em relação à matéria mudaria automaticamente. Se o aluno pudesse ser levado a mudar sua autodefinição, a sua capacidade de aprender mudaria também. Isso demonstrou ser verdadeiro. Um estudante que escrevia erradamente 55 palavras em cada cem e foi reprovado em várias matérias conseguiu no ano seguinte a média geral de 91 e se tornou um dos melhores alunos da escola em Ortografia. Um rapaz que precisou deixar o colégio por causa de suas notas baixas entrou na Universidade de Columbia e se tornou aluno de primeira categoria. Uma jovem que foi reprovada em latim quatro vezes conseguiu, depois de três sessões com o conselheiro da escola, alcançar a média 84. Um rapaz que o departamento de testes julgou fraco em linguagem obteve no ano seguinte menção honrosa em uma prova literária.

O mal com esses alunos não era que fossem pouco inteligentes ou carecessem de aptidões básicas; eles tinham uma auto-imagem inadequada ("Não tenho queda para a Matemática", "Sempre fui fraco em Ortografia", etc.). Eles "se identificavam" com seus erros e malogros. Em lugar de dizerem "Fui mal naquela prova" (concreto e descritivo), concluíam "Eu sou uma negação". Em lugar de dizerem "Fui reprovado naquela matéria", diziam "Não sirvo para coisa nenhuma". Lecky usava ainda o mesmo método para corrigir hábitos como roer unhas e gaguejar.

Meus próprios arquivos contêm casos igualmente convincentes: o homem que tinha tal medo de estranhos que raramente se aventurava fora de casa, e hoje sua profissão exige que ele fale em público. O vendedor que já havia preparado sua carta de demissão porque "não era talhado para vendas" e seis meses depois era o primeiro entre um grupo de cem vendedores. O pastor que pensava aposentar-se porque os "nervos" e a pressão de ter que preparar um sermão por semana o estavam prostrando e agora faz uma média de três conferências por semana, além dos sermões semanais em sua própria igreja, e nem se lembra de que tem nervos no corpo.

Como um especialista em cirurgia plástica se tornou interessado na psicologia da auto-imagem

À primeira vista, pode parecer que há pouca ou nenhuma relação entre cirurgia e psicologia. Não obstante, foi o trabalho de um especialista em cirurgia plástica que primeiro vislumbrou a existência da "auto-imagem" e levantou certas questões que conduziram a importantes conhecimentos psicológicos.

Quando me iniciei em cirurgia plástica, há muitos anos, fiquei atônito com as súbitas e espetaculares mudanças de caráter e personalidade que freqüentemente resultavam quando se corrigia um defeito facial. A alteração da imagem física parecia em muitos casos criar *uma pessoa inteiramente nova*. Em caso após caso o bisturi que eu tinha na mão se tornava uma varinha de condão que transformava não apenas a aparência do paciente, mas também toda sua vida. O tímido e retraído se tornava ousado e valente. Um menino moleirão, bronco, passou a ser um moço inteligente, alerta, que acabou ocupando um lugar de projeção numa grande firma. Um vendedor que havia perdido a coragem e a fé em si mesmo se tornou um modelo de autoconfiança. E talvez o mais surpreendente de todos foi o do criminoso contumaz que, quase da noite para o dia, de homem incorrigível, que jamais mostrara nenhum desejo de reformar-se, passou a ser um prisioneiro exemplar que obteve livramento condicional e acabou assumindo papel de responsabilidade na sociedade.

Há aproximadamente vinte anos relatei muitos desses casos em meu livro "Novos Rostos — Novos Futuros". Em seguida à publicação desse livro e de uma série de artigos em revistas de grande circulação, fui assediado por criminologistas, psicólogos, sociólogos e psiquiatras. Fizeram-me perguntas a que não pude responder. Mas puseram-me no caminho de uma pesquisa. Não deixa de ser muito curioso que eu tenha aprendido tanto, se não mais, com meus fracassos, quanto com meus êxitos.

Os êxitos eram fáceis de explicar. O menino de orelhas enormes, a quem haviam dito que parecia um táxi com as duas portas abertas. Durante toda sua vida o haviam ridicularizado, às vezes até de maneira cruel. O contacto com seus companheiros de brinquedos era para ele sempre humilhação e dor. Acabou por sentir medo das pessoas, recolhendo-se para dentro de si mesmo. Apavorado demais para se exprimir, de qualquer maneira que fosse, não é de admirar que o tivessem na conta de retardado. Quando suas orelhas foram corrigidas, era natural esperar-se que a causa de seu encabulamento e humilhação tivesse sido removida e que ele assumiria um papel normal na vida — o que realmente aconteceu.

Ou então o caso do vendedor que sofreu mutilação do rosto num acidente de automóvel. Toda manhã, ao fazer a barba, via as cicatrizes horríveis que lhe desfiguravam a face, e o rictus grotesco da boca. Pela primeira vez na vida, se tornou lamentavelmente inibido. Tinha vergonha de si mesmo e achava que sua aparência era repulsiva. As cicatrizes se tornaram para ele uma obsessão. Começou a "cismar" no que os outros pensariam dele. Dentro em pouco seu ego ficou mais mutilado que seu rosto. Tornou-se amargurado e hostil. Não tardou que quase toda sua atenção se voltasse para si mesmo — e seu principal objetivo passou a ser a proteção do seu ego e a fuga a situações que pudessem trazer-lhe humilhações. É fácil compreender que a correção do seu defeito facial e a restauração do seu rosto "normal" mudariam da noite para o dia toda a atitude e perspectiva desse homem, bem como seus sentimentos a respeito de si mesmo, resultando em maior sucesso em seu trabalho.

Mas, e as exceções em que não se observou mudança nenhuma? A Duquesa que, durante toda sua vida fora inibida por causa de uma enorme corcova no nariz? Embora a cirurgia lhe desse um nariz clássico e um rosto verdadeiramente belo, ela continuou a desempenhar o papel do patinho feio, da irmãzinha não desejada, incapaz de encarar outro ser humano nos olhos. Se o bisturi era mágico, como não deu certo com a Duquesa? Ou como explicar-se a reação de pessoas que insistem em afirmar que a cirurgia não fez *nenhuma diferença* em sua aparência? Todo cirurgião que faz plástica teve essa experiência e provavelmente sentiu o mesmo espanto que eu. Certas pacientes, por drástica que possa ter sido a mudança em sua aparência, teimam em afirmar que "Estou com a mesma cara de antes — o Sr. não fez nada".

Amigos, e até pessoas da família, podem quase não a reconhecer, e se mostrar entusiasmados com a nova "beleza" que ela adquiriu, mas a paciente insiste em que vê apenas uma ligeira melhoria, ou melhoria nenhuma — quando não nega, às vezes, que houve qualquer alteração. E são inúteis as comparações entre fotografias de "antes" e "depois". Por alguma estranha alquimia mental a paciente procura defender sua opinião. "É claro que a corcova foi removida, mas meu nariz continua exatamente o mesmo", ou "É possível que a cicatriz não apareça, mas ainda *está aí*".

Cicatrizes que trazem orgulho em vez de opróbrio

Outra pista, ainda, na pesquisa em busca da esquiva auto-imagem era o fato de que nem todas as cicatrizes ou deformações traziam humilhação e vexame. Quando eu era estudante de Medicina na Alemanha, vi muitos colegas exibirem com arrogância cicatrizes obtidas em duelos, mais ou menos como um de nós exibiria uma Medalha de Honra. Os duelistas constituíam a elite do grêmio estudantil e uma cicatriz facial era a insígnia que distinguia os membros de maior projeção. Na Nova Orleans de antigamente, muitos crioulos usavam uma venda no olho, com finalidade semelhante. Comecei a suspeitar que a lâmina propriamente dita não tinha poderes mágicos. Ela podia ser usada para infligir uma marca em uma pessoa ou para removê-la em outra, com os mesmos resultados psicológicos.

O mistério da fealdade imaginária

Para uma pessoa prejudicada por um defeito congênito real ou que padeça de um desfiguramento do rosto, resultado de algum acidente, a cirurgia plástica pode realmente representar algo semelhante a um milagre. Com base nesses casos seria fácil chegarmos à teoria de que a panacéia capaz de curar todas as neuroses, infelicidades, fracassos, receios, ansiedades e falta de confiança em si mesmo seria uma operação plástica geral, que removesse todos os defeitos do corpo. Contudo, a julgar por essa teoria, aqueles que têm rostos normais ou aceitáveis deveriam ser singularmente isentos de obstáculos psicológicos. Deviam ser alegres, felizes, autoconfiantes, libertos de ansiedade e preocupações. Sabemos perfeitamente que isso não é verdade.

Essa teoria não poderia explicar também porque muitas pessoas procuram o consultório do especialista em cirurgia plástica e pedem uma "revisão facial" que corrija fealdades puramente imaginárias. Há senhoras de 35 ou 40 anos absolutamente convencidas de que parecem "velhas", mesmo quando têm feições perfeitamente normais e até, em muitos casos, invulgarmente atraentes.

Há moças que estão certas de que são "feias" apenas porque as medidas de sua boca, nariz ou busto não correspondem às da estrela de cinema que dita a moda na ocasião. Há homens que *supõem* que suas orelhas são muito grandes ou seu nariz muito comprido. Nenhum cirurgião cônscio da ética profissional sequer cogitaria de operar uma pessoa dessas, mas infelizmente há os charlatães, os que se inculcam "especialistas em beleza", que não se detêm por causa de tais escrúpulos.

Essa "fealdade imaginária" de modo nenhum é rara. Recente pesquisa entre alunas de um colégio revelou que 90 por cento delas estavam, de alguma maneira, descontentes com a própria aparência. É evidente que 90 por cento da nossa população não pode ter aparência "anormal", "diferente" ou "defeituosa"! Não obstante, outras pesquisas semelhantes mostraram que aproximadamente a mesma percentagem da nossa população geral encontra algum motivo para sentir-se envergonhada de sua "imagem física".

Essas pessoas reagem *tal como se* tivessem realmente algum defeito. Sentem a mesma vergonha. Adquirem os mesmos temores e ansiedades. Sua capacidade de "viver" plenamente é bloqueada pela mesma espécie de obstáculos psicológicos. Suas "cicatrizes", embora sejam antes mentais e emocionais do que físicas, têm igual efeito debilitante.

A auto-imagem — O verdadeiro segredo

A descoberta da auto-imagem explica todas as aparentes incongruências a que nos referimos. É o denominador comum, o *fator determinante,* em todos os casos que observamos — os fracassos bem como os êxitos.

O segredo é este: Para de fato "viver", isto é, achar a vida razoavelmente satisfatória, você precisa ter uma auto-imagem adequada e realista, uma auto-imagem com a qual possa conviver. Precisa achar o seu "eu" aceitável para "você". Precisa ter uma salutar auto-imagem. Precisa ter um "eu" que você não se envergonhe de "ser", um "eu" que você se sinta livre para expressar criadoramente, em lugar de escondê-lo ou acobertá-lo. Precisa conhecer a si mesmo — tanto seus pontos fortes como suas fraquezas, e ser honesto consigo mesmo com respeito a ambos. Sua auto-imagem deve, tanto quanto possível, corresponder ao que você realmente é, nem mais nem menos.

Quando essa auto-imagem está intacta e segura, você se sente "bem". Quando ela é ameaçada, você fica ansioso e inseguro. Quando ela é adequada, e dela você pode sentir um salutar orgulho, você se acha autoconfiante, se sente livre para "ser você mesmo" e expressar-se a si mesmo. Em suma: você está vivendo nas suas melhores condições possíveis. Quando ela é motivo de vergonha, você procura ocultá-la em vez de exprimi-la. A expressão criadora é bloqueada. Você se torna uma criatura hostil e de difícil convivência.

Se uma cicatriz no rosto favorece a auto-imagem (como no caso dos duelistas alemães), crescem o amor-próprio e a autoconfiança. Se ela prejudica a auto-imagem (como no caso do vendedor), a conseqüência é perda do amor-próprio e da autoconfiança.

Quando a operação plástica corrige o defeito facial observam-se impressionantes mudanças psicológicas *apenas* se houver uma correspondente correção da auto-imagem mutilada. Às vezes a imagem da personalidade desfigurada persiste mesmo depois de uma intervenção plástica bem-sucedida, quase como no caso do "membro fantasma" que continua a sentir dores anos depois que o braço ou perna físicos foram amputados.

Começo de uma nova carreira

Essas observações me levaram a uma nova carreira. Há muitos anos me convenci de que as criaturas que procuram o especialista em cirurgia plástica precisam freqüentemente de alguma coisa mais que a cirurgia e que algumas não precisam absolutamente de cirurgia. Para tratar essas pessoas como pacientes, como um ser humano global e não um simples nariz, orelha, boca, braço ou perna, eu precisava estar em condições de dar-lhes algo mais. Precisava mostrar-lhes como obterem um soerguimento espiritual, como removerem cicatrizes emocionais e mudar suas atitudes e pensamentos, além de sua aparência física.

Esse estudo foi-me sobremaneira compensador. Hoje estou mais do que nunca convencido de que aquilo que no íntimo todos nós desejamos é mais VIDA. Felicidade, êxito, paz de espírito, ou qualquer que seja nossa concepção do supremo bem são, na essência, experimentados como "mais vida". Quando sentimos as emoções expansivas da felicidade, da autoconfiança e do êxito, desfrutamos de mais vida. E na medida em que inibimos nossas aptidões, frustramos os nossos talentos e nos permitimos sofrer de ansiedade, medo, autocondenação e ódio de nós mesmos, literalmente reprimimos a força de vida de que podemos dispor, e voltamos as costas para os dons com que o Criador nos favoreceu.

Seu programa para uma vida melhor

Em minha opinião, a psicologia nos últimos 30 anos se tornou demasiadamente pessimista no tocante ao homem e às possibilidades que ele tem, tanto para modificar-se como para elevar-se. Pelo fato de os psicólogos e psiquiatras tratarem dos indivíduos chamados "anormais", a literatura foi quase toda dedicada às várias anormalidades do homem e sua tendência para a autodestruição. Suponho que muitas pessoas leram tanta coisa a respeito dessas anomalias que passaram a encarar os sentimentos como o ódio, o "instinto de destruição", a culpa, a autocondenação e todos os demais sentimentos negativos, como "comportamento humano normal". Se esse fosse o verdadeiro quadro da natureza humana e da condição humana, o "auto-aperfeiçoamento" seria com efeito coisa bem fútil.

Acredito, porém — e as experiências de meus numerosos pacientes confirmaram — que não precisamos fazer esse trabalho sozinhos. Há em todos nós um "instinto de vida" que trabalha ininterruptamente no sentido da saúde, da felicidade e de tudo que significa *mais vida* para o indivíduo. Esse "instinto de vida" trabalha *para você*, por meio daquilo que eu chamo de Mecanismo Criador ou, quando corretamente usado, "Mecanismo de Sucesso", o qual é parte integrante de cada ser humano.

Novas incursões da ciência na "mente subconsciente"

A nova ciência da Cibernética nos deu provas incontestáveis de que a denominada "mente subconsciente" não é, de maneira nenhuma, uma "mente", mas um mecanismo — um "servomecanismo" perseguidor de objetivos, o qual consiste do cérebro e do sistema nervoso, e é *usado* e *dirigido* pela mente. O conceito mais recente e prático é que o homem não possui duas "mentes", mas apenas uma — a consciência — que "opera" um mecanismo automático de "busca de objetivos". Este funciona de maneira muito semelhante à dos servomecanismos eletrônicos, pelo menos no que concerne aos seus princípios básicos, mas é muito mais maravilhoso e complexo do que qualquer cérebro eletrônico ou foguete teleguiado jamais concebido pelo homem.

Esse Mecanismo Criador que há em nós é impessoal. Ele trabalhará automaticamente e de modo impessoal para atingir objetivos de sucesso e felicidade, ou de infelicidade e fracasso, dependendo dos objetivos que para ele estabelecermos. Se o alimentarmos com "objetivos de êxito", ele funcionará como um "Mecanismo de Êxito". Se lhe fornecermos objetivos negativos, ele, com a mesma impessoalidade e fidelidade, funcionará como um "Mecanismo de Fracasso".

Como qualquer outro servomecanismo, o nosso Mecanismo Criador trabalha com dados que lhe fornecemos (nossos pensamentos, convicções, interpretações). Através de nossas atitudes e das interpretações que damos às situações, "descrevemos" o problema a ser resolvido. Se alimentarmos nosso Mecanismo Criador com informações e dados no sentido de que somos indignos, inferiores, desprezíveis, incapazes (uma auto-imagem negativa), esses dados são manipulados e utilizados como quaisquer outros dados, e recebemos a "solução" sob a forma de experiência objetiva.

Como qualquer outro servomecanismo, nosso Mecanismo Criador utiliza informações acumuladas, ou "memórias", para resolver problemas em curso ou reagir a situações do momento. Nosso programa para viver mais intensamente consiste antes de tudo em aprender alguma coisa a respeito deste Mecanismo Criador, ou sistema de orientação automática que há dentro de nós, e de que forma utilizá-lo como um Mecanismo de Êxito, em vez de um Mecanismo de Fracasso.

O método propriamente dito consiste em aprender, *praticar* e *experimentar*, novos hábitos de pensamento, imaginação, lembrança e ação, de modo a (1) adquirir uma Auto-Imagem adequada e realista, e (2) usar seu Mecanismo Criador para trazer sucesso e felicidade na colimação de determinados objetivos.

Digo freqüentemente aos que me consultam: "Se você pode lembrar-se, preocupar-se ou amarrar seus sapatos, não encontrará dificuldades na aplicação deste método". As coisas que pedimos que o leitor faça são simples, mas é preciso praticar e "experimentar". A visualização — formação de imagens mentais construtivas — não é coisa mais difícil do que aquilo que você faz quando se recorda de alguma cena do passado ou se preocupa com o futuro. Formar novos padrões através da ação não é mais difícil do que amarrar "deliberadamente" o cordão dos sapatos, depois executar esse ato de maneira nova e diferente cada manhã, em vez de continuar a fazê-lo da velha "maneira habitual", distraidamente, sem pensamento ou deliberação.

CAPÍTULO II

DESCOBRINDO O MECANISMO DE ÊXITO QUE HÁ EM VOCÊ

Por estranho que pareça, até dez anos passados os cientistas não tinham idéia exata de como o cérebro e o sistema nervoso humanos trabalhavam "deliberadamente" para atingir algum objetivo. Após longas e meticulosas observações eles sabiam *o que* acontecia. Mas não havia uma só teoria a respeito dos princípios que englobavam todos esses fenômenos numa concepção que fizesse sentido. R. W. Gerard, escrevendo na revista *Scientific Monthly* em junho de 1946, a respeito do cérebro e da imaginação, afirmou que infelizmente quase tudo o que conhecemos sobre a mente humana permaneceria tão válido e útil como se, até onde nos fosse dado saber, o crânio estivesse recheado de chumaços de algodão.

Entretanto, quando o homem se propôs a fazer um "cérebro eletrônico" e a construir mecanismos destinados a alcançar determinados objetivos, ele *precisou* descobrir e utilizar certos princípios básicos. Tendo descoberto tais princípios, os cientistas começaram a cismar: Será que cérebro humano funciona assim também? Será que o Criador, ao criar o Homem nos dotou de um servomecanismo superior a qualquer cérebro eletrônico ou qualquer sistema de orientação jamais sonhado pelo homem, *mas que opera segundo os mesmos princípios?*

Na opinião de famosos cientistas especializados em Cibernética, como o Dr. Norbert Wiener, o Dr. John von Newmann e outros, a resposta é decididamente afirmativa.

Nosso sistema de orientação embutido

Todo ser vivo nasce com um sistema de orientação ou dispositivo perseguidor de objetivos, com que o Criador o dotou para ajudá-lo a alcançar seus objetivos — o que em termos gerais significa "viver".

Nas formas de vida mais rudimentares o objetivo "viver" significa simplesmente sobrevivência física tanto para o indivíduo como para a espécie. O mecanismo embutido nos animais se limita a encontrar alimento e abrigo, evitar ou vencer inimigos e imprevistos, e procriar para garantir a perpetuação das espécies.

No homem, o objetivo "viver" representa mais do que mera sobrevivência. O homem tem necessidades emocionais e espirituais que os animais não têm. O "Mecanismo de Êxito" embutido que há no homem é também de escopo muito mais amplo que o do animal. Além de ajudá-lo a evitar ou vencer perigos, auxilia-o a encontrar a solução de problemas, inventar, escrever poesias, dirigir negócios, vender mercadorias, explorar novos horizontes na ciência, alcançar mais paz de espírito, adquirir melhor personalidade, ou obter sucesso em qualquer outra atividade que esteja intimamente ligada à sua existência ou contribua para uma vida mais plena.

O "instinto" do êxito

O esquilo não precisa que lhe ensinem a apanhar nozes. Nem precisa aprender que deve armazená-las para o inverno. Um esquilo que nasceu na primavera jamais experimentou o inverno. No entanto, no outono podemos vê-lo a armazenar diligentemente nozes para consumir nos meses frios, quando não tem onde buscar alimento. Um passarinho não precisa tomar lições para construir seu ninho. Nem fazer cursos de navegação. No entanto, há aves que viajam milhares de quilômetros, às vezes sobre alto-mar. Elas não têm jornais ou televisão que lhes dêem boletins de tempo, nem livros escritos por exploradores, nem aves pioneiras que tenham feito levantamentos das áreas quentes do globo. Não obstante, "sabem" quando o frio está iminente e conhecem a localização exata dos climas amenos, mesmo que estes se encontrem a milhares de quilômetros.

Ao tentarmos explicar esses fenômenos, dizemos em geral que os animais têm certos "instintos" que os orientam. Se analisarmos esses instintos, verificaremos que eles ajudam o animal a adaptar-se ao ambiente que o cerca. Em suma, os animais têm um "instinto de sucesso".

Muitas vezes não atentamos para o fato de que o homem também tem um instinto de sucesso, e muito mais maravilhoso e complexo que o de qualquer irracional. O Criador não defraudou o homem, que foi a esse respeito muito bem aquinhoado. Os animais não podem escolher os seus objetivos. Estes (autopreservação e procriação) são, por assim dizer, predeterminados. E seu mecanismo de êxito limita-se a essas imagens-de-objetivos inerentes, a que chamamos "instintos".

O homem, por outro lado, tem algo que os animais não têm — Imaginação Criadora. Assim, o homem, entre as demais criaturas, é mais do que uma criatura: é também um criador. Com sua imaginação, ele pode formular uma grande variedade de objetivos. Só o homem pode dirigir seu Mecanismo de Êxito pelo uso da imaginação, isto é, da habilidade de criar imagens.

Muitas vezes pensamos que a "Imaginação Criadora" é privilégio de poetas, inventores, etc. Mas a imaginação *é* criadora em tudo quanto fazemos. "É a imaginação que rege o mundo", disse Napoleão. "De todos os atributos do homem, a imaginação é o mais sublime", disse Glenn Clark. "A imaginação é a mola mestra da atividade humana, e a principal fonte de aperfeiçoamento do homem... Destruamos essa faculdade, e a condição humana estacionará como a dos brutos", disse Dugold Stewart, o famoso filósofo escocês. "Você pode imaginar seu futuro", diz Henry J. Kaiser, que atribui muito de seu êxito nos negócios ao uso construtivo e positivo que tem feito da imaginação criadora.

Como funciona seu mecanismo de êxito

"Você" não é uma máquina. Mas recentes descobertas da ciência da Cibernética levaram à conclusão de que o seu cérebro e sistema nervoso constituem um servomecanismo que "você" usa e que opera de maneira análoga à de um computador eletrônico e um dispositivo de busca de objetivos. Seu cérebro e seu sistema nervoso constituem um mecanismo perseguidor de objetivos, que opera automaticamente para atingir determinados alvos, quase como um torpedo autodirigido ou um projétil interceptador. Seu servomecanismo embutido funciona tanto como um "sistema de orientação" para guiá-lo automaticamente na direção certa, com o fim de atingir determinados objetivos, ou fazê-lo reagir de maneira correta às imposições do ambiente, quanto como "cérebro eletrônico" que pode funcionar automaticamente para resolver problemas, dar a você as necessárias respostas e fornecer novas idéias ou "inspirações". Em seu livro *O Computador e o Cérebro,* o Dr. John von Newmann afirma que o cérebro humano possui tanto os atributos do computador análogo como do computador digital. A palavra "Cibernética" vem de um vocábulo grego que significa literalmente "timoneiro".

"Psicocibernética" — Nova concepção sobre o funcionamento do cérebro

Quando pensamos no cérebro e no sistema nervoso do homem como sendo uma forma de servomecanismo, que opera de acordo com os princípios da Cibernética, melhor compreendemos as causas do comportamento humano. Resolvi dar a esse novo conceito o nome de "Psicocibernética": princípios da Cibernética quando aplicados ao cérebro humano.

A Psicocibernética, repetimos, não afirma que o homem é uma máquina, mas que o homem *tem* uma máquina, a qual ele usa. Examinemos algumas semelhanças que há entre os servomecanismos mecânicos e o cérebro humano:

Os dois tipos gerais de servomecanismos

Os servomecanismos se dividem em dois tipos gerais: (1) quando o alvo, o objetivo ou a "resposta" são *conhecidos,* e a finalidade é alcançá-los ou realizá-los; (2) quando o alvo ou a "resposta" não são conhecidos e a finalidade é encontrá-los. O cérebro e o sistema nervoso humanos operam das duas maneiras.

Um exemplo do primeiro tipo é o torpedo autodirigido ou o projétil interceptador. O alvo ou objetivo é conhecido — um avião ou navio inimigo; a finalidade é alcançá-lo. Esses aparelhos precisam "conhecer" o alvo para o qual se dirigem. Precisam ter um sistema de propulsão que os impulsione para a frente, na direção geral do alvo. E precisam ser equipados com "órgãos sensoriais" (radar, sonar, detetores térmicos, etc.) que lhes tragam informações partidas do alvo e os mantenham informados quando se encontram no caminho certo (informação positiva) ou quando cometem algum erro e saem da rota (informação negativa). O projétil não reage à informação positiva: ele já está no caminho certo e "apenas continua a fazer o que está fazendo". Mas é preciso haver um dispositivo de correção capaz de reagir às informações negativas. Quando o torpedo é informado de que está "fora da rota", digamos muito para à direita, seu dispositivo de correção aciona automaticamente o leme e ele vira para a esquerda. Se a correção foi exagerada e ele virou para a esquerda mais do que o necessário, o erro lhe é comunicado, o dispositivo de correção aciona o leme e ele vira de novo para a direita. O torpedo atinge o alvo *indo para a frente, cometendo erros* e corrigindo-os continuamente. Através de ziguezagues, vai literalmente "tateando" seu caminho, até atingir o objetivo.

O Dr. Norbert Wiener, um dos pioneiros na criação dos mecanismos para detectar alvos durante a Segunda Guerra Mundial, é de opinião que coisas muito parecidas ocorrem no sistema nervoso humano, sempre que executamos alguma atividade deliberada — até mesmo uma "busca de objetivo" tão simples como é apanhar um maço de cigarros que está sobre a mesa. Atingimos o objetivo por meio de um mecanismo automático, e não apenas pela "vontade" e raciocínio do prosencéfalo. Este limita-se a escolher o objetivo, "engatilhá-lo" para a ação através do desejo, e fornecer informações ao mecanismo automático, que corrige continuamente os movimentos da mão.

Em primeiro lugar, diz o Dr. Wiener, só um anatomista conheceria todos os músculos necessários para apanhar os cigarros. E o leitor, ainda que os conhecesse, não iria dizer a si mesmo: "preciso contrair os músculos do ombro para levantar o braço, agora preciso flexionar os tríceps para estender a mão, etc.". Você simplesmente apanha os cigarros, sem ter consciência da transmissão de ordens a cada músculo nem do cálculo das contrações necessárias.

Quando "VOCÊ" escolhe o objetivo e resolve entrar em ação, o mecanismo automático assume o comando. Você, anteriormente, já apanhou cigarros ou executou movimentos semelhantes: seu mecanismo automático "aprendeu" a reação correta. Ele usa as informações fornecidas ao cérebro pelos olhos. Esses dados habilitam o mecanismo automático a corrigir continuamente os movimentos da mão, até ela atingir o maço de cigarros.

Numa criança que começa a aprender o uso dos músculos, a retificação da mão que se estende para um chocalho é bastante evidente. Sua mãozinha move-se em ziguezagues, para diante e para trás, à medida que vai tateando. Mas é típico de todo processo de aprendizagem que a retificação dos gestos se torna cada vez mais perfeita.

Vemos isto no aprendiz de motorista: ele "corrige-se demais" e vai ziguezagueando pela rua.

Desde, porém, que se conseguiu uma "reação correta", esta é "lembrada" para uso futuro. O mecanismo automático reproduz, então, essa reação bem-sucedida em futuras situações. Ele "aprendeu" a reagir com êxito. Ele *"se lembra"* de *seus sucessos, esquece seus fracassos*, e repete a ação bem-sucedida sem mais pensamento consciente algum — isto é, por simples hábito.

De que modo seu cérebro encontra a solução de problemas

Suponhamos agora que a sala está escura e você não enxerga os cigarros. Você sabe que há, ou espera que haja, um maço de cigarros sobre a mesa, juntamente com diversos outros objetos. Instintivamente, sua mão começará a "tatear" para frente e para trás, executando movimentos em ziguezague (ou "explorando"), rejeitando um objeto após outro, até que o maço de cigarros é encontrado e "reconhecido". Esse é um exemplo do segundo tipo de servomecanismo. Procurar lembrar-se de um nome momentaneamente esquecido é outro exemplo. Há em nosso cérebro um "Explorador", que busca em nossas memórias armazenadas até "reconhecer" o nome correto. O cérebro eletrônico resolve problemas de maneira muito semelhante. Antes de tudo, uma grande quantidade de dados deve ser fornecida à máquina. Essas informações armazenadas, ou registradas, constituem a "memória" da máquina. Propõe-se a esta um problema. Ele rebusca em sua memória até localizar a única "resposta" coerente e que satisfaz a todas as condições do problema. O problema e a resposta, juntos, constituem uma situação ou estrutura "global". Quando uma parte da situação ou estrutura (o problema) é dado à máquina, esta localiza as únicas "partes ausentes", ou os tijolos do tamanho certo por assim dizer, para completar a estrutura.

Quanto mais aprendemos sobre o cérebro humano, mais intimamente vemos que se assemelha — no tocante à sua função — a um servomecanismo. Por exemplo, o Dr. Wilder Penfield, diretor do Instituto Neurológico de Montreal, anunciou recentemente num congresso realizado na Academia Nacional de Ciências que descobrira numa pequena área do cérebro um mecanismo gravador que, ao que tudo indica, grava fielmente tudo quanto a pessoa experimentou, observou ou aprendeu. Durante uma operação do cérebro em que a paciente estava perfeitamente desperta, o Dr. Penfield tocou com um instrumento cirúrgico numa pequena seção do córtex. No mesmo instante a paciente exclamou que estava "revivendo" um incidente da infância, que havia esquecido. Outras experiências nesse sentido demonstraram iguais resultados. Quando se tocava em certas áreas do córtex, os pacientes não apenas se "lembravam" de experiências passadas, como também as "reviviam", experimentando como se fossem reais todas as vistas, sons e sensações da experiência original. Era como se as experiências vividas tivessem sido registradas num gravador de fita e depois reproduzidas. Como um mecanismo tão pequeno quanto o cérebro humano pode reter tal quantidade de informações é ainda um mistério.

O neurofísico inglês W. Grey Walter afirmou que seriam necessárias pelo menos dez bilhões de células eletrônicas para se construir um fac-símile do cérebro humano. Tais células ocupariam cerca de cinqüenta mil metros cúbicos, e mais algumas centenas de milhares de metros cúbicos seriam necessários para os "nervos" ou instalação de fios. A força para acioná-lo seria da ordem de um bilhão de watts.

Examinando o mecanismo automático em ação

Nós nos maravilhamos ante os projéteis interceptadores capazes de calcular numa fração de segundo o ponto de interceptação de outro projétil e "estar lá" no instante exato para fazer o contato. No entanto, não estamos continuamente testemunhando coisa igualmente maravilhosa cada vez que vemos um jogador agarrar a bola no ar? Para calcular onde a bola cairá, ou qual será o "ponto de interceptação", ele precisa levar em conta a velocidade da bola, a curvatura de sua queda, sua direção, a força do vento, a velocidade inicial da bola, e o coeficiente da diminuição progressiva da velocidade. Precisa fazer esses cálculos depressa. Em seguida, precisa calcular exatamente a velocidade com que poderá correr, e em que direção, para chegar ao ponto de interceptação ao mesmo tempo que a bola. O jogador nem sequer pensa a esse respeito. Sua máquina automática de busca de objetivos se encarrega dos cálculos, utilizando dados que ele fornece a ela através dos olhos e ouvidos. O computador que há no cérebro dele recebe esses dados, compara-os com os dados armazenados (memórias de outros êxitos e fracassos em apanhar bolas no ar). Os cálculos necessários são feitos num átimo, enviam-se ordens aos músculos da perna — e o jogador se limita, simplesmente, a "correr".

A ciência pode construir o computador, mas não o operador

Afirma o Dr. Wiener que, até onde nos é possível prever, os cientistas jamais poderão construir um cérebro eletrônico que mesmo de longe se compare ao nosso cérebro. "O número de dispositivos computadores que há no cérebro humano excede em muito o de qualquer computador que se fez até hoje ou que se cogita de fazer no futuro".

Mas mesmo que tal máquina fosse construída, ela careceria do "operador". O computador não dispõe de um prosencéfalo, nem de um "eu". Ele não pode formular seus próprios problemas. Não tem imaginação e não pode estabelecer seus próprios objetivos. Não pode determinar quais objetivos valem e quais não valem a pena. Não tem emoções. Não "sente".

Haverá um armazém de idéias, conhecimento e poder?

Muitos dos grandes pensadores de todas as épocas acreditavam que as "informações armazenadas" do homem não se limitam às suas próprias memórias de experiências passadas e de fatos aprendidos. "Existe uma mente comum a todos os homens", disse Emerson, que comparou nossas mentes individuais a braços de mar do oceano que é a mente universal.

Edison acreditava que muitas de suas idéias lhe vinham de fora dele mesmo. Certa vez, quando o elogiaram por uma invenção, rejeitou o elogio, dizendo que "as idéias estão no ar" e que, se ele não a tivesse feito, algum outro certamente o teria.

O Dr. J. B. Rhine, chefe do Laboratório de Parapsicologia da Duke University, demonstrou experimentalmente que o homem tem acesso a conhecimentos, fatos e idéias que nada têm a ver com a sua memória individual ou com as informações armazenadas que ele obteve através de aprendizado ou experiência. A telepatia, a clarividência, a premonição foram demonstradas em experiências científicas feitas em laboratório. A descoberta do Dr. Rhine de que o homem possui algum "fator extra-sensorial", que ele chama de "Psi", já não é mais posta em dúvida por cientistas que compulsaram seriamente os seus trabalhos. Afirma o Prof. R. H. Thouless, da Universidade de Cambridge: "A veracidade desses fenômenos foi demonstrada de maneira tão insofismável como qualquer outra pesquisa científica".

"Descobrimos, diz o Dr. Rhine, que há uma capacidade para adquirir conhecimentos que transcende as nossas funções sensoriais. Essa capacidade extra-sensorial pode certamente dar-nos o conhecimento de estados objetivos e possivelmente de estados subjetivos, o conhecimento das coisas materiais e, com toda probabilidade, das mentes de outros indivíduos".

Conta-se que Schubert, o grande compositor austríaco, confessou a um amigo que seus processos criadores consistiam em "recordar-se de uma melodia" na qual nem ele, nem ninguém, havia pensado antes.

Muitos artistas, bem como psicólogos que estudam os processos criadores, ficaram impressionados com a semelhança que há entre inspirações criadoras, súbitas revelações, intuições, etc., e a memória humana comum. Procurar uma nova idéia, ou a solução de um problema, é com efeito muito semelhante a procurar na memória um nome que tenhamos esquecido. Sabemos que o nome está "lá", pois do contrário não o procuraríamos. O explorador que há em nosso cérebro rebusca entre as memórias armazenadas até "descobrir" ou "reconhecer" o nome desejado.

A resposta existe agora

De maneira análoga, quando queremos descobrir uma nova idéia ou a solução de um problema, *devemos ter como certo que a resposta já existe — em algum lugar,* e então lançarmo-nos à sua procura. Disse o Dr. Norbert Wiener: "Quando um cientista ataca um problema que sabe que pode ser resolvido, toda sua atitude muda. Ele já está a meio caminho da solução".

Quando nos propomos a realizar um trabalho criador — vender um produto, dirigir um negócio, escrever um soneto, melhorar as relações humanas, ou seja lá o que for — começamos com um alvo em mente, um objetivo a ser alcançado, uma meta que, embora possa estar ainda mal definida, será "reconhecida" quando a atingirmos. Se realmente quisermos atingir o objetivo, se tivermos um desejo intenso, e começarmos a meditar intensamente sobre todos os ângulos do problema — nosso mecanismo criador entra em ação — e o "explorador" de que antes falamos começa a procurar entre as informações armazenadas, ou "tatear" em busca da solução. Escolhe uma idéia aqui, um fato acolá, uma série de experiências anteriores, e põe uma em relação com a outra — ou "enfeixa-as" num todo expressivo que "preencherá" a porção incompleta de nossa situação, completará nossa equação ou "resolverá" o nosso problema. Quando essa solução se apresenta à nossa consciência — muitas vezes num momento inesperado, em que estamos com o pensamento em outra coisa qualquer — ou sob a forma de um sonho, enquanto nosso consciente dorme — algo "estala" e nós imediatamente "reconhecemos" a solução que procurávamos.

Nesse processo, dar-se-á o caso que nosso mecanismo criador tem acesso também às informações armazenadas na mente universal? Numerosos casos passados com pessoas de espírito eminentemente criador parecem indicar que sim. De que outra maneira, por exemplo, se explicaria a experiência de Louis Agassiz, relatada por sua esposa?

"Meu marido estivera tentando decifrar a impressão um tanto apagada de um peixe fóssil na laje de pedra em que estava preservado. Afinal, cansado e aturdido, pôs o trabalho de lado e procurou afastá-lo da idéia. Tempos depois, acordou uma noite persuadido de que enquanto dormia vira o peixe perfeitamente restaurado, com todas as partes que faltavam.

"Foi logo de manhãzinha para o "Jardin des Plantes", na suposição de que examinando mais uma vez o fóssil veria alguma coisa que o poria no caminho da visão tida no sonho. Inutilmente; a impressão indistinta do fóssil nada lhe dizia de novo. Na noite seguinte viu novamente o peixe, mas quando despertou, este desapareceu de sua memória, como da outra vez. Esperando que a experiência se repetisse, na terceira noite pôs lápis e papel no criado-mudo antes de ir para a cama.

"Já quase amanhecia quando o peixe reapareceu em sonho, primeiro confuso, mas depois com tal nitidez que ele não mais teve dúvidas sobre seus caracteres zoológicos. Ainda meio sonhando, e na mais absoluta escuridão, traçou esses caracteres na folha de papel ao lado da cama.

"De manhã ficou surpreendido ao ver em seu esboço noturno características que julgava impossível estarem presentes no fóssil. Foi depressa para o "Jardin des Plantes" e, orientado pelo desenho, escavou com o buril a superfície da pedra, sob a qual certas porções do peixe estavam de fato ocultas. O fóssil, quando totalmente exposto, demonstrou estar inteiramente de acordo com seu sonho e seu desenho, e meu marido conseguiu classificá-lo sem dificuldade".

Obtenha uma nova imagem mental de si mesmo

Pratique o Exercício N.º 1

A personalidade infeliz, tipo fracasso não pode adquirir uma nova auto-imagem simplesmente pela força de vontade, ou então através de uma decisão arbitrária nesse sentido. É necessário haver algum fundamento, alguma justificativa, para achar que o velho retrato do "eu" está errado e que um novo retrato se torna necessário. Você não pode meramente imaginar uma nova auto-imagem, se não sentir que ela se fundamenta na *verdade*. A experiência demonstra que o indivíduo, quando modifica sua auto-imagem, tem a sensação de que, por uma ou outra razão, "vê" ou compreende a verdade a respeito de si mesmo. A verdade que há neste capítulo pode libertá-lo de uma velha e inadequada auto-imagem, se você o ler com freqüência, pensar intensamente em tudo o que ele significa, e martelar para si mesmo as verdades que ele contém. A ciência acaba de confirmar o que filósofos, místicos e outras pessoas intuitivas declararam há muito tempo: todos os seres humanos foram "criados para vencer". Todo ser humano tem acesso a um poder mais alto que ele mesmo.

Emerson disse: "Não há grandes nem pequenos". Se você foi criado para ser feliz e bem-sucedido, então o velho retrato que faz de si mesmo, como sendo indigno de felicidade, alguém que foi destinado à derrota, deve estar errado. Leia este capítulo, do começo ao fim, pelo menos três vezes por semana nos primeiros 21 dias. Estude-o e assimile-o. Procure em suas próprias experiências e em experiências de seus amigos exemplos que ilustrem o mecanismo criador em ação.

Retenha na memória os princípios básicos que damos a seguir, os quais regem o funcionamento do seu mecanismo de êxito. Você não precisa ser engenheiro eletrônico, ou físico, para operar seu próprio servomecanismo, do mesmo modo que não precisa saber fazer automóveis para dirigir seu carro, nem se tornar engenheiro eletrônico para acender a luz do seu quarto. Você precisa, porém, estar familiarizado com os pontos abaixo, por que tendo-os decorado eles projetarão "nova luz" no que se seguirá depois.

1. Seu mecanismo de sucesso, que lhe é inerente, deve ter um objetivo ou alvo. Você deve pensar nesse objetivo ou alvo como sendo "já existente — agora", seja em forma real, seja potencialmente. Ele opera quer (1) orientando-nos para um objetivo já existente, quer (2) "descobrindo" alguma coisa já existente.
2. O mecanismo automático é teleológico, quer dizer: opera, ou deve ser orientado, por objetivos. Não fique desanimado se "os meios pelos quais ele operará" não forem aparentes. É função do mecanismo automático prover esses meios, desde que você forneça o objetivo. Pense na finalidade, e os meios quase sempre cuidarão de si mesmos.
3. Não tenha medo de cometer erros, ou de fracassos temporários. Todos os servomecanismos atingem um objetivo através da "retroalimentação" negativa, isto é, indo para a frente, cometendo erros e imediatamente retificando sua rota.
4. O aprendizado de uma habilidade, seja ela qual for, faz-se pelo método das tentativas, até conseguir-se um movimento ou realização bem-sucedida. *Depois disso*, o aprendizado ulterior e o sucesso contínuo conseguem-se *esquecendo os erros passados e recordando as reações bem-sucedidas*, de forma que estas possam ser "imitadas".

5. Aprenda a confiar em que seu mecanismo criador fará o papel dele; você não deve perturbá-lo através de uma preocupação exagerada, ficando ansioso se ele irá ou não funcionar, ou tentando forçá-lo por meio de um esforço consciente exagerado. "Deixe-o" trabalhar, em lugar de "forçá-lo" a trabalhar. Essa confiança é necessária, porque seu mecanismo criador opera abaixo do nível da consciência, e você jamais poderá "saber" o que se passa nessa área. Além disso, é da natureza dele operar *espontaneamente, conforme as necessidades do momento*. Por conseguinte, você não tem garantias de antemão. Ele inicia o trabalho *à proporção que você age* e que, através de suas ações, faz uma exigência a ele. Não espere ter uma prova, para começar a agir. Aja confiante em que ele, o seu mecanismo de êxito, fará o resto. "Faça a coisa e encontrará o poder de fazê-la", disse Emerson.

CAPÍTULO III

IMAGINAÇÃO — A PRIMEIRA CHAVE PARA O SEU MECANISMO DE ÊXITO

A IMAGINAÇÃO desempenha em nossas vidas um papel bem mais importante do que em geral supomos. Presenciei inúmeras vezes a demonstração desse fato em minha clínica. Um exemplo particularmente memorável dizia respeito a um paciente que foi literalmente forçado pela família a ir ao meu consultório. Era um homem de aproximadamente quarenta anos, solteiro, que exercia durante o dia uma função rotineira e se fechava em seu quarto assim que chegava em casa, jamais indo a lugar nenhum, nem fazendo coisa alguma. Tivera já muitos empregos do mesmo gênero, mas parecia não ser capaz de conservá-los durante muito tempo. Seu problema era um nariz um tanto grande e orelhas um pouco mais salientes do que o normal. Considerava-se "feio" e de "aparência cômica". Imaginava que as pessoas com quem entrava em contato durante o dia se riam e falavam dele à socapa pelo fato de ser tão "esquisito". Sua cisma chegou a tal ponto que ele na verdade tinha medo de sair de casa e andar no meio das pessoas. Quase não se sentia "seguro" nem em sua própria casa. Chegou a imaginar que sua família "tinha vergonha" dele, por ser "tão estranho" e não como "os outros".

Na realidade, seus defeitos faciais nada tinham de excepcional. Seu nariz era do tipo romano, clássico, e suas orelhas, embora grandes, não atraíam mais atenção do que as de milhares de pessoas com orelhas semelhantes. Em desespero, sua família o levou ao meu consultório, a fim de ver se eu poderia ajudá-lo. Vi desde logo que ele não precisava de cirurgia... mas apenas de compreensão de que sua imaginação havia feito em sua auto-imagem estragos tais, que ele perdera de vista a realidade. Na verdade não era feio. Ninguém o considerava esquisito ou ria por causa de sua aparência. Sua imaginação, apenas, era responsável pelo seu sofrimento. A imaginação instalara dentro dele um mecanismo de fracasso, automático e negativo, que estava operando a todo vapor e era o responsável pelo seu infortúnio. Por felicidade, após várias sessões, e com a ajuda da família, ele conseguiu aos poucos perceber que a força de sua própria imaginação era a responsável pelo seu estado. Conseguiu adquirir uma auto-imagem realista e ganhar a confiança de que necessitava, utilizando-se da imaginação criadora em lugar da imaginação destrutiva.

"Imaginação criadora" não é algo exclusivo de poetas, filósofos ou inventores. Ela participa de todos os nossos atos. É a imaginação que fixa o "retrato" do objetivo em busca do qual nosso mecanismo automático operará. Nós agimos, ou deixamos de agir, não por causa da "vontade", como comumente se acredita, mas por causa da imaginação. O ser humano age, sente e atua sempre de acordo com o que *imagina* ser *verdade* a respeito de si mesmo e do ambiente que o cerca.

Esta é uma lei fundamental da nossa mente. É assim que somos feitos. Quando vemos essa lei da mente ser demonstrada de maneira gráfica e sensacional num paciente hipnotizado, inclinamo-nos a crer que está em ação alguma força oculta ou supranormal. Na verdade, o que estamos presenciando nada mais é que os processos normais de operação do cérebro e do sistema nervoso humanos.

Por exemplo, se o hipnotizador disser ao hipnotizado que ele está no Pólo Norte, ele não apenas começará a tremer, mas seu organismo reagirá como se ele estivesse realmente sentindo frio, a ponto de sua pele se arrepiar. Igual fenômeno foi demonstrado em estudantes perfeitamente despertos, quando se pediu que *imaginassem* ter uma das mãos imersa em água gelada. O termômetro indicou que a temperatura da mão mergulhada na água caiu sensivelmente. Se dissermos ao hipnotizado que nosso dedo é um ferro em brasa, ele não somente fará uma careta de dor quando o tocarmos, como seus sistemas cardiovascular e linfático reagirão tal como se nosso dedo fosse de fato um ferro em brasa, produzindo talvez até bolhas na pele. Quando se pediu a um grupo de estudantes, despertos, que imaginassem que um ponto de suas testas estava quente, o termômetro acusou um aumento na temperatura da pele.

Nosso sistema nervoso não sabe distinguir a diferença entre uma experiência *imaginada* e uma experiência *real*. Tanto em um caso como no outro, ele reage automaticamente ante as informações que lhe dermos por intermédio do prosencéfalo. E reage apropriadamente àquilo que *pensamos* ou *imaginamos* ser *verdade*.

O segredo da "força hipnótica"

O Dr. Theodore Xenophon Barber pesquisou extensamente o fenômeno na hipnose, tanto quando estava no departamento de psicologia da Universidade Americana, em Washington, como também depois de entrar para o Laboratório de Relações Sociais, em Harvard. Em artigo publicado na revista *Science Digest,* disse ele:

"Verificamos que o indivíduo hipnotizado só é capaz de fazer coisas surpreendentes quando está *convencido* de que as palavras do hipnotizador constituem afirmações verdadeiras. Quando o hipnotizador orientou o paciente até o ponto em que este se convenceu de que as palavras dele, hipnotizador, constituem *afirmações verdadeiras*, o paciente então se comporta de maneira diferente da que lhe é usual, porque ele *pensa* e *crê* de maneira diferente.

"O fenômeno da hipnose sempre pareceu misterioso porque sempre foi difícil compreender como pode a convicção produzir comportamentos tão fora do comum. A impressão era de que devia haver em ação alguma coisa mais, alguma força ou poder insondáveis.

"Todavia, a verdade é que o paciente, quando está convencido de que é surdo, se comporta como se fosse surdo; quando está convencido de que é insensível à dor, é capaz de ser operado sem precisar de anestesia. A força ou poder misterioso não existe". ("Você Poderia Ser Hipnotizado?", *Science Digest*, Janeiro de 1958).

Um pouco de raciocínio bastará para mostrar por que para todos nós é boa coisa podermos sentir e agir de acordo com o que acreditamos ou imaginamos ser verdade.

A verdade determina a ação e o comportamento

O cérebro e o sistema nervoso humanos foram feitos para reagir de modo automático e adequado aos problemas e desafios do ambiente. Por exemplo, se um homem encontrar um urso no caminho, ele não precisa parar para refletir que o instinto de conservação determina que ele corra. Não precisa "resolver" ficar com medo. A reação do medo é ao mesmo tempo automática e adequada. Primeiro, ela faz com que ele sinta vontade de correr. O medo põe em atividade mecanismos corpóreos que "superalimentam" os músculos, para que o indivíduo possa correr mais do que normalmente. As batidas do coração se aceleram. A adrenalina, poderoso estimulante muscular, é despejada em sua corrente sangüínea. Todas as funções físicas que não sejam necessárias para correr se paralisam. O estômago cessa de trabalhar e todo o sangue disponível é enviado aos músculos. A respiração se acelera e o fornecimento de oxigênio aos músculos aumenta enormemente.

Nada disto é novidade, naturalmente. Todos nós aprendemos essas coisas na escola. Mas o que talvez nos tenha passado despercebido é que o cérebro e o sistema nervoso que reagem automaticamente ao ambiente são o mesmo cérebro e sistema nervoso que nos dizem o que *é* esse ambiente. Costuma-se pensar que as reações do homem que encontra o urso são devidas à "emoção" antes que a idéias. Entretanto, foi uma idéia — a *informação* recebida do mundo exterior, e analisada pelo prosencéfalo — que deflagrou as assim chamadas "reações emocionais". O verdadeiro agente causador, portanto, foi basicamente uma *idéia* ou *convicção* e não a emoção; esta surgiu como resultado. Em suma, o homem em questão reagiu ao que ele *supunha*, ou *acreditava*, ou *imaginava*, que fosse o ambiente. As "mensagens" que nos são trazidas do meio ambiente consistem de impulsos nervosos partidos dos vários órgãos dos sentidos. Esses impulsos nervosos são decifrados, interpretados e avaliados no cérebro e trazidos ao nosso conhecimento sob a forma de idéias ou imagens mentais. Em última análise, é a estas imagens mentais que nós reagimos.

Você atua, e sente, não precisamente de acordo com as coisas como elas são, e sim com a imagem mental que você faz delas. Suponhamos, por exemplo, que o homem não encontrou no caminho um urso de verdade, mas outro homem vestido de urso. Se ele *pensou* e *acreditou* que o homem era um urso, suas reações emocionais e nervosas terão sido exatamente as mesmas. Ou suponhamos que ele encontrou um cachorro peludo e enorme, que sua imaginação, dominada pelo medo, confundiu com um urso. Aqui também, ele reagiria *automaticamente* ao que *acreditou* ser a verdade no tocante a si mesmo e ao meio ambiente.

Segue-se daí que se as idéias e imagens mentais que temos a respeito de nós mesmos forem deformadas ou irreais, nossas reações ao meio ambiente serão igualmente inadequadas.

Por que não imaginar que você é bem-sucedido?

A convicção de que nossas ações, sentimentos e comportamento resultam de nossas próprias imagens e crenças, nos proporciona a alavanca de que a psicologia precisava para mudar a personalidade. Essa convicção abre uma nova porta psicológica para se conseguir habilidade, êxito e felicidade.

Os quadros mentais nos dão a oportunidade de "exercitar" novos gestos e atitudes, o que de outro modo não poderíamos fazer. Isto é possível porque, repetimos, nosso sistema nervoso não distingue a diferença entre uma experiência real e a outra que foi vividamente imaginada. Se imaginarmos a nós mesmos agindo de determinada maneira, isso é quase a mesma coisa que o ato real. E o exercício mental nos ajuda a atingir a perfeição.

Numa experiência controlada, o psicólogo R. A. Vandell demonstrou que o exercício *mental* de atirar flechas num alvo aperfeiçoa a pontaria tanto quanto se a pessoa atirasse realmente as flechas. A pessoa senta-se diante do alvo durante um certo tempo, todos os dias, e "imagina" que está atirando as flechas. A revista *Research Quarterly* noticiou uma experiência sobre os efeitos do exercício mental de encestar no jogo de bola-ao-cesto. Três grupos de estudantes foram submetidos a um teste de vinte dias. O primeiro grupo durante vinte minutos por dia. Anotaram-se os resultados do primeiro e do último dia.

O segundo grupo foi examinado no primeiro e no último dia, sem que seus componentes fizessem qualquer exercício entre esses dias. O terceiro grupo passou vinte minutos por dia *imaginando* que lançava a bola à cesta. Quando "erravam", imaginavam que corrigiam a pontaria.

O primeiro grupo, que fez exercícios reais, apresentou melhora de 24 por cento no aproveitamento dos lançamentos.

O segundo grupo, que não fez qualquer treino, não mostrou melhora. O terceiro grupo, que treinou apenas em imaginação, melhorou 23 por cento!

Como o exercício pela imaginação venceu um campeonato de xadrez

A edição de abril de 1955 da revista *Reader's Digest* publicou um artigo de Joseph Phillips, extraído de *The Rotarian* e intitulado: "Xadrez: Chamam-no de Jogo".

Nesse artigo, Phillips nos conta que Capablanca, o grande campeão de xadrez, era tão superior a seus adversários, que os críticos eram de opinião que jamais seria vencido. Contudo, ele perdeu o cetro para um jogador relativamente obscuro, Alekhine, que não parecia sequer ameaçar o genial enxadrista cubano.

O mundo enxadrístico foi abalado pela notícia da vitória de Alekhine, fato que nos dias de hoje equivaleria a um finalista do campeonato de box amador derrotar o campeão mundial dos pesos pesados. Conta Phillips que Alekhine se preparou para o torneio mais ou menos como um pugilista treina para uma luta. Foi para o campo, deixou de beber e de fumar, e se entregou a exercícios ginásticos. *"Durante três meses, ele jogou xadrez apenas imaginariamente,* acumulando energias para o momento de enfrentar o campeão".

Imagens mentais podem ajudá-lo a vender mais

Em seu livro *Como Ganhar 25 mil Dólares por Ano Vendendo,* Charles B. Roth relata como um grupo de vendedores, em Detroit, que pôs em prática uma nova idéia, melhorou suas vendas cem por cento. Outro grupo, em Nova York, conseguiu um aumento de 150 por cento. E vendedores individuais, usando a mesma idéia, aumentaram sua produção até 400 por cento.

"Que idéia é essa que dá tais resultados para os vendedores?"

"É uma coisa chamada fazer-de-conta, e você deve aprender a respeito dela, porque, se quiser, ela poderá duplicar as suas vendas.

"Que é fazer-de-conta?

"Ora, é simplesmente você *imaginar-se* a si mesmo em várias situações de venda, depois solucioná-las *mentalmente,* até saber o que fazer e o que dizer, sempre que igual situação surgir na vida real. O motivo por que essa idéia dá tão bons resultados é que vender é simplesmente uma questão de situações. Cria-se uma situação cada vez que você conversa com um cliente. Ele diz alguma coisa, ou faz uma pergunta, ou levanta uma objeção. Se você souber sempre como replicar ao que ele diz, ou responder-lhe às perguntas, ou neutralizar-lhe as objeções, você faz vendas...

"Pelo sistema do faz-de-conta, o vendedor, quando está sozinho, cria situações em que se imagina face a face com o cliente; este a levantar objeções e criar problemas e ele a resolvê-los da maneira mais apropriada".

Use quadros mentais para conseguir um emprego melhor

O falecido William Moulton Marston, famoso psicólogo, recomendava o que chamava de "exercício do ensaio" a homens e mulheres que o procuravam para que os auxiliasse a arranjarem melhores empregos. Se você está para ter uma entrevista importante — para a obtenção de um emprego, por exemplo — o conselho de Marston era: *preparar-se antecipadamente*. Repasse mentalmente todas as perguntas que poderão ocorrer. Pense nas respostas que irá dar. Depois, "ensaie" mentalmente a entrevista. Mesmo que não surja nenhuma das perguntas previstas, o sistema do ensaio fará maravilhas. Dar-lhe-á confiança, ajudá-lo-á a improvisar e reagir espontaneamente, seja qual for a situação em que se encontre, *porque você se exercitou* em reagir espontaneamente.

"Não seja um canastrão", aconselhava o Dr. Marston, explicando que nós estamos sempre desempenhando algum papel na vida. Por que não escolher o papel certo, o papel do homem vitorioso — e ensaiá-lo?

Pianista treina "em pensamento"

Artur Schnabel, o pianista célebre em todo o mundo, tomou lições apenas sete anos. Detestava exercitar-se e raramente praticava no teclado. Quando lhe perguntavam a respeito da insignificância de seus exercícios, em comparação com outros pianistas, respondia: "Eu pratico em pensamento".

C. G. Cop, da Holanda, conhecida autoridade no ensino de piano, recomenda a todos os pianistas que "pratiquem em pensamento". Uma nova composição, diz ele, deve primeiro ser repassada mentalmente. Deve ser memorizada, e executada na imaginação, antes de pormos os dedos no teclado.

O exercício de imaginação pode melhorar os resultados no golfe

A revista *Time* noticiou que o famoso Ben Hogan quando participa de um torneio, treina mentalmente cada tacada, logo antes de dá-la. Ele executa a tacada com perfeição em pensamento — "sente" o taco acertar na bola exatamente como devia, "sente" a si mesmo executando um *follow-through* perfeito — depois caminha para a bola, e confia no que chama de "memória muscular" para executar o tiro tal como imaginou.

Alex Morrison, talvez o professor de golfe mais conhecido em todo o mundo, criou, até, um sistema de exercício mental que melhora notavelmente o aproveitamento do jogador. Este senta-se numa poltrona e pratica mentalmente o que Morrison chamou de "Sete Chaves Morrison". O lado mental do golfe representa 90 por cento do jogo, diz ele, o lado físico 8 por cento, e o lado mecânico 2 por cento. No livro *Golfe Melhor Sem Exercícios,* conta Morrison como ensinou Lew Lehr a fazer 90 pela primeira vez, sem se entregar a nenhum exercício real.

Fez Lehr sentar-se numa poltrona em sua sala-de-estar e relaxar-se enquanto lhe demonstrava o *swing* correto e lhe dava explicações sobre as "chaves Morrison". Lehr não deveria fazer qualquer exercício real no campo de golfe. Devia, em lugar disso, passar cinco minutos por dia em sua poltrona, com os músculos relaxados, "vendo-se" mentalmente a executar as "chaves" da maneira correta.

Prossegue Morrison contando como alguns dias depois, sem ter feito qualquer preparo físico, Lehr voltou a jogar suas duplas de costume e surpreendeu a todos com seus magníficos resultados.

A essência do sistema Morrison é: "Precisamos ter um quadro mental muito nítido da coisa certa para podermos executá-la corretamente". Morrison, graças a esse método, permitiu a Paul Whiteman, e muitas outras celebridades, melhorar de dez e até doze pontos suas marcas no golfe.

Em artigo que escreveu há alguns anos, Johnny Bulla, o famoso profissional de golfe, afirmava que, muito mais importante do que a "posição", no golfe, era ter uma imagem mental perfeitamente nítida, de onde se queria que a bola fosse e o que se pretendia que ela fizesse. Muitos dos profissionais, diz Bulla, têm às vezes um ou mais defeitos sérios em sua "posição". Contudo, sempre obtêm ótimos resultados. A teoria de Bulla era que se o jogador retratar mentalmente o resultado — "vir" a bola ir onde deseja que ela vá, e tiver confiança para "saber" que ela fará aquilo que ele quer, seu subconsciente se encarregará de dirigir-lhe os músculos da maneira correta. Mesmo que você segure o taco da maneira errada e sua posição não seja correta, ainda assim seu subconsciente cuidará disso, dirigindo seus músculos e fazendo o que for necessário para compensar esses defeitos.

O verdadeiro segredo da imagem mental

Homens e mulheres realmente vitoriosos, em todas as épocas, têm feito uso de "imagens mentais" e do "exercício do ensaio". Napoleão, por exemplo, "praticou" militarismo, em imaginação, durante muitos anos antes de entrar num campo de batalha real. Webb e Morgan, no livro *Aproveite Sua Vida ao Máximo*, contam-nos que "as notas que Napoleão fez de suas leituras, durante esses anos de estudo, ocupavam depois de impressas, quatrocentas páginas. Ele se imaginava no papel de comandante, e desenhava mapas da ilha de Córsega, indicando minuciosamente onde colocaria suas defesas, e fazendo todos os cálculos com precisão matemática".

Conrad Hilton, o criador da famosa cadeia de hotéis, imaginava-se dirigindo um hotel, muito antes que a idéia de adquirir um hotel passasse pela sua cabeça. Quando menino, ele costumava "brincar" de dono do hotel.

Disse Henry Kaiser que todos os seus empreendimentos comerciais foram realizados em sua imaginação antes de surgirem na realidade.

A nova ciência da Cibernética nos esclarece porque a auto-imagem produz resultados tão surpreendentes, e mostra que tais resultados constituem o funcionamento normal e natural da nossa inteligência e do nosso cérebro. Ela encara o cérebro, o sistema nervoso e o sistema muscular do homem como um "servomecanismo, altamente complexo. (Uma máquina automática de busca de objetivos, que "dirige" sua rota até um alvo ou objetivo, usando para isso dados de "retroalimentação" e informações armazenadas, e retificando automaticamente seu curso quando necessário). Como dissemos anteriormente, este novo conceito não significa que VOCÊ é uma máquina, mas que seu cérebro e seu corpo funcionam como uma máquina que VOCÊ opera.

Esse mecanismo criador automático que há dentro de nós atua em uma só direção. Ele precisa de um alvo em que atirar. Como disse Alex Morrison, precisamos primeiramente ver com nitidez uma coisa em nosso espírito, antes de podermos executá-la. Satisfeita essa condição, o "mecanismo de êxito" que há em nós assume o comando e faz o que precisa ser feito melhor do que nós o poderíamos fazer por meio de esforço consciente ou da "força de vontade".

Em vez de tentar fazer determinada coisa por meio de uma férrea força de vontade, preocupando-se continuamente e imaginando tudo que poderá sair errado, você deve simplesmente relaxar a tensão, interromper o esforço, desenhar mentalmente o alvo desejado, e "deixar" que seu mecanismo de êxito assuma a direção. Assim, desenhando mentalmente o objetivo visado, você se obriga a um "pensamento positivo". Nem por isso você será, depois, poupado de esforço e trabalho, mas seus esforços serão no sentido de conduzi-lo para a frente, em direção do seu objetivo. Você não se perderá em conflitos mentais, que ocorrem quando você "quer" e "tenta" fazer determinada coisa, mas vê mentalmente outra coisa qualquer.

Descobrindo o seu melhor eu

Esse mesmo mecanismo criador que há em todos nós pode ajudá-lo a descobrir o seu melhor "eu" possível, se você formar em sua imaginação um retrato do "eu" que quer ser, e "vir a si mesmo" nesse novo papel. Essa é condição necessária para a transformação da personalidade, independente do método terapêutico usado. Antes de poder modificar-se, a pessoa precisa "ver" a si mesma em um novo papel.

Edward McGoldrick utiliza essa técnica para ajudar os alcoólatras a atravessar a "ponte" entre o velho e o novo eu. Todos os dias, ele faz seus "alunos" fecharem os olhos, relaxarem o corpo tanto quanto possível, e criarem um "filme mental" de si mesmos, tal como gostariam de ser. Eles, nesse filme mental, se vêem a si mesmos como pessoas sóbrias, sensatas — e *apreciando* a vida sem álcool. Essa não é a única técnica utilizada por McGoldrick, mas é um dos métodos básicos da "Bridge House" (Casa da Ponte), que apresenta um índice de cura de alcoólatras mais alto que o de qualquer outra instituição no País.

Basta você imaginar que é sadio

Contudo, hoje estamos apenas começando a vislumbrar o poder criador potencial que nasce da imaginação humana, e particularmente das imagens a respeito de nós mesmos. Considere-se, por exemplo, o que há de implícito na seguinte notícia, publicada há um par de anos na imprensa:

"São Francisco. Muitos doentes mentais podem melhorar seu estado e talvez diminuir sua permanência em hospitais simplesmente imaginado que são normais, segundo afirmam dois psicologistas que fazem parte da Administração dos Ex-Combatentes, em Los Angeles.

"Os Drs. Harry M. Grayson e Leonard B. Olinger comunicaram à Associação Psicológica Americana que experimentaram a idéia com 45 doentes hospitalizados como neuróticos. Para começar, fizeram com os pacientes o teste usual de personalidade. A seguir, pediram-lhes que se submetessem ao teste pela segunda vez e respondessem às perguntas como se cada um deles fosse, "fora do hospital, uma pessoa normal e bem ajustada".

"75 por cento dos doentes apresentaram melhores resultados no segundo teste, e algumas das mudanças para melhor foram espetaculares, informaram os psicologistas."

Esses pacientes, para poderem responder às questões "como as responderiam pessoas normais e bem ajustadas", eram obrigados a imaginar-se no papel de uma pessoa normal e bem ajustada. E foi quanto bastou para eles começarem a *agir como e sentir-se como* uma pessoa bem ajustada."

Começamos, pois, a perceber por que o Dr. Albert Edward Wiggam classificou o retrato mental que fizemos de nós mesmos como "a maior força que temos dentro de nós".

Conheça a verdade sobre si mesmo

O objetivo da psicologia da auto-imagem não é criar um eu postiço, que seja todo-poderoso, arrogante, egoísta. Essa imagem seria tão pouco apropriada e realista como uma auto-imagem negativa. Nosso objetivo é descobrir o "verdadeiro eu" e, tanto quanto possível, aproximar-se da realidade a imagem mental que cada qual faz de si mesmo. Sabem os psicologistas, todavia, que nós, em geral, nos menosprezamos. Não existe, na verdade, o que se chama de "complexo de superioridade". As pessoas que parecem sofrer desse complexo, sofrem, na verdade, de sentimentos de inferioridade — o "eu superior" deles é fictício, uma capa para ocultarem de si mesmos e dos outros seus sentimentos de inferioridade e insegurança, profundamente enraizados.

Como podemos conhecer a verdade sobre nós mesmos? Como fazermos uma avaliação verdadeira? Parece-me que, aqui, a psicologia precisa voltar-se para a religião. Dizem as Escrituras que Deus criou o homem "um pouco abaixo dos anjos" e "deu-lhe domínio"; que criou o homem à sua imagem. Se realmente acreditamos num Criador onisciente, todo-poderoso e cheio de amor, estamos então aptos a tirar algumas conclusões lógicas sobre aquilo que Ele criou — o Homem. Em primeiro lugar, um Criador onisciente e todo-poderoso não criaria produtos inferiores, tal como um pintor genial não pode produzir telas de má qualidade. Esse Criador não destinaria a sua criatura ao fracasso, deliberadamente, do mesmo modo que um fabricante de automóveis não incluiria, propositadamente, nos veículos que fabrica, algumas peças que os levassem a falhar. Os Fundamentalistas nos dizem que a razão de ser do homem, e sua principal finalidade, é "glorificar a Deus", enquanto os Humanistas nos afirmam que o fim precípuo do homem é "expressar-se plenamente".

Contudo, se aceitarmos a premissa de que Deus é um Criador bondoso e tem por suas criaturas o mesmo interesse que um pai por seus filhos, parece-me então que Fundamentalistas e Humanistas estão ambos dizendo uma e a mesma coisa. Que é que traz maior glória, orgulho e satisfação a um pai do que ver sua progênie vencer, ser bem-sucedida e expressar ao máximo suas habilidades e dons inatos? Jesus exprimiu esse mesmo pensamento quando mandou que não puséssemos a candeia debaixo da cama, mas deixássemos nossa luz brilhar — "para que vosso Pai seja glorificado". Não posso crer que haja para Deus alguma "glória" em ver suas criaturas andarem deprimidas, com o semblante abjeto, temerosas de erguer a cabeça e "ser alguém".

Como disse o Dr. Leslie D. Weatherhead: "Se o retrato mental que temos de nós mesmos é o de joões-ninguém derrotados e perseguidos pelo medo, descartemo-nos imediatamente dessa imagem e levantemos a cabeça. Deus nos vê como homens e mulheres em quem, e por meio de quem, Ele pode realizar sua grande obra. Voltemos pois o olhar para o nosso verdadeiro eu, que nasce no momento mesmo em que acreditamos em sua existência. Precisamos reconhecer a possibilidade de mudança no 'eu' que estamos agora em processo de vir a ser. O velho sentimento de indignidade e malogro deve ser afastado. É falso, e não devemos dar crédito ao que é falso."

Exercício

"Mantenha em sua imaginação, firmemente e durante tempo suficiente, um retrato de si mesmo e você será atraído por ele", disse o Dr. Harry Emerson Fosdick. "Represente-se a si mesmo, vividamente, como derrotado e isso bastará para tornar a vitória impossível. Pinte-se a si mesmo, vividamente, como vencedor e isso contribuirá enormemente para o êxito. Uma vida plena começa com um quadro, mantido em sua imaginação, do que você gostaria de ser ou de fazer".

Sua auto-imagem atual é o produto de quadros que sua imaginação fez de você mesmo no passado, quadros esses que por sua vez nasceram das interpretações e avaliações que você fez da *experiência.* Agora você deve usar, para construir uma auto-imagem adequada, o mesmo método que usou antes para construir uma auto-imagem não adequada. Reserve um período de 30 minutos por dia, em que possa estar sozinho, sem que ninguém o perturbe. Relaxe-se e fique tão comodamente quanto possível. Então feche os olhos e use a imaginação.

Muitos acham que obtêm melhores resultados imaginando-se sentados diante de uma grande tela de cinema e assistindo a um filme de si mesmos. O importante é que os quadros sejam tão *vívidos* e *pormenorizados quanto possível.* O meio de o conseguir é prestar atenção a pequenos detalhes, sons e objetos, do seu ambiente imaginário. Uma de minhas pacientes estava fazendo esse exercício para vencer o medo do dentista. Não obteve resultados até que começou a observar pequenos detalhes do seu quadro imaginário — o cheiro do antisséptico no consultório, o tato do couro nos braço da poltrona, as unhas bem cuidadas do dentista quando as mãos dele se aproximavam de sua boca, etc. *Detalhes* do ambiente imaginado são de importância fundamental neste exercício porque, para todos os efeitos, V. está criando uma *experiência* prática. E se a imaginação for suficientemente vívida e pormenorizada, seu exercício imaginário, no que diz respeito ao seu sistema nervoso, equivale a uma experiência real.

Outro ponto essencial é ter em mente que durante esses 30 minutos você vê a si mesmo agindo e reagindo de maneira apropriada, ideal, bem-sucedida. Pouco importa como você agiu ontem. Você não precisa procurar ter fé em que agirá da maneira ideal amanhã. Seu sistema nervoso cuidará disso no devido tempo — se você continuar a exercitar-se. Veja-se a si mesmo agindo, sentindo, "sendo" aquilo que deseja ser. Não diga para si mesmo: "Vou agir desta maneira amanhã", e sim "Vou imaginar a mim mesmo agindo desta maneira agora — durante 30 minutos — hoje." Procure imaginar como se sentiria se já fosse o tipo de pessoa que deseja ser. Se você tiver sido acanhado e tímido, veja-se a si mesmo caminhando entre as pessoas com desembaraço e dignidade — e *sentindo-se* bem por causa disso. Se tiver sido medroso e aflito em determinadas situações — imagine-se agindo calmamente, com confiança e coragem — e sentindo-se, por causa disso, confiante e expansivo.

Este exercício renova o estoque de "memórias" ou informações armazenadas em seu mesencéfalo e seu sistema nervoso central. Constrói uma nova imagem do seu eu. Após praticá-lo durante algum tempo, você ficará surpreso ao verificar que está "agindo de maneira diferente", de maneira mais ou menos automática e espontânea — "sem fazer força". E assim é que deve ser. Você, neste instante, não precisa "tentar" ou fazer algum esforço para se sentir ineficiente e agir de maneira não-adequada. Suas atuais sensações e ações negativas são automáticas e espontâneas, por causa das memórias, reais e imaginárias, que você até hoje forneceu ao seu mecanismo automático. Pois bem: com as experiências e pensamentos positivos, esse mecanismo também funcionará de maneira automática, tal qual como com os negativos.

Pontos a lembrar

(*Preencha estes claros*)

1.
2.
3.
4.
5.

CASO: Descreva alguma experiência de seu passado, que tenha sido explicada pelos princípios mencionados neste capítulo.

CAPÍTULO IV

PROCURE DESIPNOTIZAR-SE DE FALSAS CONVICÇÕES

QUANDO AINDA menino, meu amigo Dr. Alfred Adler, o famoso psiquiatra, teve uma experiência que ilustra o poder que uma determinada convicção pode ter sobre o comportamento e as aptidões do indivíduo. Ele saiu-se mal nas primeiras provas de Aritmética e seu professor *se convenceu* de que ele era "uma negação em Matemática". O professor comunicou o "fato" aos pais de Adler. Estes, também, ficaram convencidos. Adler aceitou passivamente o juízo que faziam dele, e suas notas em Aritmética comprovavam o fato. Um dia, porém, teve um súbito lampejo de compreensão e acreditou ver como solucionar um problema que nenhum dos outros alunos conseguira resolver. Disse-o ao professor. Toda a classe deu risada. Diante disso, indignado, foi até a pedra e solucionou o problema. Ao fazê-lo, compreendeu que era capaz de entender a Aritmética. Sentiu nova confiança em sua capacidade, e acabou sendo bom aluno na matéria.

A experiência do Dr. Adler foi muito parecida com a de um paciente que tive há alguns anos. Era um homem de negócios que queria se tornar bom orador, pois desejava discursar a respeito do notável êxito que conseguira num ramo de comércio reconhecidamente difícil. Era dotado de voz agradável e dispunha de um tema interessante, mas se sentia incapaz de se erguer na frente de estranhos e expor sua mensagem. O que o detinha era sua crença de que não poderia fazer um bom discurso, e jamais conseguiria impressionar seus ouvintes, simplesmente porque não tinha aparência imponente, não era "o tipo" do homem vitorioso na vida. Essa convicção se gravara nele tão fundamente que constituía um obstáculo intransponível toda vez que ele se levantava diante de um grupo de pessoas e começava a falar. Ele erroneamente chegou à conclusão de que se, através de uma operação plástica, melhorasse sua aparência, ganharia a confiança de que necessitava. Uma operação poderia fazer o milagre, mas também poderia não fazer... Minha experiência em outros pacientes me ensinara que a mudança física nem sempre era garantia de mudança em personalidade. A solução do caso deste homem foi descoberta quando ele conseguiu substituir a crença negativa pela crença positiva de que tinha uma mensagem de extrema importância, que só ele podia transmitir, não importa qual fosse sua aparência. Com o passar do tempo, chegou a ser um dos oradores mais disputados no mundo dos negócios. A única mudança havida foi a que ocorreu em sua convicção e em sua auto-imagem.

O que desejo tornar claro é que Adler vivera *hipnotizado* por uma falsa convicção sobre si mesmo. Literal e verdadeiramente hipnotizado, e não apenas figurativamente. Lembre-se do que dissemos no último capítulo, que o poder da hipnose é o poder da crença.

O importante é termos em mente que pouco importa a *maneira* como adquirimos uma idéia ou *de onde* ela veio. Você pode jamais ter conhecido um hipnotizador profissional. Pode jamais ter sido formalmente hipnotizado. Mas desde que aceitou uma idéia — vinda de si mesmo, de seus professores, seus pais, seus amigos, de anúncios, ou de qualquer outra fonte, e se adquiriu a firme convicção de que tal idéia é verdadeira, ela terá sobre você o mesmo poder que as palavras do hipnotizador têm sobre o hipnotizado.

Pesquisas científicas mostraram que a experiência do Dr. Adler não constitui exceção; ela é típica de praticamente todos os alunos que obtêm notas baixas. No Capítulo Primeiro mencionamos como Prescott Lecky, depois de milhares de experiências e muitos anos de pesquisas, concluiu que notas ruins na escola se devem *em quase todos os casos* ao "autoconceito" e "autodefinição" dos estudantes. Eles estão, literalmente, hipnotizados por idéias como "Eu sou burro", "Tenho personalidade fraca", "Sou ruim em Aritmética", "Sou fraco em Linguagem por natureza", "Sou feio", etc. Com autodefinições como essas, o estudante "precisa" ter notas baixas, a fim de ser coerente consigo mesmo. Inconscientemente, conseguir notas más é uma "questão moral". Do ponto de vista desse estudante, obter notas altas seria tão "errado" como roubar, desde que ele se tivesse definido como rapaz honesto.

O caso do vendedor hipnotizado

No livro *Segredos do Êxito em Vendas*, John D. Murphy conta-nos como Elmer Wheeler aplicou a teoria de Lecky para aumentar os rendimentos de certo vendedor:

"Elmer Wheeler fora admitido como consultor de vendas em uma grande firma. O gerente de vendas chamou-lhe a atenção para um caso realmente estranho. A certo vendedor que se saíra bem num território relativamente pequeno, deram-lhe um território maior e melhor. No ano seguinte, porém, suas comissões atingiram quase a mesma quantia que ele ganhara no território menor — cinco mil dólares. No outro ano, a companhia aumentou a comissão de todos os vendedores, mas aquele vendedor não passou, ainda assim, dos cinco mil dólares usuais. Deram-lhe então um dos territórios mais fracos da firma — e ele de novo atingiu os cinco mil dólares anuais.

"Em uma conversa que teve com ele, Wheeler descobriu que o mal não estava no território, mas sim no valor que o vendedor atribuía a si mesmo. Ele se considerava um homem de cinco mil dólares por ano e, enquanto fizesse esse conceito de si mesmo, as condições exteriores pareciam não influir muito. Quando lhe davam um território fraco, ele se desdobrava para atingir os cinco mil dólares. Quando lhe davam um bom território, descobria toda espécie de pretextos para fazer "corpo mole" assim que os cinco mil dólares estavam para ser atingidos. Certa vez, quando atingiu esse objetivo, ficou doente e incapaz de trabalhar mais naquele ano, embora os médicos nada encontrassem nele. Como por milagre, sarou nos primeiros dias do ano seguinte."

Como uma falsa convicção o envelheceu 20 anos

Num livro anterior (Maxwell Maltz, *A Aventura de Permanecer Jovem*) mencionei detalhadamente o caso do "Sr. Russell". A história, em resumo, foi assim: Fiz uma operação plástica no lábio inferior do "Sr. Russell", por um preço muito modesto, com a única condição de ele dizer à namorada que a operação lhe custara as economias de toda sua vida. A namorada não fazia objeções em que ele gastasse dinheiro com ela, insistia em que o amava, e apenas não podia casar-se com ele por causa de seu lábio inferior grande demais. Contudo, quando ele lhe contou a história da operação e orgulhosamente exibiu seu novo lábio inferior, a reação dela foi tal como eu esperava, mas não como o Sr. Russell previra. Ela se mostrou histericamente furiosa, chamou-o de idiota por ter gasto todo o seu dinheiro, declarando-lhe que jamais o amara nem o amaria, e que apenas se aproveitara dele, enquanto tinha dinheiro para gastar com ela. A jovem, porém, foi além do que eu mesmo esperava. Em seu ódio, preveniu-o de que estava lhe rogando uma praga vodu.

Tanto o Sr. Russell como sua namorada haviam nascido em uma ilha das Índias Ocidentais onde o vodu era praticado pelos ignorantes e supersticiosos. Ele era de boa família; era culto e tinha curso universitário. Mas quando, no calor do ódio, sua namorada "rogou-lhe uma praga", sentiu um vago mal-estar, sem entretanto voltar a pensar muito no assunto. Contudo, lembrou-se novamente do caso quando pouco tempo depois sentiu um caroço, pequeno e duro, na parte inferior do lábio. Um amigo, que conhecia a praga vodu, insistiu em que ele consultasse um certo "Dr. Smith". Este imediatamente declarou que o caroço era o temível "percevejo africano" que aos poucos iria consumir suas forças e vitalidade. O Sr. Russell começou a preocupar-se e a procurar em si mesmo sintomas de fraqueza. Não demorou a encontrá-los. Perdeu o apetite e o sono.

Eu soube tudo isso do "Sr. Russell" quando ele voltou ao meu consultório várias semanas depois da operação. Minha enfermeira não o havia reconhecido, o que não era de admirar. O "Sr. Russell" que me visitara originalmente era um moço admirável, apenas com o lábio inferior ligeiramente grande. Tinha cerca de um metro e oitenta de altura, físico de atleta e porte e maneiras que revelavam dignidade e lhe davam personalidade quase magnética. Parecia transpirar vitalidade. O Sr. Russell que agora estava sentado diante da minha mesa envelhecera pelo menos vinte anos. Suas mãos tremiam como as de um ancião. Tinha os olhos encovados e as faces chupadas. Perdera talvez uns quinze quilos. As alterações em sua aparência eram todas elas típicas do processo que a Medicina, à falta de melhor denominação, chama de "envelhecimento".

Após breve exame da boca, assegurei ao Sr. Russell que poderia libertá-lo do "percevejo africano" em menos de trinta minutos, o que fiz. O caroço responsável por todo o seu sofrimento não passava de um pedaço de tecido cicatricial deixado pela operação. Removi-o, coloquei-o na palma da mão e o mostrei a ele. O importante é que ele viu a verdade e acreditou nela. Suspirou aliviado, e foi como se houvesse uma mudança quase instantânea em sua postura e expressão. Algumas semanas depois, recebi do Sr. Russell uma atenciosa carta, junto com uma foto em que aparecia ao lado de sua jovem esposa. Ele voltara para sua terra e se casara com a namorada da infância. O homem da foto era o Sr. Russell de antes. Ficara de novo jovem, quase 20 anos. A verdade não somente o libertara do medo e lhe restaurara a confiança — mas também invertera o "processo de envelhecimento".

Se o leitor tivesse visto o Sr. Russell como eu vi, tanto "antes" como "depois", provavelmente não teria mais dúvidas sobre o poder de uma crença, ou de que uma idéia aceita como verdadeira, seja qual for a fonte, pode ter a mesma força da hipnose.

Estaremos todos hipnotizados?

Não é exagero dizer que todo ser humano vive mais ou menos hipnotizado, seja por idéia que ele sem prévia análise aceitou de outros, seja por idéias que repetiu a si mesmo ou se convenceu de que eram verdadeiras. As idéias negativas têm sobre o nosso comportamento exatamente o mesmo efeito das idéias negativas implantadas na mente do hipnotizado pelo hipnotizador profissional. O leitor já assistiu a uma exibição honesta de hipnotismo? Se ainda não, permita que lhe descreva apenas alguns dos fenômenos mais simples que resultam da sugestão hipnótica.

O hipnotizador diz a um jogador de futebol que sua mão está segura à mesa, e ele não a pode levantar. Não é que não tente levantá-la: ele *não pode*. Ele luta e se esforça até que os músculos do braço e do ombro saltam como cordas. Mas sua mão continua pregada à mesa. Ele diz a um campeão halterofilista que este *não pode* erguer um lápis da mesa. E embora normalmente ele possa levantar do chão um peso de 200 quilos, agora não é capaz de erguer o lápis.

O estranho é que, nesses exemplos, a hipnose não enfraqueceu os atletas. Eles continuam tão vigorosos como antes. Mas, *sem conscientemente saberem*, eles estão trabalhando contra si mesmos; por um lado, "tentam" erguer a mão, ou o lápis, através do esforço voluntário, e contraem os músculos adequados; mas por outro lado, a idéia de que "não poderão fazê-lo" faz com que os músculos se contraiam de maneira oposta à sua vontade. A idéia negativa leva-os a derrotarem a si mesmos: eles se tornam incapazes de expressar, ou pôr em ação, a verdadeira força de que dispõem.

A força de pressão de um terceiro atleta foi medida num dinamômetro e fixada em 5 quilos. Todos os seus esforços e tentativas foram incapazes de mover a agulha além desse ponto. Em seguida foi hipnotizado, e disseram-lhe: "Você está forte, muito forte; mais forte do que jamais esteve em sua vida. Muito, muito mais forte. Você está admirado da força que tem." Então mediram de novo a força de pressão de sua mão. Dessa fez, ele levou a agulha com facilidade à marca dos 56 quilos.

É claro que a hipnose não acrescentou coisa alguma à sua força real. O que a sugestão hipnótica fez foi vencer uma idéia negativa que antes o impedira de expressar toda a sua força; isto é, o atleta, em seu estado normal e desperto, impusera uma limitação à sua força, com a convicção negativa de que a sua pressão só podia chegar a 45 quilos. O hipnotizador não fez mais do que remover esse obstáculo mental, permitindo-lhe expressar sua verdadeira força. O hipnotizador "desipnotizou-o" temporariamente, fazendo-o esquecer as convicções limitadoras que tinha a respeito de si mesmo.

Como disse o Dr. Barber, é muito fácil acreditarmos que o hipnotizador tenha algum poder mágico, quando vemos as coisas pouco menos que milagrosas que acontecem durante uma sessão de hipnotismo. O gago fala fluentemente, o tímido e retraído se torna expansivo, confiante, e faz um discurso inflamado. Outro indivíduo que, quando desperto, quase não é capaz de fazer uma soma com lápis e papel, multiplica mentalmente duas cifras de três algarismos. Aparentemente isso tudo acontece apenas porque o hipnotizador lhes assegura que podem fazer tais coisas e lhes ordena que as façam. Para os observadores, a palavra do hipnotizador parece ter algum poder mágico. Tal porém não é o caso. O poder, a habilidade básica de fazer essas coisas, esteve sempre ao alcance dos pacientes, mesmo antes de conhecerem o hipnotizador. Eram, porém, incapazes de "utilizar" esse poder, simplesmente porque ignoravam possuí-lo. Tinham-no engarrafado, bloqueado, por causa de suas próprias convicções negativas. Sem o saber, haviam-se hipnotizado a si mesmos com a convicção de que eram incapazes de realizar aquelas coisas. Seria mais próprio dizermos que o hipnotizador os "desipnotizou", e não que os hipnotizou.

Dentro de você, não importa o que você seja, e por muito fracassado que se considere, está a habilidade e o poder de fazer tudo que precisa para ser feliz e vitorioso. Dentro de você, neste instante, está o poder de realizações que nunca sonhou fossem possíveis. Esse poder estará à sua disposição a partir do momento em que você mudar as suas convicções, e se desipnotizar de idéias como "Não posso", "Não valho coisa nenhuma", "Não mereço", e outras convicções limitadoras.

Você pode curar seus complexos de inferioridade

Pelo menos 95 por cento das pessoas têm suas vidas, até certo ponto, prejudicadas por sentimentos de inferioridade. E para milhões de indivíduos esse mesmo sentimento de inferioridade constitui sério obstáculo ao êxito e à felicidade.

Num certo sentido da palavra, toda pessoa que há na face da terra é inferior a outra ou outras pessoas. Eu *sei* que não sou capaz de erguer tanto peso como Paul Anderson, atirar um peso de oito quilos tão longe quanto Parry O'Brien, ou dançar tão bem como Arthur Murray. *Sei* disso, mas o fato não me causa sentimentos de inferioridade, nem prejudica minha vida, simplesmente porque não me comparo desfavoravelmente com eles, nem me considero fracassado porque não posso fazer determinadas coisas tão bem quanto eles. Sei também que, em certos setores, todas as pessoas que encontro, desde o jornaleiro da esquina até o presidente do banco, são superiores a mim. Mas por outro lado nenhuma dessas pessoas é capaz de reparar um rosto desfigurado ou fazer muitas outras coisas tão bem como eu. E tenho certeza de que elas não se sentem inferiores por causa disso.

Sentimentos de inferioridade têm origem não tanto em "fatos" ou experiências, como em nossas conclusões a respeito de fatos e na maneira como avaliamos experiências. Por exemplo, é um fato que eu sou um halterofilista inferior e um dançarino inferior. Isso, todavia, não faz de mim um "indivíduo inferior". A inabilidade cirúrgica de Paul Anderson e Arthur Murray faz deles "cirurgiões inferiores", não "pessoas inferiores". Tudo depende de "quais" as normas com que nos comparamos e das normas "de quem" nos comparamos.

Não é o *conhecimento* de uma real inferioridade que nos dá um complexo de inferioridade e interfere com nossa vida, mas sim o sentimento de inferioridade. E este *sentimento de inferioridade* nasce de uma única razão: Nós nos julgamos, e nos medimos, não pelas nossas próprias "normas" mas pelas "normas" de alguma outra pessoa. E quando o fazemos, sempre, e sem exceção, saímos inferiorizados. Mas porque nós pensamos, acreditamos e concluímos que *deveríamos* estar à altura das "normas" de alguma outra pessoa, *sentimo-nos* desprezíveis, medíocres, e chegamos à conclusão de que há algo de errado conosco. A conclusão lógica seguinte, nesse tortuoso raciocínio, é que não "prestamos", não merecemos o êxito e a felicidade, e que seria inútil exprimirmos plenamente nossas habilitações e talentos, sejam quais forem.

Tudo isso acontece porque permitimos a nós mesmos ser hipnotizados pela idéia, inteiramente errônea, de que "Eu gostaria de ser como Fulano" ou "Eu gostaria de ser como todo mundo". A ilusão desta segunda idéia, desde que a analisemos, pode ser facilmente percebida, pois na verdade não há padrões fixos que sejam comuns a "todo-mundo". "Todo-mundo" é composto de indivíduos, e entre eles não há dois que sejam perfeitamente iguais. A pessoa que tem um complexo de inferioridade reúne invariavelmente, a esse erro, o de lutar por superioridade. Seus sentimentos nascem da falsa premissa de que é inferior. Dessa falsa premissa, constrói ela toda uma estrutura de pensamentos e sentimentos "lógicos". Se ele se sente mal porque é inferior, a cura está em se tornar tão bom quanto todo mundo, e a maneira de se sentir realmente "bom" é tornar-se superior. Essa luta por superioridade coloca-o em maiores dificuldades, traz mais frustrações, e às vezes causa uma neurose onde antes não havia neurose alguma. Ele se torna mais infeliz do que antes, e "quanto mais se esforça" mais infeliz fica.

Inferioridade e Superioridade são as duas faces da mesma moeda. A cura está em compreender que a própria moeda é falsa.

A *verdade* a esse respeito é esta:

Você não é "inferior".

Você não é "superior".

Você é simplesmente "Você".

"Você", como personalidade, não está em competição com qualquer outra personalidade, simplesmente porque não há na face da terra outra pessoa igual a você. Você é um indivíduo. Você é único. Você não é "igual" a alguma outra pessoa nem pode jamais tornar-se "igual" a alguma outra pessoa. Não se "espera" que você seja igual a alguma outra pessoa, e nem se "espera" que alguma outra pessoa seja igual você. Deus não criou uma pessoa-padrão e pôs nela um rótulo dizendo: "É assim que todos devem ser". Ele fez os seres humanos individuais e diferentes, do mesmo modo que fez cada floco de neve individual e diferente.

Deus criou pessoas altas e pessoas baixas, pessoas grandes e pessoas pequenas, pessoas magras e pessoas gordas, pessoas pretas, amarelas, vermelhas e brancas. Jamais demonstrou preferência por gente deste ou daquele tamanho, forma ou cor. Disse certa vez Abraham Lincoln: "Deus deve ter amado as pessoas comuns, pois fez tantas delas!". Lincoln estava enganado. Não existem "pessoas comuns" — não há um padrão comum, estandardizado. Ele estaria mais próximo da verdade se dissesse: "Deus deve ter amado as pessoas incomuns, pois fez tantas delas".

Um "complexo de inferioridade", com todas as suas conseqüências negativas, pode ser fabricado, sob encomenda, no laboratório psicológico. Tudo que você precisa é estabelecer uma "norma" ou "média" e convencer seus pacientes de que não estão à altura dela. Um psicologista quis verificar até que ponto os sentimentos de inferioridade afetavam a capacidade de resolver problemas. Dava a seus alunos uma série de testes de rotina. Depois anunciava solenemente que o *indivíduo médio* podia completá-los em tanto tempo (que era cerca de 1/5 do tempo realmente necessário). Quando, no decorrer do teste, uma campainha soava indicando que o tempo do *indivíduo médio* se esgotara, alguns dos alunos mais brilhantes se tornavam de fato assustados e incompetentes, considerando-se retardados. ("Que Há em Sua Mente?", *Science Digest*, fevereiro de 1952.)

Não continue a medir-se pelos padrões dos "outros". Você não é "eles" e não pode igualar os padrões deles. "Eles", por sua vez, não podem igualar os seus — e não se espera que o façam. Quando você compreender esta verdade simples e evidente por si mesma, quando a aceitar e acreditar nela, seus sentimentos de inferioridade se evaporarão.

Como usar a relaxação para desipnotizar-se

A relaxação física desempenha papel importante no processo de desipnotização. As convicções que temos neste momento, boas ou más, verdadeiras ou falsas, se formam sem dificuldade, sem termos nenhuma sensação de esforço, e sem o exercício da "força de vontade". Nossos hábitos, bons ou maus, se formaram da mesma maneira. Segue-se que, para formarmos novas convicções, ou novos hábitos, precisamos empregar o mesmo processo, isto é, um estado de relaxação. Emile Coué, o obscuro farmacêutico francês que surpreendeu o mundo por volta de 1920 com os resultados que obteve com o "poder da sugestão", insistia em que o esforço era um dos grandes motivos por que a maioria das pessoas não utilizava suas forças ocultas. "Nossas sugestões (objetivos ideais) para serem eficazes devem ser feitas sem esforço", disse ele. Outra famosa afirmação de Coué foi sua "Lei do Esforço Invertido": "Quando a vontade e a imaginação entram em conflito, vence sempre a imaginação."

O falecido Dr. Knight Dunlap dedicou sua vida ao estudo dos hábitos e dos processos de aprendizagem e fez nesse sentido mais experiências do que talvez qualquer outro psicólogo. Conseguiu com seus métodos curar casos de tiques faciais e hábitos como roer unhas, chupar o dedo e outros mais graves, quando outros métodos falharam. A essência do seu sistema foi a descoberta de que o esforço era o grande obstáculo, seja para quebrar um mau hábito, seja para adquirir um hábito novo. Dunlap verificou que fazer esforço para evitar um hábito equivale na verdade a reforçar esse hábito. Suas experiências demonstraram que a melhor maneira de vencer um hábito é formar uma imagem mental nítida do resultado visado e praticar, sem esforço, no sentido de alcançar o objetivo. Descobriu Dunlap que tanto o "exercício positivo" (evitar o hábito) como o "exercício negativo" (executar o hábito de maneira voluntária e consciente) teriam efeito benéfico, desde que a pessoa tivesse sempre presente no espírito o resultado almejado.

Em muitos casos, a mera relaxação do esforço é em si mesma suficiente para erradicar o padrão de comportamento negativo. O Dr. James S. Greene, fundador do Hospital Nacional de Distúrbios da Linguagem, de Nova York, tinha um lema: "Se eles podem relaxar-se, podem falar." O Dr. Matthew N. Chappell salientou que muitas vezes o esforço ou "força de vontade" usados para lutar contra a preocupação é precisamente o que perpetua a preocupação. (Matthew N. Chappell, *Como Controlar a Preocupação*.)

A relaxação física, quando praticada diariamente, é acompanhada de uma "relaxação mental" e de uma "atitude relaxada", que nos permite controlar melhor, conscientemente, o nosso mecanismo automático. A relaxação física, também, tem em si mesma uma poderosa influência no sentido de "desipnotizar-nos" em relação a atitudes e padrões de reação negativos.

Como usar quadros mentais para relaxar

Exercício

*(para ser praticado pelo menos
30 minutos diariamente)*

Sente-se confortavelmente numa poltrona ou deite-se de costas. Conscientemente, "solte" tanto quanto possível os vários grupos musculares, sem fazer muito esforço nesse sentido. Também conscientemente, preste atenção às várias partes do seu corpo e solte-as um pouco. Você descobrirá que pode sempre relaxar-se, voluntariamente, até certo ponto. Você pode parar de franzir o sobrolho, relaxando a fronte. Pode afrouxar um pouco a tensão dos maxilares. Pode deixar as mãos, os braços, os ombros, as pernas, ficarem um pouco mais relaxados do que estão. Gaste nisso uns cinco minutos, depois pare de prestar atenção aos músculos. Você tentará ir só até esse ponto, mediante o controle consciente. Daí em diante você relaxará mais e mais, usando seu mecanismo criador para que produza automaticamente um estado de relaxação. Em suma, você vai usar "imagem de objetivos", que manterá diante de sua imaginação, e deixará que seu mecanismo automático alcance esses objetivos para você.

Quadro mental n.º 1

Mentalmente veja-se a si mesmo deitado numa cama, bem estirado. Forme de suas pernas a imagem de como seriam se fossem de concreto. Veja a si mesmo deitado com duas pernas de concreto, muito pesadas. Veja essas pernas afundando no colchão em virtude do seu peso. Agora procure ver seus braços e mãos como se fossem de concreto. Seus braços e mãos são também muito pesados e estão afundando no colchão e fazendo tremenda pressão na cama. Com os olhos do espírito veja um amigo entrar no quarto e procurar erguer suas pesadas pernas de concreto. Ele agarra seus pés e tenta levantá-los. Mas são muito pesados para ele; não consegue fazê-lo. Repita isso com os braços, pescoço, etc.

Quadro mental n.º 2

Seu corpo é uma enorme boneca de pano. Suas mãos estão amarradas aos pulsos, de maneira frouxa, por meio de um barbante. Seu antebraço está frouxamente ligado ao braço e o braço frouxamente ligado ao ombro, por meio de um barbante. Seus pés, pernas, coxas, também estão ligados um ao outro por meio de barbante. Seu pescoço consiste de um pedaço de barbante muito bambo. Os barbantes que controlam seus maxilares e mantêm juntos os lábios afrouxaram-se de tal maneira que seu queixo caiu molemente no peito. Todos os barbantes que ligam as várias partes do seu corpo estão bambos e em conseqüência seu corpo está esparramado na cama.

Quadro mental n.º 3

Seu corpo consiste de uma série de balões de borracha, cheios. Duas válvulas se abrem em seus pés, e o ar começa a deixar as pernas. Estas começam a se esvaziar até não passarem de balões murchos largados sobre a cama. Em seguida uma válvula se abre em seu tórax, o ar começa a escapar e todo o seu tronco fica murcho, amarrotando-se sobre a cama. Continue com os braços, cabeça e pescoço.

Quadro mental n.º 4

Muitos acham este exercício o mais relaxador de todos. Busque na memória alguma aprazível e tranqüilizadora cena do passado. Há sempre na vida de todos nós uma época em que nos sentimos repousados, à vontade, em paz com o mundo. Escolha entre suas lembranças o quadro preferido e procure recordar imagens com todos os por menores possíveis. Suponhamos que a cena é um lago na montanha, onde você foi pescar. Em tal caso, preste atenção nas pequenas coisas incidentais que há nas redondezas. Lembre-se do rumorejar da água. Que sons estavam presentes? Você ouvia o suave sussurro das folhas? Ou talvez você se recorda de estar sentado, perfeitamente à vontade, e até um pouco sonolento, diante de uma lareira, há muito tempo. Os troncos de madeira soltavam faíscas e estalavam? Que outros sons e imagens estavam presentes? Você talvez prefira lembrar-se de quando esteve deitado ao sol, numa praia. Qual era a sensação da areia em seu corpo? Você sentia o calor repousante dos raios de sol que tocavam em seu corpo quase como se fossem um objeto palpável? Havia uma aragem muito leve? Havia gaivotas na praia? Quanto mais detalhes desse gênero você puder lembrar e desenhar para si mesmo, melhores serão os resultados do exercício.

A prática diária tornará esses quadros mentais, ou lembranças, cada vez mais nítidos. O efeito do aprendizado será também cumulativo. A prática fortalecerá a correlação entre a imagem mental e a sensação física. Você terá cada vez maior perícia em conseguir relaxação, e isto será também "lembrado" em futuros exercícios.

Pontos a Serem Lembrados Neste Exercício

(Preencha)

1.
2.
3.
4.
5.

CASO:

CAPÍTULO V

COMO UTILIZAR O PODER DO PENSAMENTO RACIONAL

MUITOS DE MEUS pacientes ficam visivelmente desapontados quando prescrevo alguma coisa muito simples como o uso do poder de raciocínio, que Deus lhes deu, como método para modificar suas convicções e pensamentos negativos. No entanto, esse sistema tem uma vantagem — dá resultado! E, como veremos mais adiante, se baseia em sólidas descobertas científicas.

É crença muito generalizada que o pensamento consciente, racional e lógico, não tem poder sobre os processos ou mecanismos inconscientes, e que para alterar as convicções, sentimentos e comportamento negativos é necessário ir muito ao fundo e "drenar" material do inconsciente.

Nosso mecanismo automático, ou o que os freudianos chamam de "inconsciente", é absolutamente impessoal. Atua como uma máquina e não tem "vontade" própria. Procura sempre reagir de maneira adequada às nossas crenças e interpretações do mundo, no que diz respeito ao meio ambiente. Procura sempre dar-nos os sentimentos apropriados, e atingir os objetivos que nós conscientemente nos propomos. Trabalha somente com os dados que lhe fornecemos, sob a forma de idéias, crenças, interpretações, opiniões.

O "botão de controle" da nossa máquina inconsciente é o *pensamento consciente*. Foi através de pensamentos conscientes, embora talvez irracionais e irrealistas, que a máquina inconsciente desenvolveu seus padrões de reação negativos e inapropriados. E é através do pensamento racional consciente que os padrões de reação automáticos podem ser modificados.

O Dr. John A. Schindler, já falecido, que pertenceu à famosa Clínica Monroe, de Monroe, Estado de Wisconsin, conquistou fama nacional graças aos grandes êxitos obtidos em ajudar muitas pessoas infelizes e neuróticas a reconquistarem a alegria de viver e retornarem a uma vida feliz e produtiva. Sua percentagem de curas ultrapassou de muito as da psicanálise. Uma das chaves do método do Dr. Schindler consistia no que ele chamava de "controle consciente do pensamento". "...Independente das omissões e realizações do passado", disse ele, "a pessoa tem de começar, no presente, a adquirir um pouco de maturidade, de maneira que o futuro possa ser melhor do que o passado. O presente e o futuro dependem de aprendermos novos hábitos e novas maneiras de encarar velhos problemas. Não há nenhum futuro a buscarmos continuamente no passado... O problema emocional subjacente tem em todos os pacientes o mesmo denominador comum. O denominador comum é este: o paciente se esqueceu, ou provavelmente nunca aprendeu a controlar seu *pensamento presente* para produzir alegria de viver." (John A. Schindler, *Como Viver 365 Dias por Ano*).

Deixe os leões dormirem

O fato de haver, "sepultadas" no inconsciente, lembranças de fracassos passados, bem como de experiências desagradáveis e penosas, não quer dizer que estes devam ser "desenterrados", expostos ou examinados, para podermos modificar nossa personalidade. Como já observamos anteriormente, toda habilidade em aprender é obtida pelo método das tentativas (acertar e *errar*). Fazemos uma tentativa, erramos, lembrando-nos conscientemente do grau de erro e fazendo retificações na tentativa seguinte — até conseguirmos, afinal, uma tentativa bem-sucedida. A reação bem-sucedida é então lembrada, ou rememorada, e "imitada" em futuras tentativas. Pela sua própria natureza, todo servomecanismo contém "memórias" de erros, malogros e experiências negativas do passado. Essas experiências negativas não inibem, antes *contribuem para* o processo de aprendizagem, desde que sejam utilizadas como "dados de retroalimentação negativos" e sejam encaradas como desvios do objetivo positivo que se tem em vista. Contudo, uma vez que tenhamos reconhecido o erro como tal, e feito a competente correção, é igualmente importante *esquecermos conscientemente o erro* e lembrarmos e adotarmos a tentativa bem-sucedida. Essas memórias de fracassos passados não nos prejudicam, desde que nosso pensamento e atenção consciente estejam voltados para o objetivo positivo que visamos. O melhor, portanto, é deixar esses leões dormirem.

Nossos erros, enganos, fracassos, e às vezes até mesmo nossas humilhações são passos necessários no processo de aprendizagem. São porém destinados a servir como meios para um fim — não são um fim em si mesmos. Depois de serviriem ao seu propósito, *devem ser esquecidos*. Se conscientemente nos detivermos no erro, ou conscientemente sentirmos uma sensação de culpa pelo erro, o próprio erro ou falha acabará se transformando no "objetivo", que é conscientemente guardado na imaginação e na memória. O mais infeliz dos mortais é o homem que continuamente insiste em reviver na imaginação o passado — continuamente censurando-se pelos erros cometidos.

Nunca me esquecerei de uma de minhas pacientes que por causa de um passado infeliz, se torturava de tal maneira que anulava toda e qualquer possibilidade de ser feliz no presente. Vivera muitos anos em estado de tristeza e revolta, como resultado direto de um grave caso de lábio leporino. Fugia de todos, e com o correr do tempo desenvolveu uma personalidade tolhida, irritadiça, inteiramente voltada contra o mundo. Não tinha amigos, por imaginar que ninguém queria saber de relações com criatura tão "horrorosa". Deliberadamente evitava as pessoas ou, o que era pior, afastava-as com sua atitude áspera e defensiva.

A cirurgia curou-lhe o defeito físico. Ela procurou reajustar-se e viver em paz e harmonia com todos, mas não tardou em verificar que suas experiências passadas constituíam permanente obstáculo. Sentia que apesar de sua nova aparência, não podia fazer amigos e ser feliz porque ninguém se esqueceria de como ela havia sido antes da operação. Acabou por incorrer nos mesmos erros de antes, continuando infeliz como sempre. E só começou a viver quando aprendeu a não mais se condenar pelo que fora no passado.

A crítica constante de nós mesmos, por causa de erros passados, de nada vale e tende a perpetuar precisamente o comportamento que se quer modificar. Lembranças de erros passados *podem* afetar negativamente nossas realizações no presente, se neles nos detivermos e tolamente concluirmos: "Falhei ontem, portanto falharei hoje também." Isso, contudo, não "prova" que os padrões de reação inconscientes tenham em si mesmos algum poder para se repetir e perpetuar, ou que as memórias de fracassos, que se acham sepultadas, devam ser todas "extirpadas" para que o comportamento possa ser modificado. Quando somos vitimados, é sempre pela nossa mente consciente e raciocinadora, não pelo "inconsciente". Pois é com a parte raciocinadora da nossa personalidade que tiramos conclusões e selecionamos as "imagens-objetivos" em que nos devemos concentrar. No instante em que *mudarmos de idéia* e cessarmos de conferir poder ao passado, este e mais todos os seus erros perdem o poder que têm sobre nós.

Ignore os insucessos passados e caminhe para a frente

A hipnose, mais uma vez, nos fornece aqui uma prova convincente. Quando a um homem em transe hipnótico se diz — e ele *acredita* ou *"pensa"* — que é um orador fluente e cheio de confiança em si mesmo, seus padrões de reação mudam *instantaneamente*. Ele age de acordo com as convicções que tem nesse momento. Sua atenção volta-se inteiramente para o objetivo positivo que quer alcançar

— sem nenhum pensamento ou consideração para com os insucessos passados.

Conta-nos Dorothea Brande, em seu magnífico livro *Wake Up and Live* (Desperta e Vive!) que apenas essa idéia lhe permitiu produzir muito mais e ter mais êxito como escritora. E, além disso, descobriu em si mesma talentos e habilidades que ignorava possuir. Ela ficara ao mesmo tempo curiosa e pasmada ao presenciar uma demonstração de hipnotismo. Teve depois ocasião de ler uma frase do psicólogo F. M. H. Myers, que, diz ela, modificou toda a sua vida. Myers explicava que os talentos e aptidões revelados por pessoas em estado hipnótico eram devidos a uma "purgação da memória" em relação a insucessos do passado. Se isso era possível em estado hipnótico — pensou Dorothea Brande — se as pessoas comuns traziam consigo talentos, aptidões, poderes que não usavam apenas por causa de insucessos passados — porque não poderia uma pessoa desperta usar esses mesmos poderes ignorando, simplesmente, os insucessos passados e "agindo como se fosse impossível fracassar?"

Resolveu experimentar. Agiria como se os poderes e habilidades estivessem presentes e à sua disposição. Dentro de um ano sua produção literária aumentara muitas vezes. E a venda de seus livros também. Além disso, descobriu que tinha talento oratório, e passou a ser muito procurada como conferencista, o que lhe deu não pouca satisfação. Anteriormente, não só nunca mostrara habilidade para falar em público, como detestava ter de fazê-lo.

O método de Bertrand Russell

Em seu livro *The Conquest of Happiness* (A Conquista da Felicidade), diz Bertrand Russell, o grande filósofo e matemático inglês: "Eu não nasci feliz. Quando criança, minha canção favorita era: 'Cansado da terra e sob o peso de pecados...' Na adolescência, eu detestava a vida e estive continuamente à beira do suicídio, ao qual, entretanto, resisti por causa de meu desejo de saber mais matemática. Agora, ao contrário, eu amo a vida; poderia quase dizer que a amo sempre mais, cada ano que passa. Isso é em grande parte devido à menor preocupação que tenho comigo mesmo. Como outros que tiveram educação puritana, eu tinha o hábito de meditar sobre meus pecados, loucuras e falhas pessoais. Eu parecia a mim mesmo — sem dúvida com razão — um miserável espécime humano. Gradualmente, aprendi a encarar com indiferença a mim mesmo e às minhas deficiências; acabei por focalizar a atenção, cada vez com mais intensidade, em coisas externas: a situação do mundo, os vários ramos do conhecimento, as pessoas pelas quais sentia afeição."

No mesmo livro descreve Bertrand Russell seu método para modificar os padrões automáticos de reação baseados em falsas convicções. "É de todo possível vencer as sugestões infantis do inconsciente, e até modificar o conteúdo do inconsciente, desde que se empregue a técnica certa. Quando você começar a sentir remorsos por um ato que sua razão lhe diz que não é imoral, examine as causas do seu sentimento de remorso e convença-se do absurdo delas. Faça com que suas convicções conscientes sejam tão vívidas e enfáticas que suscitem em seu inconsciente uma impressão bastante forte para enfrentar as impressões deixadas por sua mãe ou sua babá, quando você era ainda criança. Não se satisfaça com uma alternação entre momentos de racionalidade e momentos de irracionalidade. Olhe a irracionalidade de frente, determinado a não respeitá-la e não deixar que ela o domine. Sempre que ela procurar projetar em seu consciente pensamentos ou sentimentos insensatos, arranque-os pela raiz, examine-os e rejeite-os. Não se permita continuar sendo uma criatura vacilante, dominada metade pela razão e metade por tolices infantis...

"Mas para a rebelião ter êxito no sentido de trazer felicidade pessoal e permitir ao homem viver em coerência com um padrão — e não vacilar entre dois — é preciso que pense e sinta a respeito daquilo que sua razão lhe diz. A maioria das pessoas, após se desfazerem superficialmente das superstições da infância, pensam que não há mais nada a fazer. Não sabem que tais superstições continuam a existir subterraneamente. Após chegarmos a uma convicção racional, é necessário nos determos nela, acompanharmos suas conseqüências, procurarmos dentro de nós mesmos toda e qualquer crença que não se coadune com a nova convicção e que, de outro modo, poderia sobreviver.

"O que eu recomendo é que todo homem deve resolver, de maneira enfática, em que ele realmente acredita, e jamais permitir que crenças irracionais contrárias passem impunemente ou sobre ele obtenham poder, por breve que seja. Trata-se de raciocinar consigo mesmo naqueles momentos em que ele é tentado a se tornar infantil. Mas esse raciocínio, se for suficientemente intenso, pode ser muito breve."

As idéias não se modificam pela "vontade", mas por outras idéias

É fácil perceber que a técnica sugerida por Bertrand Russell, de procurarmos em nós mesmos as idéias que estejam em contradição com alguma convicção profunda, é essencialmente igual ao método experimentado clinicamente, com tão impressionantes resultados, por Prescott Lecky. O método de Lecky consistia em fazer o paciente "ver" que alguns de seus conceitos negativos eram *incoerentes* com alguma outra crença profunda. Lecky acreditava ser intrínseco à própria natureza da "mente" que todas as idéias e conceitos que compõem a "personalidade" devem *parecer* coerentes uns com os outros. Se a incoerência de determinada idéia for conscientemente reconhecida, essa idéia *deve ser rejeitada*.

Tive entre meus pacientes um vendedor que ficava apavorado ao ter de visitar clientes importantes. Seu medo e nervosismo foram vencidos em apenas uma sessão, durante a qual lhe perguntei:

— Você, fisicamente, seria capaz de se pôr de quatro pés e rastejar até ao gabinete do cliente, prostrando-se, como se ele fosse um ente superior?

— É evidente que não!, respondeu ele com veemência.

— Então por que mentalmente você se curva e rasteja?

Outra pergunta:

— Você seria capaz de entrar na sala do cliente com a mão estendida, como um mendigo, e pedir dinheiro para um cafezinho?

— É natural que não.

—. Pois não vê que está, em essência, fazendo a mesma coisa quando, ao visitar um cliente, você se preocupa exageradamente em saber se ele o aprova ou não? Não vê que está com a mão estendida, pedindo, literalmente, que ele o aprove e aceite como pessoa?

Lecky descobriu que havia duas poderosas "alavancas" para a modificação de convicções e conceitos. Há certas convicções "padrão" que são firmemente mantidas por quase todos nós. São elas: (1) o sentimento ou crença de que somos capazes de fazer a nossa parte, mantendo certa dose de independência; e (2) a crença de que há dentro de nós "algo" que não podemos permitir que sofra alguma indignidade.

Examine e reveja suas convicções

Uma das razões por que o poder de pensamento racional passa despercebido é que ele é usado muito poucas vezes. Procure verificar as convicções sobre você mesmo, sobre o mundo ou sobre outras pessoas, que estão atrás do seu comportamento negativo. "Algo sempre acontece" que faz você fracassar justamente quando a vitória lhe parecia estar ao alcance das mãos? Talvez você secretamente se sinta "indigno" do êxito ou julgue que não o merece. Você se sente pouco à vontade no meio de outras pessoas? Talvez se considere inferior a elas, ou então supõe que elas são hostis e inamistosas. Você fica ansioso e amedrontado, sem razão plausível, numa situação relativamente segura? Você talvez acredite que o mundo em que vive é um lugar hostil, adverso, perigoso, ou que você "merece ser castigado".

Não se esqueça de que tanto o comportamento como o sentimento nascem das convicções. Para erradicar a convicção responsável por seu sentimento e comportamento pergunte a si mesmo: "Por quê?" Há alguma tarefa que você gostaria de executar, algum setor em que gostaria de se expressar, mas se retrai sentindo que "não pode"? Pergunte a si mesmo: POR QUÊ?

— Por que eu penso que não posso?

Depois pergunte mentalmente:

— Esta convicção se baseia em um fato real, em uma conjetura ou em uma falsa conclusão?

Depois faça a si mesmo as perguntas:
1. Há algum motivo racional para essa convicção?
2. Pode acontecer que eu esteja enganado nessa convicção?
3. Chegaria eu à mesma conclusão a respeito de alguma outra pessoa em situação semelhante?
4. Por que devo continuar a agir e sentir como se isto fosse verdade, se não tenho nenhuma razão plausível para acreditar em tal coisa?

Não se contente com esquivar-se a essas perguntas. Enfrente-as. Concentre-se nelas. Emocione-se com elas. Você não vê que defraudou a si mesmo, menosprezou a si mesmo — não por causa de um "fato" — mas apenas por causa de alguma tola convicção? A indignação e o ódio agem às vezes como nossos libertadores, no caso de idéias falsas. Alfred Adler "ficou com raiva" de si mesmo e do professor e conseguiu se desfazer da definição negativa que tinha de si mesmo. Essa experiência não é rara.

Um velho agricultor conta que deixou de fumar, de uma vez por todas, um dia em que verificou que esquecera o fumo em casa e se dispunha a caminhar de volta três quilômetros para apanhá-lo. No caminho, "viu" que estava sendo humilhantemente dominado por um vício. Ficou com raiva, fez meia volta, retornou à sua roça e nunca mais voltou a fumar.

Clarence Darrow, o famoso criminalista, disse que sua carreira de sucesso começou no dia em que "ficou com raiva" quando tentava conseguir uma hipoteca de dois mil dólares para comprar uma casa. No instante em que a transação ia ser concluída, a mulher do capitalista disse ao marido: — Não seja idiota; não vê que ele jamais ganhará dinheiro suficiente para pagar? Darrow, ele próprio, tinha sérias dúvidas a esse respeito. Mas "algo aconteceu" quando ouviu essa observação. Ficou indignado — tanto com a mulher como consigo mesmo, e resolveu que iria vencer na vida.

Um homem do comércio, meu amigo, teve experiência muito semelhante. Homem vencido, aos 40 anos de idade, preocupava-se continuamente sobre "como iriam ser as coisas", sobre suas próprias falhas e se seria ou não capaz de levar a bom termo suas tentativas comerciais. Atemorizado e ansioso, estava ele procurando adquirir algumas máquinas a crédito, quando a esposa do dono da loja se opôs; ela não acreditava que ele um dia seria capaz de saldar seu compromisso. Naquele instante ele viu suas esperanças ruírem. Mas logo a seguir sentiu-se indignado. Afinal, quem era ele para que os outros o fizessem de joguete? Quem era ele para ser continuamente humilhado? A experiência despertou "algo" dentro dele — como que um "novo eu" — e naquele instante ele viu que a observação da mulher, bem como as opiniões que ele tinha a respeito de si mesmo, constituíam uma afronta a esse "algo". Não tinha dinheiro, nem crédito, nem maneira nenhuma de conseguir o que queria. Mas descobriu um jeito — e dentro de três anos teve mais êxito do que jamais sonhara — não em um negócio, mas em três!

O poder do desejo profundo

O pensamento racional, para poder modificar eficazmente as convicções e o comportamento, deve ser acompanhado de sentimento e desejo profundos.

Procure imaginar o que você gostaria de ser ou ter, e suponha nesse instante que tais coisas seriam possíveis. Desperte um intenso desejo por essas coisas. Torne-se entusiasmado a respeito delas. Demore-se nelas — e fique remoendo-as na imaginação. Suas atuais convicções negativas foram formadas pelo pensamento mais o sentimento. Procure gerar suficiente emoção, ou um profundo sentimento, e seus novos pensamentos e idéias cancelarão os primeiros.

Analisando isso, você verá que está usando um processo que já usou várias vezes anteriormente: a preocupação. A única diferença foi que você mudou seus objetivos de negativos para positivos. Quando você se preocupa, antes de mais nada você desenha na imaginação, de maneira muito vívida, algum resultado ou objetivo futuro, que é indesejável. Você não utiliza nenhum esforço ou força de vontade, mas se detém no "resultado final". Você fica pensando nele, remoendo-o, vendo-o como uma "possibilidade". Você brinca com a idéia de que tal coisa "poderia acontecer".

Essa constante repetição, e o pensamento em função de "possibilidade", faz com que o resultado final pareça cada vez mais "real" para você. Passado algum tempo, engendram-se automaticamente as emoções "apropriadas" — medo, ansiedade, desânimo — isto é, emoções apropriadas para o resultado que é objeto de sua preocupação. Mude portanto o quadro do seu objetivo — e você poderá, com igual facilidade, gerar "emoções boas". Se você constantemente procurar ver na imaginação o resultado final desejável, nele se detendo, isso fará com que a possibilidade pareça mais real — e as emoções apropriadas de entusiasmo, alegria, ânimo e felicidade serão, também neste caso, automaticamente geradas. "Na formação de *bons* hábitos emocionais, e na eliminação dos *maus* — afirma o Dr. Knight Dunlap — temos que nos haver principalmente com o pensamento e com os hábitos de pensamento. Tal como o homem pensa, isso ele é no coração."

O que o pensamento racional pode e o que não pode fazer

Lembre-se que o seu mecanismo automático pode com a mesma facilidade funcionar como um "Mecanismo de Fracasso" ou um "Mecanismo de Êxito". Ele é, na essência, um mecanismo perseguidor de objetivos. Que objetivo ele persegue, depende de você. Muitos de nós, inconscientemente e de maneira involuntária, estabelecemos objetivos de insucesso porque cultivamos atitudes negativas e temos habitualmente na imaginação o retrato de insucessos.

Lembre-se também de que seu mecanismo automático não raciocina e não discute sobre os dados que você lhe fornece. Ele simplesmente os manipula, e reage perante eles da maneira apropriada. É de grande importância que o mecanismo automático receba os fatos verdadeiros, em relação ao meio ambiente. Essa é a função do pensamento racional consciente: *conhecer a verdade*, ponderar, avaliar e formar opiniões corretas.

"Pense sempre nas coisas que tem para fazer como sendo fáceis e elas se tornarão fáceis", disse Emile Coué. "Fiz numerosas experiências para descobrir as causas comuns daquele esforço consciente que costuma paralisar a mente raciocinadora", conta-nos o psicólogo Daniel W. Josselyn. "Praticamente em todos os casos elas parecem ser devidas à tendência para exagerar a dificuldade e a importância dos nossos trabalhos mentais, levá-los demasiadamente a sério, e recear que eles nos encontrem incapacitados para os executar. Pessoas que são eloquentes numa conversação casual, se transformam em imbecis quando se levantam para fazer um discurso. É preciso termos em mente que, se somos capazes de interessar um vizinho, somos capazes de interessar todos os nossos vizinhos, ou o mundo inteiro, sem nos deixarmos impressionar por grandezas." (Daniel W. Josselyn: *Why Be Tired?* — Por que Se Cansar?)

Você nunca sabe, até experimentar

É função do pensamento racional consciente examinar e analisar as mensagens recebidas, aceitando as que são verdadeiras e rejeitando as falsas. Há muitas pessoas que se deixam abalar pela observação casual de um amigo — "Você hoje não está com boa expressão". Se são repelidas ou menosprezadas por alguém, elas cegamente engolem o "fato" de que isso significa que são pessoas inferiores. Quase todos nós somos, diariamente, expostos a sugestões negativas. Se nossa mente consciente estiver desempenhando o papel que lhe cabe, nós não somos obrigados a aceitar cegamente essas sugestões.

É função da mente racional consciente formar conclusões lógicas e corretas. "Falhei uma vez no passado, portanto é provável que falhe no futuro", não é nem lógico, nem racional. Concluir: "Não posso", de antemão, sem fazer nenhuma tentativa e na ausência de qualquer prova em contrário, não é racional. Devíamos ser um pouco mais como o homem a quem perguntaram se sabia tocar piano. — Não lhe sei dizer, respondeu. — Como não sabe dizer? — Nunca experimentei.

Resolva o que você deseja, não o que não deseja

É função da mente consciente e racional decidir o que você deseja, selecionar os objetivos que você quer alcançar e concentrar-se neles, antes que naquilo que você não deseja. Despender tempo e esforço concentrando-se no que você não deseja não é racional. Durante a Segunda Guerra Mundial perguntaram ao General Eisenhower qual teria sido o efeito sobre a causa aliada se acaso as tropas de invasão, após desembarcarem nas praias da Itália, tivessem sido rechaçadas para o mar.

— Teria sido muito ruim — disse ele — mas eu jamais permito que minha mente consciente pense dessa maneira.

Fique de olho na bola

É função da nossa mente consciente *ficar atenta* à tarefa que num dado momento temos em mãos, ao que estamos fazendo e a tudo que ocorre ao nosso redor, de modo que essas imagens sensoriais mantenham nosso mecanismo automático informado a respeito do ambiente, permitindo-lhe assim reagir espontaneamente. Para utilizarmos a linguagem do beisebol, precisamos "ficar de olho na bola".

Não é porém função de nossa mente consciente e racional criar ou fazer a tarefa que temos em mãos. Metemo-nos em apuros quando não usamos o pensamento consciente como ele foi feito para ser usado, ou quando tentamos usá-lo como ele não foi feito para ser usado. Não podemos extrair pensamento criador do Mecanismo Criador mediante o esforço consciente. Não podemos "fazer" o trabalho a ser feito, através de esforços conscientes. E, como procuramos fazê-lo e não o conseguimos, ficamos preocupados, ansiosos, frustrados. O mecanismo automático é inconsciente. Nós não podemos ver as rodas girarem. Não podemos ver o que se passa abaixo da superfície. E como ele funciona espontaneamente, em suas reações ante as necessidades do momento, nós não podemos ter, de antemão, garantia absoluta e total de que ele nos trará a solução. Somos obrigados a confiar nele.

Em suma, o pensamento consciente racional seleciona o objetivo, obtém dados, conclui, avalia e põe as engrenagens em movimento. *Ele, contudo, não responde pelos resultados.* Precisamos aprender a fazer a nossa parte, agir de conformidade com as melhores suposições de que dispomos e *deixar que os resultados cuidem de si mesmos.*

Pontos a lembrar

(Preencha)

1.
2.
3.
4.
5.

CASO:

CAPÍTULO VI

ACALME-SE E DEIXE QUE SEU MECANISMO DE SUCESSO TRABALHE POR VOCÊ

A PALAVRA "TENSÃO" de um momento para outro se tornou extremamente popular. Dizemos que a nossa época é de tensão. Preocupações, ansiedade, insônia, úlceras do estômago foram aceitas como parte necessária do mundo em que vivemos. Eu, porém, estou convencido de que isso não é inevitável. Poderíamos aliviar-nos de uma enorme carga de cuidados, ansiedades e preocupações, se apenas reconhecêssemos a simples verdade de que o nosso Criador nos proporcionou amplos meios de viver felizes, nesta ou em qualquer outra época, equipando-nos com um mecanismo criador que nos é inerente.

O mal é que não tomamos conhecimento desse mecanismo criador automático, e procuramos fazer tudo e solucionar todos os nossos problemas mediante o raciocínio consciente, ou "raciocínio do prosencéfalo". O prosencéfalo, ou cérebro anterior, é comparável ao operador de um cérebro eletrônico ou qualquer outro tipo de servomecanismo. É com o cérebro anterior que pensamos "Eu" e temos a sensação de identidade. É com ele que exercemos a imaginação ou fixamos objetivos. Usamos o prosencéfalo para obter informações, fazer observações, avaliar os dados que nos vêm dos sentidos ou formular julgamentos. Mas o prosencéfalo não pode criar. Não pode "executar" a tarefa a ser executada, do mesmo modo que o operador de um cérebro não pode fazer o trabalho do aparelho.

É função do prosencéfalo formular problemas e identificá-los — mas pela sua própria natureza não é, nem nunca foi, destinado a resolver problemas.

Não seja cauteloso demais

Não obstante, é exatamente o que o homem moderno procura fazer: resolver todos os seus problemas pelo raciocínio consciente.

Jesus disse que o homem não pode acrescentar um cúbito à sua estatura, "por mais ansioso que esteja". Hoje o Dr. Wiener nos diz que pelo pensamento consciente ou "vontade" o homem não é capaz sequer de um ato simples como apanhar um cigarro da mesa. O homem moderno, como depende quase inteiramente do seu cérebro anterior, se torna exageradamente cauteloso e aflito, demasiadamente receoso das "conseqüências" — e a recomendação de Jesus, "não vos inquieteis, pois, pelo dia de amanhã", ou a de São Paulo, "não estejais inquietos por coisa alguma", são tidas na conta de tolices inexeqüíveis.

Entretanto, é precisamente esse o conselho que nos deu há anos o psicólogo norte-americano William James. No pequeno ensaio que intitulou *O Evangelho da Relaxação*, disse James que o homem moderno era tenso demais, preocupado demais com os resultados, ansioso demais (e isso foi escrito em 1899), e que havia um meio melhor e mais fácil de atingirmos os nossos objetivos. "Se quisermos que nossos mecanismos de ideação (isto é, de formação de idéias) e volição, sejam copiosos, variados e eficazes, precisamos criar o hábito de libertar esses mecanismos da influência inibidora que é neles refletirmos a preocupação obsessiva com seus resultados. Esse hábito, como outros, pode ser criado. A prudência e o dever, o cuidado com os nossos interesses, as emoções de ambição e de ansiedade, desempenham, naturalmente, papel necessário em nossas vidas. Mas devemos limitá-los, tanto quanto possível, às ocasiões em que estamos tomando resoluções gerais e deliberando sobre nossos planos de campanha. Devemos abstrair os pormenores. *Desde que tenhamos chegado a uma decisão e se trata da execução*, afastemos toda e qualquer preocupação com os resultados. Devemos destravar nossa maquinaria intelectual e prática e deixá-la funcionar livremente; o serviço que ela nos prestará será duas vezes melhor." (William James, *On Vital Reserves* — As Reservas Vitais.)

A vitória pela rendição

Posteriormente, em seu famoso livro *Conferências de Gifford*, citou James inúmeros exemplos de pessoas que durante anos procuraram em vão, mediante o esforço consciente, libertar-se de ansiedades, inferioridades, sentimentos de culpa, para afinal verificarem que o êxito só chegou quando desistiram conscientemente da luta e cessaram de procurar solução através do raciocínio consciente.

"Nessas circunstâncias", disse James, "o caminho do êxito, segundo o testemunho de numerosas narrativas pessoais autênticas, é pela rendição e pela passividade, antes que pela atividade. Relaxação, despreocupação, deve agora ser o lema. Abandonemos o sentimento de responsabilidade, confiemos o cuidado do nosso destino a poderes mais altos, sejamos genuinamente indiferentes ao que possa acontecer. Equivale isso a dar um repouso ao nosso convulsionado *eu*, para descobrir que ali se encontra um Eu maior. Os resultados — lentos ou repentinos, grandes ou pequenos — do otimismo e da esperança combinados, os fenômenos regeneradores que se seguem ao abandono de todo esforço, constituem fatos inegáveis da natureza humana." (William James, *The Varieties of Religious Experience* — Variedades da Experiência Religiosa.)

O segredo do pensamento criador e da ação criadora

Prova do que acabamos de afirmar temo-la na experiência de escritores, inventores e outras pessoas que se distinguem pelo espírito criador. São eles unânimes em reconhecer que as idéias criadoras não são conscientemente elaboradas pelo prosencéfalo raciocinador; elas ocorrem automaticamente, espontaneamente, tal como uma faísca, no momento em que a mente consciente esquece o problema e se acha ocupada em alguma outra coisa. Essas idéias criadoras não vêm à toa, sem algum pensamento consciente preliminar sobre o problema. Todas as provas de que dispomos nos levam a concluir que para recebermos uma "inspiração" ou um "palpite", precisamos antes de tudo estar intensamente interessados na solução do problema que nos preocupa ou na obtenção da resposta que buscamos. Devemos pensar conscientemente sobre o assunto, colher sobre ele todas as informações que pudermos, ponderar todas as possíveis atitudes a tomar. E acima de tudo, precisamos ter um ardente desejo de resolver o problema. Mas, depois de definido o problema e obtidos todos os fatos e informações possíveis, qualquer esforço, impaciência ou preocupação de nada servem; pelo contrário, parecem dificultar a solução.

Fehr, o famoso cientista francês, disse que praticamente todas as suas boas idéias lhe ocorreram quando ele não estava ativamente empenhado em qualquer problema, e que a maior parte das descobertas de seus contemporâneos foram feitas quando eles estavam, por assim dizer, ausentes da sua mesa de trabalho.

É sobejamente conhecido que Thomas Edison, quando estava diante de algum problema particularmente difícil, costumava deitar-se para uma soneca. Charles Darwin, relatando como sentiu um lampejo de intuição, depois que meses de raciocínio consciente não lhe deram as idéias que buscava para seu livro *A Origem das Espécies*, escreveu: "Lembro-me do ponto exato da estrada, estava eu em minha carruagem, quando para minha alegria me ocorreu a solução."

Lenox Riley Lohr, antigo presidente da National Broadcasting Company, relatou certa vez, num artigo, como lhe ocorriam certas idéias que muito o ajudavam nos negócios. "Observei que as idéias nos vêm mais prontamente quando estamos entregues a alguma atividade que mantém o espírito alerta, sem, porém, exigir dele muito esforço. Barbear-se, dirigir o carro, serrar uma tábua, pescar ou caçar, por exemplo. Ou durante uma conversa interessante com um amigo. Algumas de minhas melhores idéias resultaram de informações que obtive casualmente e que nenhuma relação tinham com meu trabalho." (*"Anyone Can Be an Idea Man"* — "Todos Podem Ser Homens de Idéias" — American Magazine, março, 1940). C. G. Suits, Chefe de Seção de Pesquisas da General Electric, disse que quase todas as descobertas que se fazem em laboratórios ocorrem durante períodos de repouso, que se seguem a fases de intensa concentração mental e de obtenção de dados.

Bernard Russell disse: "Descobri que quando tenho de escrever sobre algum assunto difícil, o melhor sistema é meditar sobre ele com grande intensidade — a maior intensidade de que sou capaz — durante algumas horas ou dias, e ao cabo desse tempo dar ordens, por assim dizer, para que o trabalho prossiga subterraneamente. Ao fim de alguns meses volto conscientemente ao assunto e verifico que o trabalho já foi feito. Antes de ter descoberto essa técnica eu costumava me preocupar durante todos esses meses, por sentir que não estava realizando nenhum progresso. Mas nem por isso conseguia apressar a solução, e esses meses eram todos perdidos, enquanto agora eu posso deixá-los a outras atividades." (Bertrand Russell, *A Conquista da Felicidade.*)

Você também tem "espírito criador"

É engano supormos que esse processo de "elaboração inconsciente" seja exclusivo de escritores, inventores e "espíritos criadores". Todos nós somos dotados de espírito criador, quer sejamos donas de casa trabalhando numa cozinha, quer sejamos professores, estudantes, vendedores ou homens de negócios. Todos temos dentro de nós idêntico "mecanismo de sucesso", que funcionará para a solução de problemas pessoais, para dirigir uma empresa comercial ou vender mercadorias, da mesma forma que funciona para escrever uma novela ou inventar alguma coisa. Bertrand Russell recomendava que o mesmo método que utilizava para produzir seus trabalhos literários fosse empregado pelos seus leitores para seus problemas mundanos pessoais. O Dr. J. B. Rhine, da Duke University, sustentava que aquilo a que chamamos "gênio" não passa de uma forma natural pela qual a mente humana trabalha para resolver qualquer problema.

O segredo do comportamento e da habilidade "naturais"

A perícia em qualquer setor — seja em esporte ou em tocar piano, em conversar ou vender mercadorias — não consiste em pensarmos conscientemente e de modo intenso em cada fase da ação, à medida que a executamos, mas sim em relaxar, e deixar que o trabalho se faça por si mesmo, através de nós. A ação criadora é espontânea e "natural", em oposição à ação estudada e meditada. O pianista mais hábil do mundo seria incapaz de executar uma simples composição se, *enquanto estivesse tocando*, meditasse conscientemente em qual dedo deveria tocar esta ou aquela tecla. Ele já deu a isso atenção consciente antes, no período de aprendizagem, e se exercitou até que suas ações se tornaram automáticas. Ele só conseguiu tornar-se grande pianista quando chegou ao ponto em que pôde dispensar o esforço consciente e transferir a tarefa de tocar ao "mecanismo de hábitos inconscientes", que faz parte do Mecanismo de Êxito.

Não emperre sua maquinaria criadora

O esforço consciente inibe e "emperra" o mecanismo criador automático. O motivo por que algumas pessoas são inibidas e canhestras em situações sociais é porque ficam muito ansiosas e preocupadas em não cometer erros. Elas estão aflitivamente conscientes de cada gesto que fazem. Todas as suas ações são "raciocinadas". Calculam o efeito de cada palavra que pronunciam. Dizemos dessas pessoas que são "inibidas", e a palavra está bem empregada. Mas seria ainda mais exato dizermos que a "pessoa" não é inibida, e sim que ela "inibiu" seu mecanismo criador. Se tais pessoas pudessem "soltar-se", parar de esforçar-se, não se importar, não dar tanta atenção à questão de seu comportamento, poderiam agir criadoramente, espontaneamente, e serem mais "elas mesmas".

Cinco regras para libertar seu maquinismo criador

1. "Preocupe-se antes de fazer a aposta, não depois que a roleta já começou a girar".

Devo ao diretor de uma firma, cujo fraco era a roleta, a expressão acima, que "fazia milagres" no sentido de ajudá-lo a vencer preocupações, e ao mesmo tempo ter mais êxito na vida. Eu havia-lhe mencionado a recomendação de William James, a que me referi anteriormente, quando disse que as emoções da ansiedade têm sua função no planejamento e na decisão de determinada iniciativa, mas "desde que chegamos a uma decisão e se trata da execução, devemos abstrair qualquer preocupação com os resultados; numa palavra, devemos destravar nossa maquinaria intelectual e prática e deixá-la funcionar livremente".

Algumas semanas mais tarde ele irrompeu em meu consultório tão entusiasmado com sua "descoberta" como o colegial que descobriu seu primeiro amor.

— Ela me ocorreu de repente — disse — durante uma visita ao cassino de Las Vegas. Já a experimentei várias vezes e deu certo.
— Que é que você experimentou e deu certo?, perguntei.
— A recomendação de William James. Não a levei muito a sério quando você me falou sobre ela, mas me ocorreu quando eu estava jogando roleta. Observei alguns jogadores que não aparentavam a mínima preocupação antes de fazer suas apostas. Mas depois que a roda começava a girar eles esfriavam, e começavam a se mostrar preocupados se iriam ganhar ou não. Que tolice!, pensei. Se tiverem de se preocupar, ficar aflitos, ou calcular suas probabilidades, a melhor ocasião para isso é *antes* de terem decidido fazer as apostas, quando ainda têm tempo de mudar de idéia. Podem calcular quais são as melhores probabilidades ou até mesmo decidir que não vale a pena arriscar. Mas depois que fizeram as apostas e a roda começou a girar, o melhor que têm a fazer é descansar e apreciar o jogo. Preocupar-se com o que vai acontecer de nada adianta e é desperdício de energia nervosa.

— Depois comecei a pensar que eu também fazia coisa semelhante, tanto nos negócios como em minha vida particular. Muitas vezes tomava decisões ou me lançava em alguma atividade sem a devida preparação, sem considerar todos os riscos ou as melhores alternativas possíveis. Mas depois de, por assim dizer, pôr as engrenagens em movimento, eu me preocupava com o que iria acontecer, e ficava a cismar se tinha agido da maneira certa ou não. Resolvi então que no futuro eu ficaria preocupado, e faria todo meu raciocínio consciente, *antes* de tomar a decisão. Tomada a decisão, e posta a máquina em movimento, eu "abstrairia completamente qualquer preocupação com os resultados". Acredite ou não, isso deu certo. Não somente me sinto melhor, durmo melhor, e trabalho melhor, como meus negócios vão indo às mil maravilhas.

— Descobri também que o mesmo princípio se aplica a centenas de pequenas questões pessoais. Por exemplo, eu costumava me inquietar quando tinha de sair para ir ao dentista ou para alguma outra obrigação desagradável. Disse então com meus botões: Isto é tolice. Você sabe perfeitamente o que há nisso de desagradável *antes* de tomar a decisão de ir. Se o aspecto desagradável é importante de molde a causar tanta preocupação, e você acha que não vale a pena o sacrifício, você pode simplesmente resolver não ir. Mas se você acha que a viagem vale um pouco de desconforto, e tiver tomado a firme decisão de ir — então esqueça o assunto. Pondere os riscos *antes* de a roleta começar a girar. Eu costumava me afligir na véspera de quando tinha que fazer um discurso numa reunião da diretoria. Um dia disse comigo mesmo: Vou fazer o discurso — ou não vou? Se a minha decisão é fazer o discurso, então não adianta considerar a hipótese de não o fazer — ou de tentar, mentalmente, fugir a ele. Descobri que muito do nervosismo e ansiedade que sentimos se deve a que, mentalmente, tentamos fugir de algo que resolvemos fazer fisicamente. Se a decisão é no sentido de levar a cabo a tarefa — e não fugir fisicamente — por que continuarmos, mentalmente, a considerar ou esperar a fuga? Eu costumava detestar reuniões sociais e ia apenas para agradar minha esposa, ou por interesses de negócio. Eu ia, mas mentalmente resistia, e durante a reunião ficava geralmente de mau humor ou taciturno. Depois achei que se minha decisão era ir, fisicamente, o melhor era eu ir mentalmente também — e afastar toda idéia de resistência. A noite passada, não apenas fui a uma reunião social que em outras ocasiões eu costumava classificar de bobagem, como também descobri com surpresa que a apreciei enormemente.

2. Forme o hábito de reagir conscientemente ao momento presente.

Pratique conscientemente o hábito de "não pensar com ansiedade no dia de amanhã". O melhor sistema para isso é *voltar toda sua atenção para o momento presente*. Seu mecanismo criador não pode funcionar ou trabalhar amanhã; só pode funcionar no presente — hoje. Você pode fazer planos para amanhã. Mas não procure *viver* no amanhã ou no passado. Viver criativamente significa reagir espontaneamente ao meio ambiente. Seu mecanismo criador reagirá com êxito e da maneira apropriada ao ambiente presente — apenas se você prestar ao ambiente presente toda sua atenção, dando ao seu mecanismo criador informações sobre tudo o que está ocorrendo agora. Planeje o que quiser para o futuro. Prepare-se para ele. Mas não se preocupe com a *maneira como você irá reagir amanhã*, ou mesmo daqui a cinco minutos. Seu mecanismo criador reagirá adequadamente ao "agora" se você prestar atenção ao que está acontecendo agora. A mesma coisa ele fará amanhã. Ele não pode reagir satisfatoriamente ao que *pode* acontecer — mas sim ao que *está* acontecendo.

PROCURE VIVER EM COMPARTIMENTOS ESTANQUES DE UM DIA

Afirma o Dr. William Osler que este simples hábito, que se pode adquirir como qualquer outro hábito, foi o grande segredo de sua felicidade e êxito na vida. Viva a vida em "compartimentos estanques de um dia", aconselhava ele a seus alunos. Não olhe nem para a frente nem para trás além de um ciclo de 24 horas. Viva hoje da melhor maneira possível. Viver bem hoje equivale a fazer tudo que está em seu poder para um amanhã melhor. Em seu magnífico ensaio *A Way of Life* (Um Modo de Vida), o Dr. Osler descreve as vantagens desse hábito.

William James, comentando essa mesma filosofia como princípio cardeal, tanto da psicologia como da religião, para a cura da preocupação, disse: "Sabe-se que Santa Catarina de Gênova só tomava conhecimento das coisas à medida que estas lhe eram apresentadas em sucessão, momento a momento. Para sua virtuosa alma o momento divino era o momento presente. Depois que ela avaliava o momento presente em si mesmo e suas relações, e cumpria com os deveres nele envolvidos, deixava que ele passasse como se nunca tivesse existido, para dar lugar às fisionomias e deveres do momento seguinte."

Os Alcoólicos Anônimos usam o mesmo princípio quando dizem: "Não procure abandonar a bebida para sempre; diga apenas *Hoje não irei beber.*"

PARE — OLHE — E ESCUTE!

Exercite-se em ficar mais conscientemente perceptivo do ambiente presente. Quantas cenas, sons, odores estão *neste instante* presentes em seu ambiente, sem você estar cônscio deles!

Exercite-se conscientemente em *olhar* e *ouvir.* Torne-se alerta ao tato dos objetos. Há quanto tempo você não sente realmente o pavimento sob seus pés, enquanto anda? O nosso índio e os antigos pioneiros, para sobreviverem, precisavam estar alertas ao que viam, ouviam e sentiam em seu ambiente. O homem moderno também, mas por motivos diferentes: não por causa de perigos físicos, mas da ameaça de "desordens nervosas" que nascem do pensamento confuso, de não vivermos de maneira criadora e espontânea, e de não reagirmos adequadamente ao ambiente.

Esse torna-se mais perceptivo ao que está acontecendo *agora* e essa tentativa de reagir *apenas* ao que está acontecendo agora, têm resultados quase milagrosos em aliviar o nervosismo. Na próxima vez que você perceber que está ficando tenso, nervoso, agitado — reaja e diga consigo mesmo: "Que é que há *aqui* e *agora* que mereça minha atenção e a respeito do que eu possa *fazer alguma coisa?*" Grande parte do nosso nervosismo é devida ao fato de "tentarmos", sem o saber, fazer alguma coisa que não pode ser feita aqui ou agora. Você está "engrenado" para uma ação que não pode realizar-se.

Tenha sempre em mente que a função do seu mecanismo criador é reagir da maneira apropriada ao *ambiente presente* — aqui e agora. Muitas vezes, se não nos acautelarmos, continuamos a reagir automaticamente a algum ambiente passado. Não reagimos ao momento presente e à situação presente, mas a algum acontecimento semelhante do passado. Numa palavra: não reagimos à realidade, mas a uma ficção. O pleno reconhecimento desse fato, e a consciência daquilo que estamos fazendo agora podem muitas vezes trazer uma "cura" impressionantemente rápida.

NÃO LUTE CONTRA ESPANTALHOS DO PASSADO

Tive uma paciente que costumava ficar agitado e ansioso em reuniões de negócio, em teatros, na igreja, ou em todas as reuniões formais em que um "grupo de pessoas" fosse o denominador comum. Sem o saber, ele estava tentando reagir a um ambiente do seu passado. Acontecera-lhe que quando criança, na escola primária, urinara nas calças, e o professor impiedoso pusera-o diante de toda a classe, humilhando-o. Ele reagiu com sentimentos de humilhação e vergonha. Agora, ante um dos fatores dessa situação — "grupo de pessoas" — ele reagia como se fosse a situação toda. Quando conseguiu "ver" que estava agindo como se fosse um escolar de dez anos de idade, como se toda reunião fosse uma classe de escola primária, e como se o líder de cada grupo fosse o professor cruel, sua ansiedade desapareceu.

Outros exemplos típicos são o da mulher que reage a todo homem que ela encontra "como se" ele fosse um determinado homem do seu passado; o homem que reage a toda pessoa que ocupa posição de mando "como se" esta fosse alguma determinada autoridade do seu passado.

3. Procure fazer apenas uma coisa de cada vez.

Outra fonte de confusão, e dos conseqüentes sentimentos de nervosismo, pressa e ansiedade, é o absurdo costume de tentarmos fazer coisas simultaneamente. O estudante estuda e assiste televisão ao mesmo tempo. O homem de negócios, em vez de procurar "fazer" a carta que está ditando, e concentrar-se nela, está pensando, na retaguarda de sua mente, em todas as coisas que *devia* fazer hoje, ou talvez até esta semana e, sem o saber, está tentando mentalmente fazê-las todas de uma só vez. O hábito é tanto mais insidioso porque é raramente reconhecido como tal. Quando nos sentimos agitados, preocupados ou ansiosos, ao pensar na enorme quantidade de serviço que temos pela frente, a agitação não é causada pelo trabalho, mas sim pela nossa atitude mental, que é: "eu devia ser capaz de fazer tudo isto de uma só vez". Ficamos nervosos porque estamos tentando o impossível, e assim tornamos a frustração inevitável.

A verdade é esta: Só podemos fazer uma coisa de cada vez. Se nos compenetrarmos disto e nos convencermos plenamente desta simples e óbvia verdade, com a mente relaxada e livres de sentimentos de pressa e ansiedade, então poderemos *concentrar-nos* e raciocinar ao máximo de nossas possibilidades.

A LIÇÃO DA AMPULHETA

O Dr. James Gordon Gilkey fez em 1944 um sermão chamado "Como Obter Equilíbrio Emocional", que foi publicado na revista *Reader's Digest* e se tornou da noite para o dia um clássico em seu gênero. Após muitos anos de prática ele verificara que uma das principais causas de colapso nervoso, preocupação e toda espécie de problemas pessoais era o péssimo hábito mental de pensar que deveríamos estar fazendo várias coisas *agora*. Olhando para a ampulheta que tinha em sua mesa, teve uma inspiração. Do mesmo modo que um só grão de areia podia passar pela ampulheta, nós também só podemos fazer uma coisa de cada vez. O mal não está no trabalho, mas na maneira como teimamos em encarar o trabalho.

Quase todos nós nos sentimos presa da pressa e da inquietude, disse o Dr. Gilkey, porque formamos uma falsa imagem mental de nossos deveres, obrigações e responsabilidades. Parece haver uma dúzia de diferentes coisas a nos preocupar em cada momento; uma dúzia de diferentes coisas por fazer; uma dúzia de diferentes problemas para resolver; uma dúzia de diferentes encargos que suportar. Não importa quão agitada possa ser nossa existência, disse o Dr. Gilkey, esse quadro mental é inteiramente falso. Mesmo nos dias mais agitados, as horas chegam uma cada vez; não importa quantos problemas, tarefas e encargos enfrentemos; eles chegam sempre em *fila simples*, que é a única maneira como podem chegar. Para obter um quadro mental real, o Dr. Gilkey sugeriu que se visualizasse uma ampulheta, com os numerosos grãos de areia caindo *um por um*. Esse quadro mental traz equilíbrio emocional, do mesmo modo que o falso quadro mental suscita agitação emocional.

Outro estratagema semelhante, que verifiquei ser muito útil para meus pacientes, consiste em dizer-lhes: "Seu mecanismo de sucesso pode ajudá-lo a fazer qualquer trabalho, executar qualquer tarefa, resolver qualquer problema. Pense em você mesmo 'fornecendo' trabalhos e problemas a seu mecanismo de sucesso como o cientista 'fornece' problemas a um cérebro eletrônico. O 'alimentador' do seu mecanismo de sucesso só pode se encarregar de um trabalho por vez. O cérebro eletrônico não pode dar a resposta certa se lhe fornecermos, misturados, três diferentes problemas ao mesmo tempo; nosso mecanismo de sucesso também não pode fazê-lo. Afrouxe a pressão. Não procure forçar para dentro da máquina mais do que um trabalho por vez."

4. Durma sobre o caso.

Se você andou o dia todo às voltas com um problema, sem aparentemente fazer nenhum progresso, tente abstraí-lo do espírito e adiar sua decisão até ter a oportunidade de "dormir sobre o caso". Lembre que seu mecanismo criador funciona melhor quando não há muita interferência do seu eu consciente. No sono, o mecanismo criador tem a oportunidade ideal para trabalhar independentemente da interferência do consciente, desde que você tenha previamente posto a máquina em movimento.

Lembra-se do conto de fadas do Sapateiro e os Elfos? O sapateiro descobria que se antes de dormir cortasse o couro e arrumasse os cortes, os pequenos elfos vinham e acabavam os sapatos enquanto ele dormia. Muitos homens de espírito criador utilizaram técnica parecida. A esposa de Thomas Edison contava que seu marido costumava todas as noites meditar sobre o que esperava fazer no dia seguinte. Ele às vezes fazia uma relação dos trabalhos que pretendia executar e de problemas que esperava resolver. Conta-se que *Sir* Walter Scott, cada vez que suas idéias se embaralhavam, dizia: "Não faz mal, terei o que quero amanhã, às sete horas da manhã."

V. Bechterev disse: "Aconteceu muitas vezes, quando eu me concentrava de noite num assunto, o qual eu desejava pôr em linguagem poética, que de manhã bastava eu pegar na caneta e as palavras fluíam como que espontaneamente. Eu nada mais tinha que fazer senão poli-las mais tarde."

As famosas "sonecas" de Edison eram mais do que meras pausas para repouso. Joseph Rossman, diz no livro *Psicologia da Invenção*: "Quando bloqueado por alguma dificuldade, ele se deitava, em sua oficina de Menlo, e, meio dormindo, obtinha de sua mente idéia que o ajudava a resolver a dificuldade."

J. B. Priestley sonhou três ensaios, completos até os menores detalhes: "A Fera de Berkshire", "O Estranho Armador" e "O Sonho". O Arcebispo Temple, de Canterbury, disse: "Todos os pensamentos decisivos se passam atrás dos bastidores. Eu raramente sei quando eles ocorrem... muitos deles certamente durante o sono." Henry Ward Beecher, em certa época, fez sermões todos os dias, durante dezoito meses. Seu método? Ele mantinha um certo número de idéias "em incubação" e todas as noites, antes de ir para a cama, escolhia uma delas e a "agitava", meditando intensamente sobre ela. De manhã o sermão estava praticamente pronto.

Todos com certeza já ouviram falar na descoberta do segredo da molécula da benzina, feita por Kekule, enquanto dormia; da descoberta de Otto Loewi (isto é, que na ação dos nervos estão em jogo elementos químicos ativos), a qual lhe valeu o prêmio Nobel; e dos "duendes" do romancista Robert Louis Stevenson que, segundo ele próprio afirmou, lhe davam sugestões para seus enredos enquanto ele dormia. O que nem todos sabem, porém, é que muitos homens de negócios aplicam a mesma técnica. Por exemplo, Henry Cobbs, que no começo da década de trinta se iniciou nos negócios com uma nota de dez dólares e dirige agora uma organização de remessa de frutas, em North Miami, na Flórida, a qual opera com alguns milhões de dólares. Cobbs mantém em seu criado-mudo um livrinho em branco onde, imediatamente após acordar, anota idéias criadoras que lhe ocorram durante o sono.

Vic Pocker chegou da Hungria sem dinheiro, e sem conhecer uma palavra de inglês. Obteve um emprego de soldador, freqüentou uma escola noturna para aprender inglês e economizou dinheiro. Suas economias se evaporaram durante a depressão. Mas em 1932 montou uma pequena oficina de solda que denominou "Fabricadora de Aço". Hoje a pequena oficina se transformou em uma empresa de um milhão de dólares. "Descobri que somos nós mesmos que fazemos as nossas oportunidades", diz Vic Pocker. "Às vezes, no sonho, me ocorriam idéias para resolver problemas, e eu acordava todo alvoroçado. Quantas vezes me levantei da cama às duas da madrugada e fui à oficina experimentar uma idéia."

5. Relaxe enquanto trabalha.

Exercício: No Capítulo Quarto você aprendeu como obter relaxação mental e física, enquanto repousa. Continue com o exercício diário de relaxação e se tornará cada vez mais proficiente. Entrementes, você pode obter um pouco "daquela sensação de relaxação", e da atitude de repouso, enquanto se entrega às suas ocupações diárias. Basta formar o hábito de *lembrar-se*, mentalmente, daquela agradável sensação de relaxação que conseguiu. Interrompa ocasionalmente o seu trabalho durante o dia, apenas por um momento, e lembre-se *em detalhes* das sensações da relaxação. Lembre-se de como sentia seus braços, suas pernas, costas, pescoço, rosto. Às vezes, formar um quadro mental de você mesmo deitado na cama ou sentado molemente em uma poltrona, ajuda a trazer ao espírito as sensações da relaxação. Repita mentalmente várias vezes: "Sinto meus nervos cada vez mais relaxados." Isso também ajuda. Pratique fielmente, várias vezes ao dia, esse hábito de "lembrar-se". Você ficará admirado ao verificar o quanto isso diminui a fadiga e melhora sua capacidade de dominar situações. Porque mantendo uma atitude relaxada você afasta os estados de excessiva preocupação, tensão e ansiedade que interferem com o funcionamento eficiente do seu mecanismo criador. Com o tempo sua atitude de relaxação passa a ser habitual, e você já não mais precisará praticá-la conscientemente.

Pontos a Lembrar

(Preencha)

1.
2.
3.
4.
5.

CASO:

CAPÍTULO VII

VOCÊ PODE ADQUIRIR O HÁBITO
DE SER FELIZ

NESTE CAPÍTULO quero debater com o leitor o tema da felicidade, não do ponto de vista filosófico, mas médico. O Dr. John A. Schindler definiu a felicidade como sendo "um estado de espírito em que os nossos pensamentos são agradáveis uma boa parte do tempo". Sob o aspecto médico, e também ético, não me parece que se possa melhorar esta simples definição. E é sobre isso que falaremos neste capítulo.

A felicidade é bom remédio

A felicidade é congênita do espírito do homem e da sua máquina física. Pensamos melhor, agimos melhor, sentimo-nos melhor e gozamos de mais saúde quando estamos felizes. Até os nossos sentidos trabalham melhor. O psicologista russo K. Kekcheyev submeteu algumas pessoas a testes quando estavam pensando em coisas agradáveis e desagradáveis. Verificou que quando elas entretinham pensamentos agradáveis seus sentidos da vista, paladar, olfato e audição eram melhores, e elas eram capazes de perceber diferenças mais sutis em tato, também. O Dr. William Bates demonstrou que a vista melhora imediatamente quando o indivíduo pensa em coisas agradáveis ou visualiza cenas aprazíveis. Margaret Corbet descobriu que a memória se aguça sobremaneira e a tensão mental se desfaz quando acalentamos pensamentos agradáveis. A medicina psicossomática provou que estômago, fígado, coração e todos os nossos órgãos internos funcionam melhor quando estamos alegres. Há milhares de anos, o sábio Rei Salomão já dizia em seus provérbios: "O coração alegre é bom remédio, mas o espírito abatido seca os ossos." É significativo também que tanto o judaísmo como o cristianismo recomendam a alegria, o regozijo, a gratidão, a jovialidade como meios de atingir a retidão e uma existência digna.

Estudando a correlação entre a felicidade e a criminalidade, os psicologistas da Universidade de Harvard concluíram que o velho provérbio dinamarquês "Quem é feliz não pode ser mau" encerra uma verdade científica. Verificaram que a maioria dos criminosos provinham de lares desditosos e tinham uma história de relações humanas infelizes. Um estudo da frustração, feito na Universidade de Yale, e que se prolongou por dez anos, revelou que grande parte do que chamamos de imoralidade e hostilidade para com outros é suscitada por sentimentos de infelicidade. Afirma o Dr. Schindler que a infelicidade é a causa exclusiva de todas as doenças psicossomáticas, e a felicidade é o único remédio possível. Recente pesquisa demonstrou que, de modo geral, o homem de negócios alegre e prazenteiro, inclinado a ver "o lado bom das coisas" tem mais sucesso que o pessimista.

Parece que na maneira popular de pensar a respeito da felicidade, se pôs o carro adiante dos bois. "Seja bom e será feliz", costuma-se dizer. "Eu seria feliz", dizemos a nós mesmos, "se tivesse sorte e saúde". Ou "Seja amável e generoso para com os outros e será feliz". Estaríamos mais próximos da verdade se disséssemos "Seja feliz — e você será bom, terá mais êxito, mais saúde, e será mais benevolente para com os outros".

Erros comuns a respeito da felicidade

A felicidade não é coisa que se adquira ou mereça. A felicidade não é uma questão moral, mais do que o é a circulação do sangue. Ambas são necessárias à saúde e ao bem-estar. A felicidade é simplesmente "um estado de espírito em que nossos pensamentos são agradáveis uma boa parte do tempo". Se você esperar até que "mereça" pensar pensamentos agradáveis, o provável é que tenha pensamentos desagradáveis a respeito de suas próprias falhas. "A felicidade não é recompensa da virtude", disse Spinoza, "mas a própria virtude. Não é por refrearmos nossos vícios que nos deleitamos na felicidade; mas, ao contrário, é por nos deleitarmos na felicidade que somos capazes de refrear nossos vícios." (Spinoza, *Ética*.)

A busca da felicidade não é egoísta

Muitas pessoas sinceras sentem-se inibidas em buscar a felicidade por acharem que isso seria "egoísta" ou "errado". O altruísmo traz felicidade, porque afasta nosso espírito de nós mesmos, de nossas faltas, pecados, preocupações (pensamentos desagradáveis), ou do orgulho que temos do nosso "valor", e também permite exprimirmo-nos criativamente e nos realizarmos, ajudando os outros. Um dos pensamentos mais confortadores para qualquer ser humano é saber que alguém necessita dele, que tem em si a possibilidade de contribuir para a felicidade de um semelhante. Entretanto, se fizermos da felicidade uma questão moral e nela pensarmos como algo a ser obtido, ou uma espécie de recompensa por sermos altruístas, é bem provável que experimentemos um sentimento de culpa por desejar a felicidade. A felicidade é conseqüência natural do nosso sentimento e ação altruísta, não é uma · "paga" ou prêmio. Se fôssemos recompensados por sermos altruístas, o passo lógico seguinte seria supormos que quanto mais abnegados e miseráveis fôssemos, mais felizes seríamos. E essa premissa levaria à absoluta conclusão de que o meio de ser feliz é ser infeliz.

Se há aí implícita alguma questão moral, ela favorece a felicidade antes que a infelicidade. "A atitude da infelicidade não é somente aflitiva; é também mesquinha e feia", diz William James. "Que é que pode ser mais indigno do que uma atitude de lamentação, mau humor, tristeza, não importa quais sejam os males externos que a engendraram? Que há de mais ofensivo aos outros? E que há de menos proveitoso para se resolver uma dificuldade? Ela serve apenas para fixar e perpetuar o mal que a ocasionou, aumentando o que há de calamitoso na situação."

A felicidade não está no futuro, mas no presente

Verifiquei que uma das causas mais comuns de infelicidade entre meus pacientes é que estão sempre tentando viver suas vidas no futuro. Não vivem, nem desfrutam a vida agora, mas esperam por algum acontecimento ou ocorrência. Serão felizes quando se casarem, quando arranjarem um emprego melhor, quando tiverem acabado de pagar a casa, quando seus filhos se formarem, quando tiverem completado alguma tarefa ou conquistado alguma vitória. Invariavelmente, sofrem desilusões. A felicidade é um hábito mental, uma atitude mental, e se não a aprendermos e praticarmos no presente, jamais a experimentaremos. Ela não pode depender da solução de algum problema exterior. Quando se resolveu um problema, outro aparece para ocupar-lhe o lugar. A vida é uma seqüência de problemas. Para ser feliz, você precisa ser feliz — ponto final! Não feliz "por causa de..."

"Estou há cinqüenta anos reinando na vitória ou paz", disse o Califa Abdelraham, "amado pelos meus vassalos, temido pelos meus inimigos e respeitado pelos meus aliados. Honras e riquezas, poder e deleites estiveram sempre ao meu dispor e nenhum dos bens da terra faltou para a minha ventura. Nesta situação, enumerei diligentemente os dias de pura e genuína felicidade que me couberam. Foram exatamente quatorze".

A felicidade é um hábito mental que pode ser cultivado e desenvolvido

"A maioria dos homens são tão felizes quanto resolvem ser", disse Abraham Lincoln. "A felicidade é puramente interior", afirma o psicólogo Dr. Matthew N. Chappell. "É produzida não por coisas, mas por idéias, pensamentos e atitudes que podem ser desenvolvidos e elaborados pelas atividades da própria pessoa, independente do meio ambiente."

Ninguém, a não ser um santo, pode ser cem por cento feliz o tempo todo. E, como muito bem disse Bernard Shaw, seríamos provavelmente desditosos se isso acontecesse. Mas podemos, se tomarmos uma simples resolução, ser felizes e ter pensamentos agradáveis uma boa parte do tempo, com respeito à infinidade de pequenos acontecimentos e circunstâncias da vida diária que agora nos infelicitam. Em grande parte, é por puro hábito que reagimos com mau humor, desagrado e irritabilidade às pequenas contrariedades, frustrações, etc. Por tanto tempo "nos exercitamos" em agir assim, que isso acabou por se tornar habitual. Muito dessa reação-de-infelicidade habitual teve origem em acontecimentos que nós *interpretamos* como golpes contra o nosso amor-próprio. Um motorista buzina atrás de nós desnecessariamente; alguém nos interrompe ou não nos dá atenção enquanto falamos; alguém não faz por nós o que achamos que deveria fazer. Até mesmo eventos impessoais podem ser por nós interpretados como afrontas ao nosso amor-próprio. O ônibus que íamos tomar *tinha* de estar atrasado; *tinha* de chover justamente quando planejávamos um passeio; o trânsito *tinha* de ficar congestionado justamente quando precisávamos apanhar o avião. Reagimos com raiva, despeito, autocompaixão — ou em outras palavras, com *infelicidade*.

Não se deixe levar pelas coisas

O melhor remédio que descobri para coisas como essas é usar a própria arma da infelicidade — o amor-próprio.

— Já foi assistir a algum espetáculo de televisão e viu como o animador domina a platéia?, perguntei a um de meus pacientes. — Ele ergue um cartaz escrito "palmas" e todos batem palmas. Ergue outro que diz "rir" e todos dão risada. Eles agem como carneiros, como se fossem escravos, e reagem humildemente como lhes ordenam. Você está procedendo da mesma maneira. Está deixando que os acontecimentos externos e outras pessoas ditem o que você deve sentir e como deve reagir. Você está agindo como um escravo submisso e obedecendo prontamente quando algum acontecimento ou circunstância lhe faz um sinal — "Fique com raiva", "Fique preocupado" ou "Agora é hora de se sentir infeliz".

Aprendendo o hábito de ser feliz, você se torna senhor em vez de escravo, ou, como disse o escritor Robert Louis Stevenson: "O hábito de ser feliz nos liberta, pelo menos em grande parte, do domínio das condições exteriores."

Sua opinião pode acentuar os acontecimentos infelizes

Até mesmo em face de situações trágicas ou do mais adverso ambiente, podemos em geral conseguir ser *mais felizes* — senão completamente felizes — desde que tenhamos o cuidado de não aumentar o nosso infortúnio com sentimentos de autocomiseração, indignação ou com nossas próprias opiniões adversas.

"Como posso ser feliz?", perguntou-me a esposa de um alcoólatra. "Não sei", respondi, "mas a senhora pode ser *mais feliz* não acrescentando rancor e autocompaixão ao seu infortúnio."

"Como posso ser feliz?", perguntou-me um homem de negócios. "Acabei de perder 200 mil dólares na bolsa de ações. Estou arruinado e desgraçado."

"O senhor pode ser *mais feliz*", declarei-lhe, "se não acrescentar aos fatos a sua opinião. É um fato que o senhor perdeu 200 mil dólares. É sua opinião que o senhor está arruinado e desgraçado". Sugeri então que ele retivesse na memória a frase de Epicteto, que foi sempre a minha favorita: "O que perturba os homens não são as coisas que acontecem, mas sim a opinião que eles têm delas."

Quando eu disse que queria ser médico, ponderaram-me que isso não seria possível porque minha família não tinha meios. Era um fato que minha mãe não tinha dinheiro. Que eu jamais poderia ser médico, era apenas uma opinião. Posteriormente, disseram-me que eu nunca poderia freqüentar cursos especializados na Alemanha e que para um jovem especialista em cirurgia plástica era impossível vencer montando consultório próprio em Nova York. Realizei tudo isso, e uma das coisas que mais me ajudaram foi ter eu me lembrado de que todos esses "impossíveis" eram opiniões, não fatos. Não só consegui atingir os meus objetivos, como sempre me senti feliz enquanto lutava por eles, até mesmo quando tive de empenhar meu casaco para comprar livros de Medicina, e passar sem almoço para poder comprar cadáveres. Eu estava apaixonado por uma linda jovem. Ela se casou com outro. Esses eram fatos. Mas eu procurava sempre não me esquecer de que era meramente minha opinião que isso fosse uma "catástrofe" e que a vida não valesse a pena viver. Não somente venci a crise, como o futuro se encarregou de demonstrar que aquilo foi a melhor coisa que me podia ter acontecido...

A atitude que conduz à felicidade

Já demonstramos antes que o homem, como é um ser feito para *lutar por objetivos*, funciona naturalmente, e de modo normal, quando está orientado no sentido de um alvo positivo, lutando por algum objetivo. A felicidade é sintoma de um funcionamento normal e natural, e o homem quando funciona como um "perseguidor de objetivos" que é, tende a ser feliz, sejam quais forem as circunstâncias. Meu jovem amigo, o homem de negócios, se sentia infeliz porque perdera 200 mil dólares. Thomas Edison perdeu num incêndio, sem estar segurado, um laboratório avaliado em milhões.

— Que fará o Sr. agora?, perguntaram-lhe.

— Começaremos a reconstruí-lo amanhã de manhã, respondeu Edison.

Apesar do seu infortúnio, ele manteve sua atitude empreendedora, continuando a atuar no sentido de um objetivo. E porque Edison manteve essa atitude dinâmica rumo a um objetivo, podemos sem receio de erro afirmar que ele em nenhum instante se sentiu triste ou infeliz com sua perda.

O psicólogo H. L. Hollingworth disse que a felicidade *exige* problemas e mais uma atitude mental que esteja pronta para enfrentar qualquer percalço com uma ação determinada no sentido da solução.

"Muito do que chamamos mal se deve inteiramente à maneira como encaramos o fenômeno", disse William James. "O mal pode muitas vezes ser convertido num bem tônico e revigorante, mediante uma simples mudança da atitude íntima do sofredor, a qual, de medo que era, passa a ser de luta; suas ferretoadas podem quase sempre desaparecer e transformar-se em satisfação, quando, após tentarmos inutilmente evitá-las, concordamos em enfrentá-las e suportá-las de bom ânimo. Pois o homem está, pela sua honra, obrigado a assumir essa atitude quando se vê frente a frente com os muitos fatos que parecem de início perturbar sua paz. Recuse-se a admitir a maldade deles; despreze-lhes o poder; ignore-lhes a presença; volte sua atenção para outro lado; e, pelo menos no que concerne a você, embora esses fatos possam ainda existir, o que há neles de maléfico não mais existirá. Desde que é você que os torna maus ou bons, segundo sua maneira de considerá-los, segue-se que é o domínio do seu pensamento que deve, afinal, ser sua preocupação." (William James, *The Varieties of Religious Experience* — Variedades da Experiência Religiosa.)

Volvendo os olhos para o meu próprio passado, noto que alguns dos anos mais felizes da minha vida foram aqueles em que eu lutava, como estudante de medicina e, depois, vivendo do prato para a boca em meus primeiros anos de clínica. Não raro senti fome e mal tinha com que me proteger do frio. Trabalhava intensamente um mínimo de doze horas por dia. Muitas vezes não sabia de onde tirar dinheiro para o aluguel. Mas eu tinha um objetivo, tinha um ardente desejo de o atingir e uma férrea persistência que me manteve trabalhando incansavelmente na direção dele.

Contei isso tudo ao jovem homem de negócios e fiz-lhe ver que a verdadeira causa da sua infelicidade não era a perda dos 200 mil dólares, e sim a do seu objetivo; ele perdera sua atitude empreendedora, e estava submetendo-se passivamente, em vez de reagir decididamente.

— Eu devia estar louco, admitiu ele tempos depois, para deixar o Sr. me convencer de que não era a perda do dinheiro que me entristecia... Mas ainda bem que o Sr. conseguiu!

Ele parou de lamentar seu infortúnio, "fez meia volta", tratou de arranjar outro objetivo — e começou a trabalhar na direção dele. Ao cabo de cinco anos não só possuía mais dinheiro do que antes, mas pela primeira vez estava num ramo de atividade de que realmente gostava.

Exercício: Forme o hábito de reagir de maneira decidida e positiva ante problemas e ameaças. Forme o hábito de estar permanentemente orientado no sentido de um objetivo, independente do que aconteça. Pratique, para isso, uma atitude positiva e decidida, tanto nas situações reais de cada dia, como também em imaginação. Veja-se, na sua imaginação, agindo de maneira positiva e inteligente para resolver algum problema ou atingir algum objetivo. Veja-se reagindo às ameaças da existência quotidiana não através da evasão, mas enfrentando-as, estudando-as, engalfinhando-se com elas de forma decidida e inteligente. "A maioria dos indivíduos são valentes apenas nos perigos aos quais estão acostumados, seja pela imaginação, seja pela prática", disse Bulwer-Lytton, o grande romancista inglês.

Pratique sistematicamente uma "mentalidade sadia"

"A medida da saúde mental é a disposição de encontrar o bem em todos os lugares", disse o famoso moralista Ralph Waldo Emerson. A ideia de que a felicidade — isto é, manter pensamentos agradáveis a maior parte do tempo — pode ser cultivada de forma deliberada e sistemática, se para isso nos exercitarmos mais ou menos a sangue frio, sempre parece a meus pacientes, quando a sugiro pela primeira vez, pouco menos que incrível, senão ridícula. Entretanto, a experiência demonstrou não apenas que isso pode ser feito, como também que essa é, praticamente, a única maneira de se cultivar o "hábito de ser feliz".

Em primeiro lugar, a felicidade não é coisa que nos possa "acontecer". É, antes, alguma coisa que depende de nós mesmos. Ninguém, senão nós mesmos, pode decidir quais devam ser os nossos pensamentos. Os dias são, todos eles, uma mistura de acontecimentos bons e maus; nenhum dia é completamente "bom", nenhuma circunstância e totalmente "ruim". Há, o tempo todo, elementos e "fatos" presentes no mundo e em nossas existências pessoais que "justificam" uma atitude pessimista e rabugenta, ou uma atitude otimista e feliz. Tudo depende da nossa escolha. Resolver deliberadamente pensar pensamentos agradáveis é mais do que um paliativo: pode trazer resultados bastante práticos. Carl Erskine, o famoso lançador de beisebol, disse que o pensar errado o punha em maiores dificuldades do que jogar errado.

"Um sermão me ajudou a vencer o nervosismo, melhor do que os conselhos de qualquer treinador", disse Erskine. "A essência do sermão era que, como o esquilo armazena castanhas, nós devemos armazenar nossos momentos de felicidade e triunfo, de modo que numa crise possamos fazer uso dessas lembranças, para nos servirem de amparo e inspiração. Quando menino, eu costumava pescar na curva de um rio que passava perto da minha cidade. Lembro-me com nitidez daquele lugar, no meio de uma enorme e verde pastagem cercada de frondosas árvores. Sempre que percebo minha tensão crescer, seja no campo de beisebol, seja fora dele, concentro-me nessa repousante cena da infância. É quanto basta para soltarem-se os nós que há dentro de mim." (Norman Vincent Peale, *Faith Made Them Champions* — A Fé os Tornou Campeões.)

Gene Tunney conta como quase perdeu sua primeira luta com Jack Dempsey, por causa de concentrar o pensamento em "fatos" que não devia. Ele certa noite acordou com um pesadelo. "A visão era de mim mesmo, sangrando, moído e indefeso, caindo na lona, enquanto o juiz iniciava a contagem. Eu não conseguia parar de tremer. Ali mesmo eu tinha perdido a luta que significava tudo para mim — a coroa mundial dos pesos-pesados... Que podia eu fazer contra esse pavor? Logo adivinhei a causa. Eu estivera pensando a respeito da luta da maneira errada. Estivera lendo os jornais, que eram unânimes em dizer como Tunney iria ser derrotado. Através deles eu estava já perdendo a batalha em meu espírito. Parte da solução era óbvia: parar de ler os jornais, parar de pensar na ameaça de Dempsey, nos punhos mortíferos e na ferocidade do campeão. *Eu precisava fechar as portas da mente aos pensamentos destrutivos* — e desviar o pensamento para outras coisas."

Um vendedor que precisava operar os pensamentos e não o nariz

Um jovem vendedor resolvera já abandonar o emprego quando me consultou a respeito de uma operação plástica no nariz. Este era um pouco maior do que o normal, mas de modo nenhum "repulsivo", como ele insistia. Achava que os clientes riam secretamente ou sentiam repulsa por causa do seu nariz. Era um "fato" que ele tinha nariz grande. Era um "fato" que três clientes haviam ido à companhia queixar-se de seu trato rude e hostil. Era um "fato" que seu chefe o

suspendera e que, havia duas semanas, ele nao azia uma só venda. Em vez da operação no nariz, sugeri uma intervenção cirúrgica em seu pensamento...
Durante trinta dias ele devia "cancelar" todos os pensamentos negativos. Devia ignorar totalmente os "fatos" negativos e desagradáveis da sua situação e deliberadamente focalizar a atenção em pensamentos agradáveis. Ao fim de trinta dias ele não apenas se sentia melhor, como também verificou que seus clientes se tornaram mais cordiais, suas vendas aumentavam de dia para dia e seu chefe o elogiou diante de seus colegas numa reunião de vendedores.

Um cientista põe à prova a teoria do pensamento positivo

O Dr. Elwood Worcester, em seu livro *Body, Mind and Spirit* (Corpo, Mente e Espírito), relata o testemunho de um cientista mundialmente famoso:

"Até os meus cinqüenta anos eu era um homem infeliz, inoperante. Nenhum dos trabalhos que depois fizeram minha reputação havia sido publicado. Vivia numa permanente sensação de abatimento e derrota. Meu sintoma mais doloroso era talvez uma terrível dor de cabeça que se repetia em geral dois dias por semana, durante, os quais eu não podia fazer coisa nenhuma.

"Eu lera alguma coisa na literatura sobre o Pensamento Novo, que na ocasião me parecia charlatanice, e uma ou outra afirmação esparsa de William James sobre a vantagem de se dirigir a atenção para coisas boas e úteis, ignorando-se o resto. Uma frase dele me ficou gravada no espírito: 'Teremos talvez de abandonar nossa filosofia do mal, mas que é isso em comparação com a vida de bondade que se ganha?', ou qualquer coisa assim. Até então essas doutrinas me pareciam nada mais que teorias esotéricas, mas vendo que meu espírito estava enfermo e minha vida era insuportável, deliberei pô-las à prova. Resolvi limitar a um mês o período de esforço consciente, pois achei que esse espaço de tempo era suficientemente longo para demonstrar a mim mesmo a validade delas. Durante esse mês decidi impor certas restrições aos meus pensamentos. Se pensava no passado, procurava fazer com que minha mente se detivesse apenas em incidentes felizes e aprazíveis, os dias luminosos da infância, a inspiração dos mestres, a lenta revelação de minhas inclinações. Quando pensava no presente, eu deliberadamente voltava a atenção para seus elementos mais desejáveis — o lar, as oportunidades que a solidão me dava para o trabalho, e assim por diante, e resolvi fazer o máximo uso dessas oportunidades, ignorando o fato de que elas pareciam conduzir ao nada. Ao pensar no futuro eu resolvia encarar toda ambição que fosse louvável e possível, como se ela estivesse ao meu alcance. Embora isso me parecesse ridículo na ocasião, vejo agora que o único defeito do meu plano, em vista do que me aconteceu desde aquela época, foi ter eu posto meus objetivos muito aquém do que devia."

Ele conta a seguir como suas dores de cabeça cessaram na primeira semana, e como se sentiu mais feliz do que em qualquer outra fase de sua vida. Mas acrescenta: "As mudanças exteriores em minha vida, resultantes da mudança do meu pensamento, me surpreenderam ainda mais que as interiores, embora aquelas sejam conseqüências destas. Havia, por exemplo, alguns homens eminentes, cujo reconhecimento eu sempre ambicionara profundamente. O de maior projeção entre eles, para minha surpresa, me escreveu convidando-me para ser seu assistente. Todos os meus trabalhos foram publicados, tendo-se criado uma fundação para publicar tudo o que eu venha a produzir no futuro. Os homens com quem trabalho têm se mostrado prestimosos e cooperativos, principalmente por causa do meu novo estado de espírito. Antigamente não me suportavam... Quando medito nessas mudanças tenho a impressão de que num dado momento tropecei cegamente no caminho da minha vida, e fiz com que passassem a trabalhar para mim forças que antes estavam contra mim." (Elwood Worcester e Samuel McComb, *Body, Mind and Spirit* — Corpo, Mente e Espírito.)

Como um inventor utilizava "pensamentos felizes"

O Professor Elmer Gates, da Instituição Smithsoniana, foi um dos maiores inventores do país, e reconhecidamente um gênio. Ele tinha por hábito diário "pensar em idéias e lembranças agradáveis" e acreditava que isso muito o auxiliava em seus trabalhos. "Quem deseja aperfeiçoar a si mesmo", aconselha ele, "deve invocar esses sentimentos mais sutis de benevolência e boa vontade que só de vez em quando nos ocorrem. Faça disso um exercício regular, como erguer halteres. Aumente gradualmente o tempo dedicado a essa ginástica psíquica, e ao fim de um mês você verá os surpreendentes resultados. A mudança será notável em suas ações e pensamentos."

Como aprender o hábito de ser feliz

Nossa auto-imagem e nossos hábitos tendem a caminhar juntos. Mude uma e automaticamente mudará os outros. A palavra "hábito" significa, originalmente, vestimenta, roupa. Ainda costumamos usar o vocábulo nesse sentido. Isso nos dá uma idéia da verdadeira natureza do hábito. Nossos hábitos são, literalmente, vestimentas usadas por nossas personalidades. Não são acidentais ou casuais. Temo-los porque eles nos *assentam bem*, são coerentes com a nossa auto-imagem e com toda a nossa personalidade. Quando nós, de modo consciente e deliberado, criamos novos e melhores hábitos, os hábitos velhos se tornam inadequados para nossa auto-imagem; esta adquire um novo feitio.

Tenho muitos pacientes que se espantam quando falo em modificarem seus padrões de ação habituais ou em agirem segundo novos padrões de comportamento, até que estes se tornem automáticos. Eles confundem, "hábito" com "vício". Vício é algo a que nos sentimos atraídos e que provoca severos sintomas de afastamento. Hábitos, por outro lado, são apenas reações e respostas que aprendemos a ter automaticamente, sem precisarmos "pensar" ou "resolver"; são executados pelo nosso Mecanismo Criador. 95 por cento de nosso comportamento, sentimento e reações são habituais. O pianista não "decide" em que tecla deve bater. O dançarino não "decide" que pé deve movimentar, e de que maneira. Sua reação é automática e impensada. Quase da mesma maneira, nossas atitudes, emoções e convicções tendem a se tornar habituais. Nós, no passado, "aprendemos" que certas atitudes, maneiras de sentir e pensar eram "apropriadas" a determinadas situações. Agora, tendemos a pensar, sentir e agir da mesma maneira, sempre que defrontamos o que interpretamos como "a mesma espécie de situação". O que precisamos compreender é que esses hábitos, ao contrário dos vícios, podem ser modificados, alterados ou invertidos; basta para isso que tomemos uma *decisão consciente* e depois nos exercitemos na nova reação ou comportamento.

Exercício

Habitualmente, você calça primeiro o sapato esquerdo ou o direito. Habitualmente, você amarra o cordão do sapato passando a ponta direita por trás da esquerda, ou vice-versa. Amanhã de manhã "determine" qual dos sapatos você calçará primeiro e de que maneira vai amarrar o cordão dos sapatos. Agora, resolva conscientemente que nos próximos 21 dias você vai formar o hábito de calçar o outro sapato em primeiro lugar e amarrar os cordões de maneira diferente. Agora, cada manhã, quando você *resolve* calçar os sapatos de uma certa maneira, deixe que esse simples hábito lhe sirva de lembrete para você modificar outras maneiras habituais de pensar, agir e sentir, durante todo o dia. Diga a si mesmo, enquanto amarra o cordão do sapato: "Estou começando o dia de uma forma nova e melhor." Depois, decida conscientemente que durante o dia:

1. Serei tão jovial quanto possível.

2. Procurarei me sentir e comportar de maneira um pouco mais cordial para com os outros.

3. Serei um pouco menos crítico e mais tolerante para com as outras pessoas, suas falhas, deficiências e erros. Interpretarei suas ações da maneira mais favorável possível.

4. Até onde for possível, comportar-me-ei como se o êxito fosse inevitável, e eu já fosse a espécie de personalidade que desejo ser.

Exercitar-me-ei em "agir como" e "me sentir como" essa nova personalidade.

5. Não permitirei que minha própria opinião dê aos fatos um colorido pessimista ou negativo.
6. Vou me exercitar em sorrir pelo menos três vezes por dia.
7. Não importa o que aconteça, reagirei de maneira tão calma e inteligente quanto possível.
8. Ignorarei completamente e fecharei meu espírito a todos os "fatos" pessimistas e negativos que eu nada possa fazer para modificar.

Simples? Sim. Mas cada uma dessas maneiras habituais de agir, sentir e pensar tem indubitavelmente uma influência benéfica e construtiva em sua auto-imagem. Ponha-as em prática durante 21 dias. "Experimente-as" e veja se o tédio, o sentimento de culpa, a hostilidade não diminuíram e se sua autoconfiança não aumentou!

Pontos a Lembrar

(Preencha)

1.
2.
3.
4.
5.

CAPÍTULO VIII

INGREDIENTES DA PERSONALIDADE "TIPO SUCESSO" — E COMO ADQUIRI-LOS

TAL COMO o médico aprende a diagnosticar a doença baseado em certos sintomas, também o fracasso e o êxito podem ser diagnosticados. A razão disso é que o indivíduo não "encontra", simplesmente, o sucesso, ou "chega" ao fracasso. Ele traz a semente de um ou outro em sua personalidade e seu caráter.

Descobri que uma das maneiras mais eficazes de ajudar as pessoas a conseguirem uma personalidade adequada ou "bem-sucedida" consiste, primeiro que tudo, em propiciar-lhes um quadro gráfico de como é a personalidade bem-sucedida. Lembre-se de que o mecanismo de orientação criador que há em todos nós é um perseguidor de objetivos, e o primeiro requisito para podermos utilizá-los é termos um objetivo bem definido. Inúmeras pessoas desejam "melhorar" a si mesmas, e anseiam por uma "personalidade melhor", sem terem idéia suficientemente clara daquilo em que consiste a "melhoria" ou uma "boa personalidade".

Mais de uma vez tenho visto indivíduos desorientados e infelizes que "criam ânimo" quando descobrem um objetivo e vêem pela frente um caminho reto a seguir. O caso, por exemplo, do homem de propaganda, de quarenta e poucos anos, que se sentia estranhamente inseguro e insatisfeito consigo mesmo logo após ter obtido uma importante promoção.

Novas posições requerem novas auto-imagens

"Isto é absurdo", dizia ele. "Trabalhei para conquistar esta posição, sempre sonhei com ela. É exatamente o que eu sempre quis. Sei que estou à altura do cargo, e no entanto, não sei por que motivo, sinto que minha confiança em mim mesmo está abalada. De repente acordo como que de um sonho e me pergunto — afinal quem é você para ocupar uma posição dessas?"

Ele havia adquirido uma sensibilidade exagerada com relação à sua própria aparência física. Achava que seu queixo um tanto débil fosse talvez a causa de seu desconforto. "Não tenho o tipo do diretor de empresa", dizia. Acreditava que a cirurgia plástica resolveria o seu problema.

Há o caso da dona-de-casa cujos filhos a estavam "deixando maluca" e se irritava tanto com o marido que procurava motivos para brigar com ele pelo menos uma vez por semana. "Que é que se passa comigo?", interrogava-se. "Meus filhos são encantadores, eu devia orgulhar-me deles. Meu marido é bom e atencioso, e eu sempre me arrependo depois." Ela achava que uma melhoria em seu rosto poderia aumentar-lhe a confiança, e fazer com que a família a "apreciasse mais".

O mal dessas pessoas, e muitas outras iguais a elas, não está em sua aparência física, mas em sua auto-imagem. Elas não se encontram desempenhando um novo papel na vida, e não estão muito seguras da espécie de indivíduo que deveriam "ser" a fim de ficarem à altura desse papel.

O quadro do sucesso

Neste capítulo darei ao leitor a mesma "receita" que lhe daria se me procurasse em meu consultório, proporcionando-lhe um quadro dos componentes da personalidade bem-sucedida.

A personalidade do "tipo sucesso" compõe-se de

Sentido de orientação,

Compreensão,

Coragem,

Caridade,

Amor-próprio,

Autoconfiança

Auto-aceitação.

1. Sentido de Orientação

O homem de propaganda "criou ânimo" e recuperou sua autoconfiança dentro de pouco tempo, depois que viu claramente que durante vários anos fora motivado por fortes objetivos pessoais que *queria atingir*, inclusive chegar à sua atual posição. Tais objetivos, que eram importantes *para ele*, o mantiveram na luta. Entretanto, depois que obteve a promoção, ele já não mais pensava em função do que pretendia, mas sim do que "os outros" esperavam dele; passou a imaginar se estaria ou não à altura dos padrões e objetivos "dos outros". Era como o piloto que deixasse o leme e esperasse que o barco, à deriva, navegasse na direção certa. Ou como o alpinista que enquanto tinha o olhar voltado para o alto, para o pico que queria escalar, se comportava de maneira audaz e corajosa. Mas quando chegou ao topo e viu que já não tinha mais para onde ir, começou a olhar para baixo, e então sentiu medo.

O homem de propaganda estava agora na defensiva, defendendo sua presente posição, em vez de agir como perseguidor de objetivos e lançar-se à ofensiva, para atingir um novo objetivo. Ele recuperou a confiança quando estabeleceu para si mesmo novos objetivos e começou a pensar em função de "Que é que eu pretendo obter deste novo cargo? Que é que eu pretendo atingir? Aonde pretendo chegar?"

— Funcionalmente, o homem é mais ou menos como uma bicicleta — expliquei-lhe. — A bicicleta mantém o equilíbrio apenas enquanto está rodando na direção de algum lugar. Você tem uma boa bicicleta. Seu mal é que você está tentando manter o equilíbrio sem sair de onde está e sem nenhum lugar para onde ir. Não é de espantar que se sinta inseguro.

O ser humano foi idealizado para funcionar como um mecanismo perseguidor de objetivos. Quando não temos nenhum alvo pessoal em que estejamos interessados e que "significa alguma coisa" para nós, costumamos "andar em círculos", sentimo-nos "perdidos" e achamos a vida "inútil" e "sem finalidade". Fomos feitos para conquistar o meio ambiente, resolver problemas, atingir objetivos, e não sentimos verdadeira satisfação ou felicidade na vida, sem obstáculos para transpor e alvos para atingir. Aqueles que dizem que a vida não vale a pena estão na verdade admitindo que eles próprios não têm objetivos que valham a pena.

Receita: Descubra algum objetivo pelo qual valha a pena trabalhar. Melhor ainda, consiga para si mesmo um projeto. Decida o que é que *você quer* obter de uma dada situação. Tenha sempre alguma coisa em mira — alguma coisa por que lutar. Olha para a frente, não para trás. Desenvolva uma "nostalgia do futuro" em vez da nostalgia do passado. O "olhar para a frente" e a "nostalgia do futuro" o manterão jovem. Até mesmo o seu organismo não funcionará direito se você deixar de ser um perseguidor de objetivos e "não tiver mais nada em vista". É por essa razão que, com muita freqüência, quando o homem se aposenta morre pouco tempo depois. Quando você não está lutando por um objetivo e não está olhando para a frente, não está realmente "vivendo". Além de seus objetivos puramente pessoais, tenha pelo menos um objetivo impessoal — ou "causa" com a qual possa identificar-se. Procure interessar-se por algum plano que vise auxiliar seus semelhantes — não por um sentimento de obrigação, mas sim porque você *quer*.

2. Compreensão

A compreensão depende da boa comunicação. A comunicação é vital para qualquer computador ou sistema de orientação. Você não poderá reagir da maneira apropriada se a informação na qual buscou sua ação for falsa ou mal compreendida. Muitos médicos acreditam que a "confusão" é o elemento básico das neuroses. Para enfrentarmos eficazmente um dado problema, precisamos ter alguma idéia da verdadeira natureza dele. Nossas deficiências em matéria de relações humanas são quase todas oriundas de "mal-entendidos".

Costumamos esperar que as outras pessoas reajam da mesma maneira que nós, ou cheguem às mesmas conclusões que nós, diante de um determinado conjunto de "fatos" ou "circunstâncias". Tenhamos em mente o que afirmei em capítulo anterior: não reagimos às coisas "como elas são", mas sim às nossas próprias imagens mentais. Quase sempre as reações das pessoas, ou a posição que elas assumem, não são no sentido de nos fazer sofrer, nem porque sejam teimosas ou malévolas, mas sim porque elas "compreendem" e interpretam as coisas de maneira diferente da nossa. Elas estão meramente reagindo da maneira apropriada ao que *para elas* parece ser a realidade da situação.

Muito poderemos fazer no sentido de suavizar as relações humanas e trazer melhor entendimento entre as pessoas, se acreditarmos que elas estão sendo sinceras, se bem que enganadas, e não teimosas ou malévolas.

FATOS VERSUS OPINIÃO

Muitas vezes criamos confusão quando, aos fatos, acrescentamos nossa própria opinião e chegamos a conclusões erradas. FATO: o marido estala o nó dos dedos. OPINIÃO: A esposa conclui: "Ele faz isso porque pensa que me aborrece." FATO: *O marido chupa os dentes depois das refeição*. OPINIÕES: A esposa conclui: "Se ele tivesse alguma consideração para comigo, trataria de adquirir boas maneiras." FATO: Dois amigos estão cochichando quando você se aproxima. Eles param de falar e parecem um pouco encabulados. OPINIÃO: "Eles deviam estar falando de mim."

A esposa chegou a compreender que os desagradáveis maneirismos do marido não eram propositais, nem tinham o intuito de a irritar. Quando ela cessou de reagir *como se* tivesse sido pessoalmente insultada, conseguiu analisar calmamente a situação e adotar a reação correta.

DISPONHA-SE A VER A VERDADE

Nós freqüentemente colorimos com os nossos temores, ansiedades ou desejos os dados sensoriais que recebemos. Mas para enfrentarmos de maneira eficaz o meio ambiente, precisamos estar dispostos a reconhecer a realidade dele. Só então poderemos reagir da maneira adequada. Precisamos ter a coragem de encarar e aceitar a verdade, boa ou má. Bertrand Russell afirmou que uma das razões por que Hitler perdeu a guerra foi que não estava perfeitamente a par dos acontecimentos. Os portadores de más notícias eram punidos. Dentro em pouco, ninguém se atrevia a contar-lhe a verdade. E sem saber a verdade ele não podia tomar as providências adequadas.

Muitos de nós costumamos cometer erro semelhante. Não gostamos de admitir para nós mesmos nossos enganos, falhas, deficiências, nem sequer admitir que alguma vez erramos. Não gostamos de confessar que uma determinada situação é diferente da que gostaríamos que fosse. Assim, iludimos a nós mesmos. E porque recusamos ver a verdade, não podemos agir adequadamente. Disse alguém que é bom exercício admitirmos diariamente um fato desagradável a respeito de nós próprios. A personalidade "tipo-sucesso" não só não mente nem engana a outras pessoas, como também é sincera consigo mesma. O que chamamos de "sinceridade" se baseia em autocompreensão e auto-honestidade, pois não pode ser sincero quem mente a si mesmo, mediante a "racionalização", isto é, a procura de pretextos para justificar um pensamento ou ato.

Receita: Procure informações verdadeiras a respeito de si mesmo, de seus problemas, de outras pessoas, ou da situação, quer se trate de notícias boas, quer más. Adote o lema: "Não importa *quem* está certo, mas sim *o quê* está certo." Um sistema de orientação automático retifica sua rota mediante as informações de retroalimentação que recebe. Ele reconhece os erros a fim de poder corrigi-los e continuar o rumo certo. Você deve fazer a mesma coisa. Admita seus enganos e erros, mas não os lamente. Corrija-os e continue caminhando para a frente.

3. Coragem

Não é suficiente termos um objetivo e compreendermos a situação. Precisamos ter a coragem de agir, pois somente através da ação poderemos transformar em realidade nossos objetivos, desejos e convicções.

O lema pessoal do Almirante William F. Halsey era uma citação do Almirante Nelson: "Nenhum capitão estará demasiadamente errado se alinhar o seu navio pelo costado do navio inimigo." "A melhor defesa é o ataque" é um princípio militar, diz Halsey, mas a aplicação dele não se limita apenas à guerra. Todos os problemas, individuais ou nacionais, se tornarão menores se não os evitarmos e sim, pelo contrário, os enfrentarmos. Segure um cardo timidamente e ele o picará;

agarre-o com energia e você quebrará os espinhos dele." (William Nichols, *Words to Live By* — Palavras Inspiradoras.)

Disse alguém que a FÉ não consiste em acreditarmos em alguma coisa apesar das evidências em contrário. Consiste na CORAGEM de fazer alguma coisa sejam quais forem as conseqüências.

POR QUE NÃO APOSTAR EM SI MESMO?

Nada neste mundo é absolutamente certo ou garantido. Muitas vezes a diferença entre um homem bem-sucedido e um fracassado não são as melhores idéias e aptidões de um deles, mas sim a coragem que teve, de acreditar em suas próprias idéias, correr um risco calculado — e agir. Quase sempre pensamos na coragem em termos de façanhas heróicas no campo de batalha, num naufrágio, ou em alguma situação semelhante. Mas a vida quotidiana também requer coragem, se quisermos que seja frutífera. Ficar parado, deixar de agir, faz com que o indivíduo, quando se defronta com um problema, fique nervoso e se sinta bloqueado, amarrado, e isso pode ser a origem de grande número de sintomas físicos.

Costumo aconselhar a essas pessoas:

— Estude a situação minuciosamente, repasse na imaginação as várias atitudes cabíveis no caso e as conseqüências prováveis de cada uma delas. Escolha o caminho que lhe parece o mais acertado — e vá em frente! Se esperarmos para agir até estarmos absolutamente seguros do êxito, jamais faremos coisa alguma. Sempre que agimos podemos estar errados. Mas não podemos deixar que isso nos detenha no caminho do objetivo que almejamos. Precisamos, todos os dias, ter a coragem de correr o risco de cometer erros, fracassar, ser humilhados. Um passo na direção errada é melhor do que ficar "no lugar" a vida inteira. Desde que esteja caminhando para a frente, você pode corrigir sua rota, enquanto caminha. Mas seu sistema de orientação automática não pode orientá-lo, se você não sair do lugar.

FÉ E CORAGEM SÃO "INSTINTOS NATURAIS"

Você alguma vez já pensou por que o impulso ou o desejo de jogar parece ser instintivo da natureza humana? Minha teoria é que esse impulso universal é um instinto, o qual, quando usado devidamente, nos impele no sentido de apostarmos em nós mesmos, de arriscarmos a sorte em nossa própria potencialidade criadora. Quando temos fé e agimos corajosamente, é exatamente isso que estamos fazendo: jogando no talento criador que Deus nos deu. Tenho também a teoria de que quem frustra esse instinto natural, negando-se a viver criativamente e a agir com destemor, é precisamente aquele que acaba por mergulhar na voragem do jogo. Todo aquele que não arrisca em si mesmo precisa arriscar em alguma outra coisa. E o homem que não se dispõe a agir corajosamente, procura muitas vezes a sensação da coragem no álcool.

Receita: Esteja disposto a cometer alguns poucos erros, a sofrer algum dissabor para obter o que deseja. Não se deixe vencer por pouco. "A maioria das pessoas não têm idéia de como são corajosas", dizia o General R. E. Chambers, Chefe da Divisão de Psiquiatria e Neurologia do Exército. "Na verdade, muitos heróis em potencial, tanto homens quanto mulheres, passam a vida inteira duvidando de si mesmos. Se apenas soubessem que têm dentro de si esses recursos, isso os ajudaria a encontrar a autoconfiança para enfrentar a maior parte dos problemas, e até mesmo as crises mais sérias." Você tem esses recursos. Mas jamais saberá que os tem até agir — e dar a eles a oportunidade de trabalharem por você.

Outra sugestão muito útil é exercitar-se em agir com audácia e coragem em relação às "pequenas coisas". Não espere até poder ser um grande herói numa crise de proporções ciclópicas. A vida quotidiana também demanda coragem — e é praticando a coragem nas pequenas coisas que desenvolvemos o poder e o talento de agir corajosamente nas questões mais importantes.

4. Caridade

As personalidades vitoriosas têm sempre algum interesse pelo próximo. Elas respeitam os problemas e as necessidades dos outros. Respeitam a dignidade da personalidade humana e tratam as outras pessoas como seres humanos, e não como se fossem peões em seus tabuleiros de xadrez. Reconhecem que toda pessoa é filha de Deus e uma individualidade única, merecedora de dignidade e respeito.

É um fato psicológico que nossos sentimentos no tocante a nós mesmos tendem a corresponder aos sentimentos que temos para com outras pessoas. Quando começamos a nos sentir mais caridosos para com outros, invariavelmente começamos também a ter mais indulgência para conosco mesmos. O homem que acha que "as pessoas não importam" não pode ter grande amor-próprio, ou respeito a si próprio, uma vez que ele também é "pessoa" — e com o julgamento com que considera os outros ele, inconscientemente, julga a si mesmo. Um dos melhores métodos conhecidos para se curar um sentimento de culpa consiste em parar de condenar mentalmente outras pessoas, parar de julgá-las, parar de culpá-las e odiá-las por causa de seus erros. Você desenvolverá uma auto-imagem melhor e mais adequada quando começar a sentir que as outras pessoas têm mais valor.

Outra razão por que a Caridade para com os semelhantes é sintomática da personalidade bem-sucedida é que a caridade significa que o indivíduo está sendo realista. As pessoas *têm* importância. As pessoas não podem, durante muito tempo, ser tratadas como animais ou máquinas, ou como meros peões para que alguém consiga seus objetivos pessoais. Hitler verificou isso. E o mesmo acontecerá com outros tiranos, onde quer que estejam — no lar, no mundo dos negócios, ou nas relações individuais.

Receita: A receita para a caridade é tríplice: (1) Procure desenvolver uma genuína apreciação pelas outras pessoas, pensando a realidade em relação a elas: elas são filhas de Deus, personalidades unas, seres criadores. (2) Dê-se ao trabalho de pensar nos sentimentos da outra pessoa, nos pontos de vista, anseios e necessidade delas. Pense um pouco mais no que a outra pessoa deseja, e em como ela deverá se sentir. Um meu amigo costuma brincar com a esposa dizendo-lhe, todas às vezes que ela lhe pergunta se ainda a ama: — Sim, sempre que me detenho a pensar nisso. Há nessa resposta grande dose de verdade. Nada podemos sentir por outras pessoas se não pensamos a respeito delas. (3) Aja como se as outras pessoas tivessem importância, e trate-as de acordo. Em seu trato com seus semelhantes, leve em conta o sentimento deles. Temos a tendência de nos sentirmos, em relação às coisas, de acordo com a maneira pela qual as tratamos.

5. Amor-próprio

Faz alguns anos, escrevi para a seção "Palavras Inspiradoras", da revista *This Week Magazine*, um artigo em torno da frase de Carlyle: "A mais temível das descrenças é a descrença em nós mesmos." Disse eu então:

"De todos os escolhos e ciladas que a vida nos prepara, o *des*amor-próprio é o mais fatal e difícil de combater, pois é um poço planejado e cavado por nossas próprias mãos, que se resume na expressão: 'Não adianta, eu não sou capaz de fazer.' O preço que temos de pagar por sucumbir a ele é pesado, tanto para o indivíduo em termos de recompensas materiais perdidas, como para a sociedade em ganhos e progressos não realizados.

"Na qualidade de médico eu poderia acrescentar que o derrotismo tem ainda outro aspecto muito curioso, que raramente é levado em conta. É mais do que possível que as palavras de Carlyle, acima citadas, sejam sua própria confissão do segredo que estava por trás de sua proverbial agressividade, seu temperamento tonitruante, sua voz áspera e sua aterradora tirania doméstica. Carlyle era, naturalmente, um caso extremo. Mas não é naqueles dias em que mais estamos sujeitos à "terrível descrença", em que mais duvidamos de nós mesmos e nos sentimos inferiores à nossa tarefa — não é precisamente nesses dias que somos de trato mais difícil?"

O que afinal devemos fazer o possível para compreender é que o fato de termos uma opinião desfavorável de nós mesmos não é virtude, mas vício. O ciúme, por exemplo, esse flagelo de tantos casamentos, é quase sempre fruto da dúvida em si mesmo. Quem tem um adequado amor-próprio não sente hostilidade para com outros, não sente necessidade de demonstrar coisa nenhuma, vê tudo com mais clareza, não é tão exigente no trato com seus semelhantes. A dona-de-casa que achava que uma melhoria em seu rosto faria com que seu marido e filhos a apreciassem um pouco mais, estava na realidade precisando apreciar mais a si mesma. A maturidade, mais algumas rugas e alguns fios de cabelo branco fizeram-na perder seu amor-próprio. Tornou-se então hipersensível a observações e ações inocentes de pessoas da família.

Receitas: Cesse de levar consigo uma imagem mental de si mesmo como pessoa vencida, inútil. Cesse de ver a si mesmo como objeto de comiseração e injustiça. Para construir uma auto-imagem adequada ponha em prática os exercícios descritos neste livro.

A palavra "estimar" significa literalmente apreciar o valor de alguma coisa. Por que razão o homem se impressiona com as estrelas, a luz, a imensidão do mar, a beleza de uma flor ou de um pôr-do-sol, e ao mesmo tempo despreza a si mesmo? Não foi o mesmo Criador que criou o homem? Não é o homem a mais maravilhosa das criações? Apreciar a si mesmo não significa egoísmo, a não ser que você ache que criou a si próprio e merece um pouco da honra... Não menospreze o produto apenas porque não sabe usá-lo corretamente. Não acuse, infantilmente, o produto por causa de seus próprios erros, tal como o escolar que dizia: "Esta máquina de escrever não sabe redigir direito as palavras."

Mas o maior segredo do amor-próprio é este: Comece a apreciar mais as outras pessoas; demonstre respeito por *qualquer* ser humano, simplesmente porque ele é filho de Deus e portanto uma "coisa de valor". Detenha-se para meditar, sempre que estiver tratando com um semelhante. Você está diante de uma criatura única e individual dAquele que criou todas as coisas. Exercite-se em tratar os outros como se tivessem valor — e verá com surpresa que sua própria autoestima aumentará. Sim, porque a verdadeira auto-estima não nasce de grandes coisas que você tenha feito, ou dos bens que você possui, das notas que tirou — mas sim de uma apreciação de si mesmo por aquilo que você "é" — uma criatura de Deus. Todavia, quando chegar a essa conclusão, você por força concluirá que todas as outras pessoas devem ser apreciadas pela mesma razão.

6. Autoconfiança

A confiança tem por base uma experiência de êxito. Quando nos lançamos pela primeira vez nalgum empreendimento, temos em geral pouca confiança, porque ainda não aprendemos, pela experiência, que poderemos ser bem-sucedidos. Isso é verdade no caso de aprender a andar de bicicleta, falar em público ou fazer uma operação cirúrgica. É literalmente verdade que o êxito gera o êxito. Até mesmo um pequeno êxito pode ser utilizado como degrau para um êxito maior.

Os treinadores de pugilismo tomam a máxima cautela na escolha dos adversários para seus pupilos, de modo que eles tenham uma série gradativa de experiências favoráveis. Todos nós podemos aplicar a mesma técnica, começando gradativamente e experimentando, de início, o êxito em pequena escala.

Outra tática importante é adquirirmos o hábito de lembrar os êxitos anteriores, olvidando os malogros anteriores. Essa é a maneira pela qual tanto o computador eletrônico como o cérebro humano devem funcionar. Não é porque a "repetição" tenha algum valor que a prática melhora o aproveitamento e o êxito em bola-ao-cesto, no golfe, no jogo de malhas ou no trabalho de vendas. Se esse fosse o caso, nós "aprenderíamos" os nossos erros em vez de nossas "vitórias". Quem está aprendendo a jogar malha, por exemplo, erra muito mais vezes do que acerta. Se a mera repetição bastasse para aumentar a perícia, o exercício deveria tornar o jogador mais hábil em errar, visto como foi isso o que ele praticou mais. Entretanto, embora suas falhas possam ter ultrapassado as jogadas certas na proporção de dez para uma, seus erros diminuem gradativamente através da prática, ao passo que suas jogadas certas se tornam cada vez mais freqüentes. Isto se dá porque o computador que há em nosso cérebro lembra e consolida as tentativas felizes e esquece as erradas.

É dessa maneira que tanto o computador eletrônico como o nosso próprio mecanismo de êxito aprendem a ser bem-sucedidos. E no entanto, que faz a maioria de nós? Destruímos nossa autoconfiança, lembrando nossos fracassos passados e esquecendo os êxitos. E não somente lembramos os fracassos: nós os imprimimos na mente, através da emoção. Condenamos a nós mesmos. Flagelamo-nos com a vergonha e o remorso (estas são, ambas, emoções altamente egoístas, egocêntricas). E a autoconfiança desaparece.

Não importa quantas vezes você fracassou no passado. O que vale são as tentativas bem-sucedidas, as quais devem ser lembradas e consolidadas. É nestas que você deverá deter-se. Disse Charles Kettering que o jovem que pretende tornar-se cientista deve estar disposto a errar 99 vezes, antes de acertar uma, sem por isso sofrer qualquer abalo em seu ego.

Receita: Use os enganos e erros como caminho para o aprendizado; depois abstraia-os de lembrança. Deliberadamente, recorde e desenhe mentalmente seus êxitos passados. *Alguma vez* todos nós fomos bem-sucedidos em *alguma coisa*. Especialmente quando se entregar a algum novo empreendimento, invoque as *sensações* que experimentou em algum êxito passado, por pequeno que fosse.

O Dr. Winfred Overholser, Superintendente do Hospital Santa Isabel, asseverou que a lembrança dos momentos de triunfo constitui maneira muito salutar de restaurarmos a confiança em nós mesmos; que muitas pessoas tendem a permitir que um ou dois fracassos encubram todas as boas lembranças. Se, sistematicamente, revivermos na memória nossos bons momentos, diz ele, ficaremos surpreendidos em ver que temos mais coragem do que pensamos. Recomenda o Dr. Overholser, como exercício, lembrarmo-nos vividamente de nossos êxitos e bons momentos passados, o que constitui ajuda inestimável sempre que sentirmos abalada a nossa autoconfiança.

7. Aceitação de Si Mesmo

Nenhum êxito real ou genuína felicidade é possível enquanto não adquirirmos algum grau de auto-aceitação. Os indivíduos mais infelizes e torturados deste mundo são os que estão continuamente procurando convencer a si mesmos e a outros que são muitos diferentes daquilo que basicamente são. Inversamente, não há alívio ou prazer que se compare ao que a pessoa experimenta quando afinal põe de lado a contrafação e o fingimento e resolve ser ela mesma. O êxito que só pode vir da auto-expressão, freqüentemente evita aqueles que tudo fazem para "parecer alguém". E freqüentemente ocorre, de maneira quase espontânea, quando a pessoa se dispõe a relaxar e "ser ela mesma".

Modificar sua auto-imagem não quer dizer modificar o seu "eu", ou melhorar o seu "eu", mas sim modificar a *imagem mental* que você faz de si mesmo — o conceito, a estimativa que você faz de si próprio. Os assombrosos resultados que se seguem à obtenção de uma auto-imagem adequada e realista são produzidos não pela autotransformação da pessoa, mas sim por uma autocompreensão e auto-revelação. O seu "eu", neste instante, é o que sempre foi e assim será no futuro. Você não o criou. Você não o pode modificar. Pode, porém, usufruí-lo ao máximo de suas possibilidades, desde que faça dele uma imagem mental verdadeira. De nada adianta você esforçar-se para ser um determinado "alguém". Você é o que é — agora. Você "é" alguém, não por que ganhou dez milhões de cruzeiros, ou porque possui o automóvel mais caro do seu bairro, ou porque é forte no xadrez — mas sim porque Deus criou você à Sua imagem e semelhança.

Quase todos nós somos melhores, mais sábios, mais fortes, mais competentes — *agora* — do que jamais imaginamos. A criação de uma auto-imagem melhor não *cria* novas aptidões, talentos, poderes; ela libera e utiliza os que já existem. Podemos mudar nossa personalidade, mas não o nosso eu fundamental. A personalidade é uma ferramenta, um meio de expressão, um ponto focal do "eu", que usamos em nosso trato com o mundo. É a soma de nossos hábitos, atitudes, aptidões aprendidas — que usamos como *método* de exprimirmos a nós mesmos.

"VOCÊ" NÃO É OS SEUS ERROS

Auto-aceitação significa aceitarmos a nós próprios e estabelecermos conosco mesmos um acordo, agora, tal como somos, com todos os nossos defeitos, fraquezas, falhas, erros, bem como com nossas boas qualidades. A auto-aceitação se torna mais fácil, porém, quando compreendemos que esses atributos negativos *pertencem* a nós — mas *não são* nós. Muitas pessoas fogem de uma salutar auto-aceitação porque insistem em identificar-se com suas falhas e erros. Você pode ter cometido um erro, mas isto não significa que você *seja* um erro. Você pode não estar expressando a si mesmo de maneira plena e apropriada, mas isso não quer dizer que você não tenha nenhum valor.

É indispensável reconhecermos nossos erros e falhas para que possamos corrigi-los. O primeiro passo no sentido de adquirir a sabedoria está em você reconhecer as áreas nas quais é ignorante. O primeiro passo no sentido de se tornar mais forte é reconhecer que você é fraco. E todas as religiões ensinam que o primeiro passo no sentido da salvação está em admitirmos que somos pecadores. Em nossa jornada rumo ao objetivo de auto-expressão ideal precisamos, para retificar nossa rota, usar as informações negativas, do mesmo modo que em qualquer outra situação em que lutamos por um objetivo.

É necessário para isso admitirmos para nós mesmos — e reconhecermos o fato — que nossa personalidade, ou o que alguns psicólogos chamam o nosso "verdadeiro eu", é sempre imperfeita. Ninguém jamais consegue, durante toda sua vida, exprimir-se plenamente, ou realizar todas as potencialidades do seu Eu Ideal. Em nosso Eu Real, no eu que costumamos exprimir, jamais exaurimos todas as possibilidades e poderes do Eu Ideal. Sempre podemos aprender mais, desempenharmo-nos melhor, comportarmo-nos mais satisfatoriamente. O nosso Eu Real é necessariamente imperfeito. Durante toda a nossa vida ele está sempre caminhando na direção de um objetivo ideal, sem jamais conseguir atingi-lo. O Eu Real não é estático, mas dinâmico. Ele jamais é completo e final; está sempre em expansão.

É importante aprendermos a aceitar esse Eu Real, com todas as suas imperfeições, porque é o único veículo de que dispomos. Os neuróticos rejeitam e odeiam o seu Eu Real porque é imperfeito. Procuram, no lugar dele, criar um eu ideal, fictício, que já seja perfeito, que já tenha "atingido". Insistir em manter essa contrafação e falsidade não somente representa tremendo esforço mental, como a pessoa fica sujeita a constante desapontamento e frustração, sempre que procura atuar num mundo real com um eu fictício. Uma carruagem puxada por cavalos pode não ser o melhor veículo do mundo, mas essa carruagem pode levar-nos de uma extremidade a outra do país melhor do que um avião a jato fictício.

Receita: Aceite a si mesmo como você é — e comece desse ponto. Aprenda a, emocionalmente, tolerar suas imperfeições. É importante reconhecermos, intelectualmente, nossos defeitos, mas seria desastroso odiarmos a nós mesmos por causa deles. Estabeleça uma diferença entre seu "eu" e seu comportamento. "Você" não é uma criatura arruinada ou inútil porque cometeu um erro ou se desviou do caminho, do mesmo modo que uma máquina de escrever não é inútil por ter feito um erro, ou um violino não é imprestável porque emitiu uma nota desafinada. Não odeie a si mesmo porque você não é perfeito. Não há ninguém que o seja, e os que assim se julgam estão apenas enganando a si mesmos.

VOCÊ É "ALGUÉM" — AGORA!

Muitas pessoas odeiam e rejeitam a si mesmas por sentirem e experimentarem desejos biológicos perfeitamente normais. Outros rejeitam a si mesmos pelo fato de seu físico não ter as proporções que, na época, são consideradas como "ideais". Lembra-me a década de vinte, em que muitas mulheres se sentiam envergonhadas por terem seios desenvolvidos. A moda era ter um corpo de menino, e os seios eram tabu. Hoje, muitas jovens se sentem presas de ansiedade por não terem pelo menos cem centímetros de busto. Na década de vinte elas me procuravam para, virtualmente, implorarem: "Faça com que eu seja alguém, reduzindo as medidas do meu busto!" Hoje o apelo é: "Faça com que eu seja alguém, aumentando as medidas do meu busto!" Essa procura de identidade, esse desejo de auto-afirmação, esse anseio de ser "alguém" é universal, mas nós erramos quando o buscamos na conformidade, na aprovação "dos outros", ou em coisas materiais. É um dom de Deus. Você "é" — ponto final. Muitas pessoas dizem, virtualmentemente, a si mesmas: "Eu, pelo fato de ser magro, gordo, baixo, muito alto, etc., não sou ninguém." Em lugar disso, diga a si mesmo: "Eu posso não ser perfeito, posso ter falhas e imperfeições, posso ter-me desviado do caminho certo, posso ter uma longa estrada a percorrer — mas eu sou *alguma coisa* e irei fazer o máximo dessa alguma coisa."

"É o moço de pouca fé que diz: *Eu não valho nada*", afirma Edward W. Bok. "É o moço que tem a verdadeira concepção que diz: *Eu valho tudo!*, e trata de demonstrá-lo. Isso não significa presunção ou egoísmo; se os outros assim pensarem — que pensem! Basta que nós saibamos que significa fé, confiança, certeza, a expressão humana da divindade que há em nós. Diz-nos Deus: "Faz o meu trabalho". Vá e faça-o. Não importa qual seja. Faça-o, mas com um entusiasmo, uma alegria, um prazer que sobrepuja obstáculos e afasta o desânimo."

Aceite a si mesmo. Seja você mesmo. Você não pode compreender as potencialidades e possibilidades inerentes a esse ser único e especial que é "você", se insistir em voltar as costas para ele, sentindo vergonha dele, odiando-o e negando-se a reconhecê-lo.

Pontos a Lembrar

(Preencha)

1.
2.
3.
4.
5.
6.
7.

CAPÍTULO IX

O MECANISMO DO FRACASSO: COMO FAZÊ-LO TRABALHAR PARA VOCÊ EM VEZ DE CONTRA VOCÊ

As CALDEIRAS a vapor são providas de manômetros, que indicam quando a pressão está atingindo o ponto de perigo. *Reconhecendo-se* o perigo potencial, podem-se tomar medidas corretivas — e garantir a segurança. Ruas sem saída, estradas intransitáveis, podem causar-nos inconvenientes ou retardar a chegada ao nosso destino, "se" não estiverem claramente assinaladas e não forem reconhecidas como tais. Mas se pudermos ler as sinalizações e tomar as medidas necessárias, os avisos de ruas sem saída, de curvas, cruzamentos, etc., ajudam-nos a atingir nosso destino com maior facilidade e eficiência.

O corpo humano tem os seus próprios "sinais vermelhos" e "sinais de perigo", que os médicos chamam de sintomas ou síndromes. O doente costuma encarar todo sintoma como maléfico; uma febre, uma dor, etc., são sempre "ruins". Na verdade, esses sinais negativos *operam em favor* do paciente, para o seu benefício, *desde que* ele saiba reconhecê-los e tome as necessárias medidas corretivas. Eles são os medidores de pressão e os sinais vermelhos que ajudam a manter a saúde do corpo. A dor da apendicite pode parecer "ruim" para o paciente, mas na realidade é fator decisivo para a sua sobrevivência. Se ele não sentisse dor não tomaria providências para remover o apêndice inflamado.

A personalidade tipo-fracasso também tem seus sintomas. Precisamos reconhecer em nós mesmos esses sintomas, a fim de podermos tomar as providências necessárias. Quando aprendemos a reconhecer certos traços da personalidade como sendo sinais de fracasso, estes agem então, automaticamente, como "informações negativas", e nos auxiliam a nos orientar no sentido da realização criadora. Entretanto, não basta estarmos "conscientes" deles. Todos podem "sentir" esses sintomas. Precisamos reconhecê-los como sendo "indesejáveis" coisas que repelimos e, o que é mais importante, compenetramo-nos, de maneira profunda e sincera, de que eles não nos trazem felicidade.

O quadro do fracasso

Estes são os sinais-de-retroalimentação negativos, ou o que eu costumo chamar de "Mecanismo do Fracasso", que aconselho meus pacientes a terem sempre na lembrança:

Frustração, desesperança, inanidade

Agressividade (mal dirigida)

Insegurança

Solidão (falta de "unidade")

Incerteza

Ressentimento

Vazio

A compreensão traz a cura

Ninguém resolve, premeditadamente e por mera questão de capricho, desenvolver em si mesmo esses traços negativos. Também, eles não "acontecem", simplesmente. E nem constituem indício de imperfeição da natureza humana. Cada um desses sinais negativos foi originalmente adotado como "maneira" de se resolver uma dificuldade ou problema. Nós os adotamos porque, erroneamente, vemos neles a melhor forma de sairmos de alguma dificuldade. Eles têm *sentido e finalidade*, embora baseados numa premissa errada. Não se esqueça: um dos maiores anseios da natureza humana é reagir apropriadamente. Podemos curar esses sintomas de fracasso, não pela força de vontade, mas pela compreensão — quando formos capazes de "ver" que eles não dão resultado e que são inadequados. A verdade nos pode libertar deles. E quando pudermos ver a verdade, então as mesmas forças instintivas que nos levaram a adotar esses sintomas de fracasso trabalharão a nosso favor no sentido de extirpá-los.

1. Frustração

A frustração é uma sensação emocional que experimentamos quando não podemos atingir algum objetivo que, para nós, é importante, ou vemos frustrado algum forte desejo. Todos nós temos inevitavelmente que sofrer alguma frustração, pelo simples fato de sermos humanos e, portanto, imperfeitos, incompletos, inacabados. À medida que ficamos mais velhos aprendemos que nem todos os nossos desejos podem ser satisfeitos imediatamente. Aprendemos também que nossa "ação" jamais pode ser tão boa quanto a havíamos planejado. Aprendemos, ainda, a aceitar o fato de que a perfeição não é necessária, nem exigida, e que as aproximações atendem perfeitamente a todos os fins práticos. Aprendemos a tolerar uma certa quantidade de frustrações, sem por isso nos sentirmos transtornados. É somente quando uma experiência de frustração vem acompanhada de excessivos sentimentos emocionais de insatisfação que ela se torna um sintoma de fracasso.

A frustração crônica significa que os objetivos que para nós mesmos fixamos não são realistas ou a imagem que de nós mesmos fazemos não é adequada, ou ambas as coisas.

OBJETIVOS PRÁTICOS VERSUS OBJETIVOS PERFECCIONISTAS

Para seus amigos, Jim S. era um homem plenamente vitorioso na vida. De simples estoquista chegou a vice-presidente da empresa onde trabalhava. Sua marca no golfe era de pouco mais de oitenta. Tinha uma esposa encantadora e dois filhos que o idolatravam. Não obstante, se sentia cronicamente frustrado porque nada disso correspondia aos seus objetivos irrealistas. Ele não era perfeito em nenhum particular, mas achava que *deveria* ser. Ele *deveria*, naquela altura, ser presidente da firma. *Deveria* estar fazendo setenta e poucos no golfe. *Deveria* ser um marido e pai tão perfeito, que sua esposa jamais encontrasse motivos para discordar dele, e seus filhos nunca saíssem da linha. Acertar na "mosca" não lhe bastava. Ele precisava acertar no "centro" da mosca!

SEUS VATICÍNIOS NEGATIVOS TORNAVAM CERTO O FRACASSO

Harry N. era um caso diferente. Ele não conquistara nenhum dos símbolos externos de sucesso. No entanto, tinha tido inúmeras oportunidades. Três vezes estivera a ponto de obter o emprego que desejava, e em todas elas aconteceu "alguma coisa" que o derrotou justamente quando a vitória lhe parecia estar ao alcance das mãos. Duas vezes se sentiu frustrado em questões amorosas.

Sua auto-imagem era a de um homem indigno, incompetente, inferior, que não tinha direito ao êxito ou ao usufruto das boas coisas da vida, e, sem saber, ele procurava corresponder a esse papel. Achava que não era o tipo do indivíduo capaz de vencer e sempre conseguia arranjar meios de fazer com que seus vaticínios negativos se concretizassem.

A FRUSTRAÇÃO COMO MEIO DE RESOLVER
PROBLEMAS NÃO DÁ CERTO

Sentimentos de frustração, descontentamento, insatisfação, são *maneiras* de resolver problemas que todos nós "aprendemos" na primeira infância. A criancinha, quando sente fome, expressa seu descontentamento através do choro. Uma terna e cálida mão surge como do nada e lhe traz leite. Se ela sente algum desconforto, novamente expressa sua insatisfação, e as mesmas mãos de novo aparecem magicamente para corrigir o mal. Muitas crianças continuam a obter o que desejam e ver seus problemas resolvidos por pais excessivamente indulgentes, apenas com o expressar de seus sentimentos de frustração. Tudo o que têm a fazer é *sentirem-se* frustradas e insatisfeitas — e o problema se resolve.

Essa maneira de viver "dá certo" para o bebê e algumas crianças pequenas. Mas *não dá certo* na idade adulta. No entanto, é o que muitos de nós procuramos fazer, sentindo-nos descontentes, e expressando nossas queixas contra a vida, aparentemente esperando que a vida sinta dó, venha pressurosamente e resolva nossos problemas para nós. Jim S. estava, inconscientemente, usando essa tática infantil na esperança de que algum passe de mágica lhe trouxesse a perfeição com que sonhava. Harry S. tinha durante tanto tempo "praticado" o sentimento de frustração e derrota que tais sentimentos se tornaram, para ele, habituais. Ele projetava-os no futuro e esperava pelo fracasso. Seus habituais sentimentos derrotistas o ajudavam a criar de si mesmo a imagem de um homem vencido. Pensamentos e sentimentos caminham juntos. Os sentimentos são o solo onde crescem os pensamentos e idéias. É esse o motivo pelo qual temos até aqui insistentemente aconselhado o leitor a imaginar como *se sentiria* se tivesse êxito — e então a sentir-se dessa maneira, agora.

2. Agressividade

A agressividade excessiva e mal dirigida acompanha a frustração como a noite o dia. Isto foi demonstrado por um grupo de cientistas da Universidade de Yale, há alguns anos, no livro *Frustração e Agressividade* (John Dollard et al.)

A agressividade, em si mesma, não constitui comportamento anormal. A agressividade e o calor emocional são necessários para se atingir um objetivo. Precisamos perseguir o que desejamos de forma agressiva, e não defensiva ou vacilante. O simples fato de termos um objetivo importante é suficiente para criar vapor emocional em nossa caldeira e trazer à tona tendências agressivas. Contudo, conseqüências funestas poderão ocorrer se formos bloqueados ou frustrados em nossa tentativa de atingir determinado objetivo. O "vapor" emocional, então contido, procura uma saída. Mal dirigido, ou se não for utilizado, ele se tornará uma força destruidora. O funcionário que sente vontade de esmurrar o chefe, mas não tem coragem, ao chegar em casa maltrata a esposa e os filhos, ou dá pontapés no gato. Ou então volta sua agressividade contra si mesmo, tal como certa espécie de escorpião da América do Sul que, quando enfurecido, pica a si próprio, e morre do seu próprio veneno.

NÃO ATIRE GOLPES ÀS CEGAS — CONCENTRE SEU FOGO

A personalidade "tipo-fracasso" não dirige sua agressividade no sentido da realização de algum objetivo proveitoso. Ela, em lugar disso, a encaminha para canais autodestruidores, como úlceras, pressão alta, preocupações, excessos no fumar ou trabalhar, quando não a volta contra outras pessoas, sob a forma de irritabilidade, aspereza, maledicência, rabugice. Ou, se seus objetivos são irrealistas e impossíveis, a solução, para esse tipo de pessoas, quando se vêem em face da derrota, é insistirem com mais teimosia do que antes. Quando percebem que estão dando com a cabeça na parede, concluem, inconscientemente, que a solução está em batê-la com mais força ainda.

O remédio para a agressividade não está em extirpá-la, mas em compreendê-la, e fornecer canais apropriados para sua expressão. Recentemente, o Dr. Lorentz, renomado veterinário e especialista em sociologia animal, disse aos psiquiatras do Centro Pós-Graduado de Psicoterapia, de Nova York, que seus muitos anos de estudos dos animais lhe mostraram que o comportamento agressivo é básico e fundamental, e que o animal não pode sentir ou exprimir afeição enquanto não lhe derem canais para expressar a agressão. O Dr. Emanuel K. Schwartz, deão-assistente do Centro, afirmou que as descobertas do Dr. Lorentz são de grande significado para o homem, podendo até levar-nos a uma completa revisão da nossa maneira de encarar as relações humanas! Elas indicam, opina o Dr. Schwartz, que o fornecimento de uma adequada válvula de escape para a agressividade é tão importante, se não mais, quanto para o amor e a ternura.

O CONHECIMENTO NOS DÁ O PODER

A mera compreensão do mecanismo em jogo nos ajuda a controlar o ciclo frustração-agressão. A agressão mal orientada não passa da tentativa de atingir *um alvo* — o objetivo original — atirando a torto e a direito na direção de *qualquer alvo*. Isso nunca dá certo. Não se resolve um problema criando-se outro. Quando sentir vontade de ferir alguém, pare e pergunte a si mesmo: "Isto não será resultado de minha frustração? Por que motivo me sinto frustrado?" O fato de reconhecermos que nossa reação é inadequada constitui em si mesmo um longo passo no sentido de controlá-la. Também, quando alguém se mostrar rude para conosco, nos sentiremos muito menos magoados se pensarmos que provavelmente não se trata de um gesto proposital, e sim da ação de algum mecanismo automático. A pessoa está dando vazão a um excesso de vapor que não pode utilizar para atingir algum objetivo. Muitos desastres de automóvel são provocados pelo mecanismo de frustração-agressão. Na próxima vez que alguém se mostrar grosseiro para com você no trânsito, em vez de você ficar agressivo e assim ameaçar a si mesmo, diga com seus botões: "Esse pobre coitado nada tem contra mim pessoalmente. Com certeza a mulher dele deixou que as torradas se queimassem esta manhã, ou ele não tem com que pagar o aluguel de casa, ou o chefe passou-lhe uma descompostura na frente dos colegas."

VÁLVULAS DE SEGURANÇA PARA O VAPOR EMOCIONAL

Quando nos sentimos impedidos de atingir algum objetivo importante somos mais ou menos como a locomotiva que está cheia de vapor mas não tem para onde ir: precisamos de uma válvula de segurança para nosso vapor emocional. Todas as espécies de exercícios físicos são excelentes para drenar a agressividade. Longas caminhadas a passos rápidos, exercícios com halteres, são bons. São especialmente indicados os jogos em que se bate ou golpeia alguma coisa, golfe, tênis, boliche, saco de areia, etc. Muitas mulheres frustradas conhecem intuitivamente o valor que tem o exercício muscular pesado para escoar a agressividade quando, após se sentirem contrariadas, experimentam a necessidade de dar novo arranjo aos móveis da casa. Bom recurso também para darmos vazão ao nosso mau humor está em escrevermos. Escreva uma carta à pessoa que o contrariou ou irritou. Diga tudo o que tem a dizer. Não deixe escapar nada. *Depois ponha a carta no fogo.*

O melhor canal para escoamento da agressividade está em usá-la da maneira como ela deve ser usada, isto é, trabalhar no sentido de algum objetivo. O trabalho é ainda um dos melhores remédios e um dos mais perfeitos sedativos para o espírito conturbado.

3. Insegurança

O sentimento de insegurança é baseado num conceito ou crença de inadequação íntima. Quando achamos que não estamos "à altura" do que exigem de nós, sentimo-nos inseguros. Na maior parte das vezes, a insegurança não se deve ao fato de nossos recursos serem inadequados, mas sim de usarmos uma medida falsa. Comparamos nossas aptidões com as de alguém imaginário e ideal, que é perfeito ou absoluto. E quando pensamos em nós mesmos em termos de "absolutos", o resultado é a insegurança.

O homem inseguro acha que deve ser "perfeito" — ponto final. Deve ser "bem-sucedido" — ponto final. Deve ser feliz, competente, senhor de si — ponto final. Esses objetivos são respeitáveis. Mas devemos considerá-los, pelo menos em seu sentido absoluto, como alvos a serem atingidos, coisas que desejamos alcançar — antes que como "obrigações".

Visto que o homem é um mecanismo perseguidor de objetivos,

nosso "eu" só se expressa plenamente quando caminhamos para frente na direção de alguma coisa. Lembra-se da comparação com a bicicleta, que fizemos num capítulo anterior? O homem manterá o equilíbrio, a firmeza, o sentido de segurança, somente quando está caminhando para frente — isto é, *buscando*. Quando fazemos de nós mesmos a imagem de quem *já atingiu* o alvo, tornamo-nos estáticos e perdemos a segurança e o equilíbrio que tínhamos quando caminhávamos no rumo de alguma coisa. O homem que se convence de que é "bom", no sentido absoluto da palavra, não somente já não tem incentivo para o auto-aperfeiçoamento, como se sente inseguro — porque é obrigado a defender a falsa aparência, a máscara. "O homem que acha que já chegou não tem mais utilidade para nós", disse-me recentemente o diretor de uma grande firma. Quando alguém chamou Jesus de "bom", Ele o admoestou: "Por que me chamas bom? Só há um bom e esse é o Pai." São Paulo é geralmente considerado como um homem "bom" e no entanto sua própria atitude está expressa nestas palavras: "Considero a mim mesmo como quem ainda não atingiu seu objetivo... mas continua na direção dele."

MANTENHA OS PÉS EM TERRENO FIRME

Não é seguro tentar manter-se permanentemente em um pináculo. Mentalmente, apeie de suas alturas — e se sentirá mais seguro. Isto tem aplicações muitíssimo práticas. E explica a psicologia dos "pequenos", nos esportes! Quando num campeonato os componentes de uma equipe têm motivos para considerar-se como os campeões, eles já nada mais têm por que lutar; têm apenas uma posição a defender. O campeão está defendendo alguma coisa, procurando · demonstrar alguma coisa, ao passo que os "pequenos" lutam para *conseguir* alguma coisa e, não raras vezes, obtêm resultados surpreendentes.

Conheço um *boxeur* que lutou magnificamente até que chegou a campeão de sua categoria. Na luta seguinte perdeu o campeonato, tendo feito péssima figura. Depois que perdeu o título voltou a lutar como antes, e reconquistou o campeonato. Um treinador experiente lhe disse: "Você será capaz de lutar bem, quer como campeão, quer como desafiante, se se convencer de uma coisa: Quando entrar no ringue, você não vai *defender* um título e, sim, *lutar* por ele. No ringue, você jamais está com o título; você o deixa de fora quando atravessa as cordas."

A atitude mental que engendra a insegurança não passa de um "meio". É o meio de substituir a realidade pela ficção, pela fantasia. É um meio de provar a si mesmo e aos outros a sua superioridade. Mas é um meio que traz em si mesmo a própria derrota. Se você *é* perfeito e superior *agora*, então não tem necessidade de lutar, esforçar-se, tentar. Você aliás receia que o surpreendam "esforçando-se", pois isso poderia ser tido como sinal de que você não é superior. Você portanto "não tenta". Você perde sua batalha — sua Vontade de Vencer.

4. Solidão

Todos nós somos, às vezes, solitários. É, aqui também, o tributo que pagamos pelo fato de sermos humanos e individuais. É, porém, o sentimento extremo e crônico de solidão — de estar separado e afastado de outras pessoas — que é sintoma do mecanismo de fracasso. Esse tipo de solidão é causado por um afastamento da vida. O indivíduo que se afasta do seu "eu" real isola a si mesmo dos "contatos" básicos e fundamentais com a vida. A pessoa solitária cria quase sempre um "círculo vicioso". Como resultado do sentimento de afastamento de si mesma, seus contatos humanos não são muito satisfatórios, e ela se retrai socialmente. E ao fazê-lo abandona um dos caminhos que a levariam a reencontrar a si mesma — que é empenhar-se em atividades sociais. Realizar coisas juntamente com outras pessoas, sentir prazer nas coisas em companhia de outras pessoas, nos ajuda a esquecer a nós mesmos. Estimulando a conversação, dançando, praticando esportes, ou trabalhando juntos por um objetivo comum, nós nos interessamos por outras coisas que não a tentativa de mantermos nossa contrafação, nossa mentira. À proporção que aprendemos a conhecer os outros, nós nos "descongelamos", nos tornamos mais naturais e nos sentimos mais à vontade em ser apenas "nós mesmos".

A SOLIDÃO É UM "MEIO" QUE NÃO DÁ CERTO

A solidão é uma forma de autoproteção. As linhas de comunicação com outras pessoas — e especialmente os laços emocionais — são cortados. É uma forma de protegermos nosso "eu" idealizado, contra a exposição, os ferimentos, a humilhação. A personalidade solitária *tem medo de outras* pessoas. O indivíduo solitário freqüentemente se queixa de que não tem amigos, nem ninguém com quem se misturar. Na maioria dos casos, ele, inconscientemente, faz com que as coisas realmente se passem dessa maneira. Ele acha que os outros é que devem procurá-lo, dar o primeiro passo, providenciar para que ele seja entretido. Jamais lhe ocorre que ele também precisa contribuir com alguma coisa em qualquer situação social.

Sejam quais forem os seus sentimentos, obrigue a si mesmo a misturar-se com outras pessoas. Após o primeiro "mergulho", você se sentirá aquecer e, se persistir, acabará encontrando prazer nisso. Adquira alguma habilidade social que contribua para a felicidade dos outros: dança, xadrez, piano, tênis, conversação. É um velho axioma que a constante exposição ao objeto do medo imuniza contra o medo.

À proporção que o indivíduo solitário continua obrigando-se a manter relações sociais com outros seres humanos — não de maneira passiva, mas como participante ativo — ele gradativamente verificará que as pessoas são em geral cordiais, e que ele é aceito. Sua timidez e inibição começam a se desvanecer. Ele se sente mais à vontade na presença de outras pessoas e consigo mesmo. E quando vê que os outros o aceitam, começa a aceitar a si mesmo.

5. Incerteza

Disse Elbert Hubbard: "O maior erro que podemos cometer é ter medo de errar."

A incerteza é uma "maneira" de evitar erros — e responsabilidade. Ela se baseia na falsa premissa de que se não tomarmos nenhuma decisão nada nos poderá sair errado. E a possibilidade de estar "errado" apavora o indivíduo que procura acreditar-se perfeito. Ele nunca está errado e é sempre perfeito em tudo que faz! Se ele alguma vez errasse, sua imagem de um "eu" perfeito e todo-poderoso se desmoronaria. E assim sendo, o fato de tomar uma decisão se transforma para ele em questão de vida ou morte.

Uma das "maneiras" é evitar tantas decisões quanto possível, e adiá-las o mais possível. Outra "maneira" é ter sempre à mão um bode expiatório. Este tipo de pessoas toma decisões — mas apressadamente, prematuramente, e sai depois muito seguro de si. Para ele, tomar decisões não oferece problema algum. Ele é perfeito. É impossível que cometa algum erro. Portanto, por que levar em conta fatos ou conseqüências? E quando afinal se patenteia o erro da decisão tomada, ele consegue manter sua ilusão, convencendo-se de que o erro foi de outro.

É fácil vermos por que ambos esses tipos falham. Um deles está em constantes apuros por causa de suas atitudes impulsivas e atabalhoadas. O outro se acha amarrado por não tomar iniciativa alguma. Por outras palavras — a "Incerteza", como meio de andarmos no caminho certo... não dá certo.

NINGUÉM ESTÁ CERTO SEMPRE

Precisamos ter em mente que ninguém espera que um homem esteja cem por cento certo em todas as ocasiões. É da natureza das coisas que nós progredimos agindo, cometendo erros e corrigindo nossas ações. O torpedo dirigido atinge o alvo fazendo uma série de enganos e continuamente retificando sua rota. Não poderemos corrigir nossa direção se ficarmos parados. Não poderemos mudar ou corrigir "nada". Devemos ponderar os fatos conhecidos de uma dada situação, imaginar as possíveis conseqüências das várias atitudes cabíveis, escolher uma que pareça oferecer a melhor solução — e confiar nela. E poderemos corrigir a direção à medida que avançamos.

SÓ OS "PEQUENOS" NUNCA ERRAM

Outro recurso para combater a incerteza está em compreender o papel que na indecisão desempenha o amor-próprio. Muitas pessoas são indecisas porque receiam arranhar o amor-próprio, o que ocorreria se acaso viessem a cometer um erro. Use o amor-próprio a favor, não contra você, convencendo-se desta verdade: Os grandes homens, os de personalidade verdadeiramente marcante, cometem erros e os admitem. É o indivíduo "pequeno" que tem medo de admitir que errou. "Homem algum jamais se tornou grande ou bom a não ser através de muitos e grandes erros", disse Gladstone. "Aprendi mais com os meus erros do que com meus êxitos", disse *Sir* Humphrey Davy. "Adquirimos sabedoria através do fracasso mais do que do triunfo; não raro encontramos aquilo que nos serve descobrindo aquilo que não serve; e muito provavelmente quem nunca fez um erro nunca fez descoberta alguma" — Samuel Smiles. "Edison trabalhava incessantemente num problema usando o processo da eliminação. Quando lhe perguntavam se não desanimava com tão grande número de tentativas erradas, respondia: 'Não, não desanimo, porque cada tentativa errada é mais um passo para a frente' — Sra. Thomas A. Edison."

6. Ressentimento

A personalidade "tipo-fracasso", quando procura uma desculpa ou bode expiatório para seu malogro, quase sempre culpa a sociedade, o "regime", a vida, a sorte. Ele se ressente com o êxito e a felicidade dos outros porque constituem para ele uma prova de que a vida o está defraudando, que ele está sendo tratado injustamente. O ressentimento é uma tentativa de suportar seu próprio fracasso explicando-o em termos de tratamento injusto, parcial. Mas, como bálsamo para o malogro, o ressentimento é uma cura pior do que a doença. É um veneno mortal para o espírito, torna a felicidade impossível, consome tremenda dose de energia que poderia ser utilizada em realizações. E um círculo vicioso quase sempre se estabelece: o homem que traz consigo uma mágoa não é o companheiro ideal nem o melhor colega de trabalho. Quando seus companheiros o evitam ou o chefe tenta apontar suas deficiências, ele vê aí motivos adicionais para se ressentir.

O RESSENTIMENTO É UM "MEIO" QUE FALHA

O ressentimento é também um "meio" de nos fazer sentir importante. Muitas pessoas experimentam uma perversa satisfação em sentirem-se "injustiçadas". A vítima da injustiça, aquele que se sentiu tratado iniquamente, sente-se moralmente superior aos causadores da injustiça.

O ressentimento é ainda um "meio", ou tentativa, de afastar ou erradicar uma injustiça real ou imaginária que já tenha sido praticada. A pessoa ressentida está, por assim dizer, tentando defender a sua causa no tribunal da vida. Se ele puder sentir-se suficientemente ressentido e, por esse meio, "provar" a injustiça, algum processo mágico o recompensará, fazendo com que "se anule" o acontecimento ou circunstância causadora do ressentimento. Nesse sentido, o ressentimento é uma resistência mental a alguma coisa que já aconteceu, uma "não-aceitação" dessa coisa. O ressentimento significa voltar a lutar, emocionalmente, contra algum acontecimento do passado. Você jamais poderá vencer, porque está tentando o impossível — alterar o passado.

O RESSENTIMENTO CRIA UMA AUTO-IMAGEM INFERIOR

O ressentimento, mesmo quando baseado em injustiças reais, não é a maneira de vencer. Ele em pouco tempo se transforma em hábito emocional. E quando habitual, conduz invariavelmente à autocomiseração, que é o pior hábito emocional que alguém possa adquirir. Se esses hábitos chegarem a criar raízes, o indivíduo já não se sente mais "natural" ou "certo" quando eles estão ausentes! A pessoa começa então a, literalmente, procurar por "injustiças". Disse alguém que tais pessoas só estão bem quando se sentem desgraçadas.

A VERDADEIRA CAUSA DO RESSENTIMENTO

Lembre-se o leitor que seu ressentimento não é causado por outras pessoas, acontecimentos ou circunstâncias — mas é resultado de suas próprias reações emocionais. Você, só você, tem poder sobre isso. E você pode dominar tais reações, convencendo-se de que o ressentimento e a autocompaixão não constituem caminho para a felicidade e o êxito, e sim para o fracasso e a infelicidade. O homem ressentido confia aos outros as rédeas de sua vida. São estes que ditam como ele se deverá comportar ou sentir. Tal qual um mendigo, ele depende totalmente dos outros. Faz aos que o cercam pedidos e exigências descabidas — e se todos se dedicarem à tarefa de o tornar feliz, ele se ressentirá quando isso não acontecer. Quando sentimos que as outras pessoas nos "devem" eterna gratidão, imorredoura apreciação ou contínuo reconhecimento pelo nosso imenso valor, experimentamos ressentimento quando esse "débito" não é pago.

O ressentimento é, portanto, incompatível com a busca de objetivos criadores. Na busca destes, *você* é o autor, não o recipiente passivo. Você estabelece seus alvos. Ninguém lhe deve coisa nenhuma. Você persegue seus próprios objetivos. Você se torna responsável pelo seu próprio êxito e felicidade. O ressentimento não se enquadra nessa imagem e é, por isso, um "mecanismo de fracasso".

7. Vazio

Enquanto você lia este capítulo, ocorreu-lhe talvez a lembrança de alguém que teve êxito apesar da frustração, da agressividade mal dirigida, do ressentimento, etc. Mas eu não acredito muito nisso. Muitas pessoas adquirem os símbolos exteriores do sucesso, mas quando vão abrir o longamente sonhado baú de tesouros, o encontram vazio. É como se a riqueza que tanto se esforçaram por ganhar se transformasse em suas mãos em dinheiro falso. Ao longo do caminho percorrido, eles *perderam a capacidade de apreciar a vida*. E quando já não temos essa capacidade não há riquezas ou bens materiais que nos possam trazer êxito ou felicidade. Tais pessoas conquistaram a noz do êxito, mas quando vão abri-la a encontram oca.

O indivíduo que ainda tem viva em si a capacidade de *apreciar*, encontra prazer em muitas coisas simples e comuns da vida. E também sabe usufruir todo êxito material que porventura tenha alcançado. Aquele em quem a capacidade de apreciar está atrofiada não encontra mais prazer em coisa nenhuma. Nenhum objetivo é já digno de lutar por ele. A vida é um fardo insuportável. Nada mais vale a pena. Podemos ver tais pessoas às centenas, noite após noite, a se consumirem em *night-clubs*, procurando convencer-se de que estão se divertindo. Viajam de país para país, envolvem-se num redemoinho de festas e recepções, na esperança de encontrar entretenimento, mas achando sempre a noz oca. A verdade é que o prazer acompanha a função criadora, a busca-de-objetivo criador. É possível obtermos um "êxito" falso, mas o preço é sempre encontrarmos um prazer vazio.

QUANDO TEMOS OBJETIVOS QUE VALHAM A PENA,
A VIDA TAMBÉM PASSA A VALER A PENA

O vazio é sintoma de que você não está vivendo criativamente. Das duas uma: ou você não tem um objetivo que seja suficientemente importante para você, ou não está utilizando suas aptidões e esforços no sentido de um objetivo importante. É o indivíduo sem objetivos que pessimistamente conclui: "A vida é destituída de finalidade." É o indivíduo que não tem qualquer objetivo digno de lutar por ele que afirma: "Esta vida não vale a pena viver." É o indivíduo que não tem na vida nenhuma tarefa importante que se lamenta: "Não há nada para se fazer." Ao homem que está *ativamente empenhado* em algum empreendimento, ou que está lutando no sentido de um alvo importante, não ocorrem filosofias sobre a carência de sentido ou a futilidade da vida.

O VAZIO NÃO É UM "MEIO" QUE LEVE À VITÓRIA

O mecanismo de fracasso é autoperpetuante, a não ser que resolvamos interferir e romper o círculo vicioso. O vazio, uma vez experimentado, pode tornar-se um "meio" de evitar o esforço, o trabalho, a responsabilidade. Torna-se uma desculpa ou justificação para uma vida sem criatividade. Se tudo é vaidade, se nada há de novo debaixo do sol, se a alegria não se encontra em lugar algum, por que preocupar-se? Por que tentar? Se a vida não passa de uma rotina invariável — se trabalhamos oito horas por dia para podermos ter uma casa onde dormir, para podermos dormir oito horas e assim repousarmos para outro dia de trabalho — por que se amofinar? Todas essas "razões" intelectuais, porém, se desvanecem, e nós experimentamos alegria e satisfação, assim que saímos da rotina e paramos de andar em círculos, e tão logo fixamos um alvo que valha a pena lutar por ele — e começamos a persegui-lo.

O VAZIO E UMA AUTO-IMAGEM INADEQUADA ANDAM JUNTOS

O vazio pode também ser sintoma de uma auto-imagem inadequada. É impossível, psicologicamente, aceitarmos alguma coisa que sentimos que não nos pertence, ou que não seja coerente com o nosso eu. Aquele que tem de si mesmo uma auto-imagem indigna e desprezível pode reprimir essas tendências negativas durante tempo suficientemente longo para lhe permitir alcançar um genuíno êxito — e então sentir-se incapaz de aceitá-lo psicologicamente, e usufruí-lo. Pode, a respeito dele, ter até um sentimento de culpa, como se o tivesse roubado. Uma auto-imagem negativa pode, mesmo, incentivar a pessoa no sentido da realização, através do conhecido princípio da supercompensação. Eu porém não sou partidário da teoria de que nos devamos sentir orgulhosos de nossos complexos de inferioridade, ou agradecê-los, porque às vezes nos conduzem aos símbolos exteriores do êxito. Quando o "êxito" finalmente chega, a pessoa, nesse caso, pouco sentimento experimentará de satisfação ou realização. Ela é incapaz de mentalmente atribuir-se os méritos de tais realizações. Para o mundo ela é vitoriosa. Mas dentro de si mesma, se sente inferior, indigna, quase como se fosse um ladrão que tivesse roubado os "símbolos de êxito" que ela supunha fossem tão importantes. "Se soubessem que fraude eu sou...", diz de si para si essa pessoa.

Essa reação é tão comum que os psiquiatras a denominaram "síndrome do êxito" — o indivíduo que se sente culpado, inseguro e ansioso, quando vê que obteve o êxito. O verdadeiro êxito jamais prejudicou ninguém. Lutar por objetivos que são importantes para nós, não como símbolos de posição, mas porque são coerentes com nossos anseios mais íntimos, é salutar. Lutar pelo verdadeiro êxito — pelo *nosso* êxito — através da realização criadora, traz uma profunda satisfação interior. Mas lutar por um falso êxito, apenas para agradar aos outros, traz uma satisfação falsa.

NÃO PERCA DE VISTA O NEGATIVO, MAS CONCENTRE-SE NO POSITIVO

Todo automóvel vem equipado com "indicadores negativos", para informar ao motorista se a bateria não está carregando, se o motor está esquentando demais, se a pressão do óleo está muito baixa, etc.

Ignorar essas informações negativas seria pôr em perigo o carro. Entretanto, o motorista não precisa ficar excessivamente preocupado quando um desses sinais se manifesta. Basta parar num posto de serviço ou garagem e corrigir a falha. E um sinal desses não significa que o carro não seja bom: todos os carros estão, vez ou outra, sujeitos a eles. Mas o motorista não olha sempre e exclusivamente para o painel de instrumentos. Fazer isso seria desastroso. Ele deve olhar para onde vai indo e manter o melhor de sua atenção no seu objetivo — *o lugar aonde quer ir*. Apenas relanceia os olhos para os sinais negativos, de tempos em tempos, e rapidamente volta as vistas para frente e se concentra no alvo positivo, isto é, o lugar de seu destino.

COMO USAR O PENSAMENTO NEGATIVO

Devemos adotar atitude semelhante com os nossos próprios sintomas negativos. Eu creio firmemente no "pensamento negativo", quando corretamente usado. Para nos desviarmos das coisas negativas, precisamos estar *conscientes* dela. Corretamente usado, o "pensamento negativo" pode atuar a nosso favor para nos conduzir ao êxito, desde que (1) sejamos sensíveis às coisas negativas até ao ponto em que elas nos possam alertar contra o perigo; (2) reconheçamos as coisas negativas pelo que elas são — algo indesejável, algo que não queremos, algo que não nos pode trazer a verdadeira felicidade; (3) tomemos imediatamente medidas corretivas e substituamos o fator negativo por um fator positivo oposto, tirado do Mecanismo de Sucesso. Essa prática criará, com o tempo, uma espécie de reflexo automático que se tornará parte do nosso sistema interno de orientação. A informação negativa operará como uma espécie de controle automático para ajudar a nos "desviar" do fracasso e nos orientar no sentido do êxito.

Pontos a Lembrar

(Preencha)

1.
2.
3.
4.
5.
6.
7.

CAPÍTULO X

COMO REMOVER CICATRIZES EMOCIONAIS E DAR A SI MESMO UM SOERGUIMENTO EMOCIONAL

QUANDO SOFREMOS um ferimento físico, tal como um corte no rosto, nosso corpo forma tecido cicatricial, o qual é ao mesmo tempo mais resistente e mais espesso que a carne original. A finalidade do tecido cicatricial é formar uma camada ou capa protetora — recurso da natureza para nos proteger contra novos ferimentos no mesmo sítio. Se um sapato apertado roça contra uma parte sensível do pé, o primeiro resultado é sensibilidade e dor. Mas, ainda aqui, a natureza nos protege contra a dor e o ferimento, formando uma calosidade, uma camada protetora.

Somos propensos a fazer coisa muito parecida quando sofremos um ferimento emocional, quando alguém nos "magoa" ou nos irrita. Formamos cicatrizes" emocionais ou espirituais, para nossa autoproteção. Nosso coração endurece, calejamo-nos contra o mundo e nos encolhemos dentro de uma capa protetora.

Quando a natureza precisa de uma assistência

A Natureza, quando forma tecido cicatricial, pretende nos auxiliar. Na sociedade moderna, porém, o tecido cicatricial, sobretudo no rosto, pode obrar contra nós, ao invés de em nosso benefício. Tomemos, por exemplo, o caso de George T., jovem e promissor advogado. Era afável, dotado de forte personalidade, caminhava para uma brilhante carreira, quando um acidente de automóvel o deixou com uma horrenda cicatriz, que ia desde o meio da face esquerda até o canto da boca. Outro corte, logo acima do olho direito, repuxou-lhe a parte superior da pálpebra, o que lhe dava um olhar assustado e grotesco. Todas as vezes que se mirava ao espelho via uma imagem repulsiva. A cicatriz da face lhe emprestava um ar permanentemente maligno. Após deixar o hospital perdeu sua primeira causa no tribunal, e estava certo de que sua aparência grotesca influenciara os jurados. Não tinha dúvidas de que seus velhos amigos lhe tinham asco. Seria apenas imaginação que até a esposa se retraía imperceptivelmente quando ele a beijava? George T. começou a recusar causas. Principiou a beber durante o dia. Tornou-se irritadiço, hostil, retraído.

O tecido cicatricial formou-lhe no rosto uma resistente proteção contra futuros acidentes. Mas na sociedade em que George T. vivia, os ferimentos físicos na face não eram o pior risco. Ele estava mais vulnerável que nunca aos "talhos" e ferimentos sociais. Se George fosse um homem primitivo e tivesse sofrido ferimentos num encontro com algum urso ou tigre de dentes-de-sabre, suas cicatrizes provavelmente o tornariam ainda mais admirado entre seus companheiros. Até mesmo em época recente, velhos soldados exibiam orgulhosos suas "cicatrizes de guerra", e em nossos dias, nas sociedades duelistas alemãs, prcibidas por lei, uma cicatriz de sabre é sinal de distinção.

No caso de George a natureza teve boas intenções, mas precisou de uma assistência. Eu restituí a George seu antigo rosto através da cirurgia plástica, que removeu o tecido cicatricial e restabeleceu-lhe as feições originais. Após a cirurgia, a mudança de personalidade que nele se operou foi espantosa. Voltou a ser o homem bem humorado e confiante de antigamente. Parou de beber. Abandonou o retraimento, voltou à vida social, a ser novamente um membro da espécie humana. Ele, literalmente, encontrou uma "vida nova".

Essa nova vida, porém, só indiretamente se deveu à cirurgia plástica feita nos tecidos físicos. O verdadeiro agente curativo foi a remoção das cicatrizes emocionais e a restauração de sua auto-imagem como membro da sociedade, que — no caso dele — a cirurgia tornou possível.

Como as cicatrizes emocionais nos afastam da vida

Muitas pessoas que não sofreram danos físicos têm cicatrizes emocionais íntimas. E o resultado na personalidade é idêntico. Essas pessoas foram feridas por alguém no passado. Para se protegerem contra novos ferimentos *daquela mesma fonte*, formaram uma calosidade espiritual, uma cicatriz emocional. Esse tecido cicatricial, contudo, não as "protege" apenas contra quem as feriu originalmente; "protege-as" contra todos os demais seres humanos. Ergue-se uma parede emocional que nem amigos, nem inimigos podem atravessar.

A mulher que foi "ferida" por um homem faz voto de não tornar a confiar em *nenhum* homem. A criança que teve seu ego arranhado por um pai ou professor despótico e cruel, pode fazer voto de jamais tornar a confiar em *autoridade alguma* no futuro. O homem que viu seu amor rejeitado por *uma mulher* pode fazer voto de jamais tornar a se envolver emocionalmente com nenhum ser humano.

Como no caso da cicatriz facial, uma excessiva proteção contra a fonte original do dano pode tornar-nos mais vulneráveis e nos trazer dano ainda maior em outras áreas. A parede emocional que erguemos como proteção contra *uma pessoa* nos separa de todos os outros seres humanos, bem como do nosso verdadeiro eu. Como já observamos anteriormente, o indivíduo que se sente "só" ou fora de contato com outros seres humanos, também se sente afastado do seu verdadeiro "eu" e da vida.

Cicatrizes emocionais contribuem para fazer os delinqüentes juvenis

O psiquiatra Bernard Holland salientou que embora os delinqüentes juvenis pareçam muito independentes e se mostrem fanfarrões, não escondendo o ódio que sentem sobretudo pelas autoridades, debaixo de sua aparência empedernida "abriga-se uma personalidade vulnerável que deseja depender de outros". Mas eles não podem se aproximar de ninguém, porque não confiam em ninguém. Em alguma ocasião no passado foram feridos por uma pessoa que lhes significava muito e agora não ousam expor-se a novos ferimentos. Estão sempre em guarda. Para prevenir novas dores e rejeição, atacam antes. E assim afastam precisamente aqueles que, se lhes fosse dada uma oportunidade, poderiam amá-los e ajudá-los.

Cicatrizes emocionais criam uma auto-imagem desfigurada e feia

As cicatrizes emocionais têm ainda efeito adverso. Suscitam a formação de uma auto-imagem desfigurada e torcida: o retrato do indivíduo que ninguém aprecia ou aceita, do indivíduo incapaz de se dar bem no círculo de pessoas com quem convive.

As cicatrizes emocionais nos impedem de viver criativamente ou de ser o que o Dr. Arthur W. Combs chama de "pessoa auto-realizada". O Dr. Combs, professor de psicologia educacional da Universidade da Flórida, afirma que o objetivo de todo ser humano deveria ser tornar-se "auto-realizado". Isto, diz ele, não é coisa com que nascemos, mas que devemos conquistar. O homem auto-realizado tem as seguintes características:

1. Vê a si mesmo como pessoa capaz, que os demais apreciam e aceitam.

2. Tem um alto grau de aceitação de si mesmo, tal como é.

3. Tem um sentimento de identidade com os outros.

4. Tem um apreciável cabedal de informações e conhecimentos.

A pessoa com cicatrizes emocionais não somente tem a auto-imagem de um indivíduo incapaz, que ninguém aceita ou ama, como tem do mundo em que vive a imagem de um lugar hostil. Sua principal relação com o mundo é de hostilidade, e seu trato com outras pessoas se baseia não em dar e aceitar, cooperar, trabalhar e divertir-se com elas, mas em superá-las, combatê-las e proteger-se contra elas. Ele não pode ser benevolente para com outros nem para consigo mesmo. Frustração, agressividade e solidão são o preço que tem que pagar.

Três regras para nos imunizarmos contra feridas emocionais

1. Seja grande demais para sentir-se ameaçado

Há muitas pessoas que se sentem profundamente magoadas por verdadeiras "picadas de alfinete", como por exemplo aquilo que socialmente chamamos de "pouco caso". Todos nós conhecemos no seio da nossa família, no escritório ou no círculo de amigos, alguém que é tão "sensível" que todos precisam andar continuamente atentos para não ofendê-lo com alguma palavra ou gesto involuntário.

É um fato psicológico sobejamente conhecido que os que se ofendem com facilidade são precisamente os menos dotados de amor-próprio. Ofensas imaginárias, que passam despercebidas ao homem de amor-próprio normal e saudável, ferem enormemente o indivíduo "sensível". Até reais "cutiladas" e remoques, que causam feridas profundas no ego do homem que tem baixo amor-próprio, não chegam a fazer mossa àqueles que a si mesmos têm em boa conta. É a criatura que se acha indigna, que duvida de sua própria capacidade e tem de si mesma uma opinião desfavorável, que se ofende e magoa com facilidade.

Todos nós precisamos ter uma certa dose de "dureza" emocional que nos proteja contra ameaças reais ou imaginárias. Não seria desejável que nosso corpo fosse completamente revestido de uma dura calosidade ou de uma carapaça, como a da tartaruga. Ver-nos-íamos privados de todos os prazeres sensoriais. Mas nosso corpo tem uma camada de pele exterior, a epiderme, cujo fim é proteger-nos contra a invasão de bactérias, pequenas contusões e machucaduras. A epiderme é suficientemente espessa e forte para proteger-nos contra pequenos ferimentos, mas não tão grossa que interfira com o tato. Muitas pessoas não têm epiderme em seu ego. Têm somente a derme, ou a sensível pele interna. Tais pessoas precisam adquirir uma pele mais grossa, emocionalmente mais rija, de maneira que possam simplesmente ignorar ferimentos insignificantes e pequenas ameaças ao seu ego. Precisam também desenvolver seu amor-próprio, obter de si mesmas uma auto-imagem melhor e mais adequada, de modo que não se sintam ofendidas com qualquer observação ou ato inocente.

AUTO-IMAGENS SAUDÁVEIS NÃO SE MAGOAM FACILMENTE

A pessoa que tem um ego miúdo e frágil, bem como pouco amor-próprio, é "egocêntrica". Preocupa-se muito consigo mesma. É de convivência difícil. É, enfim, o indivíduo que costumamos chamar de "egoísta". Mas não se cura um ego doente e fraco quebrando-o, solapando-o ou debilitando-o mais ainda, através da "abnegação" ou procurando torná-lo "altruísta". O amor-próprio é tão necessário para o espírito como o alimento o é para o corpo. A cura para o egocentrismo, o egoísmo, a excessiva preocupação consigo mesmo, e todos os males disso decorrentes, está no desenvolvimento de um ego saudável e robusto, por meio da aquisição de amor-próprio. Quando a pessoa tem amor-próprio em grau adequado, pequenas "desfeitas" nenhum incômodo lhe causam — são simplesmente ignoradas. Até profundos ferimentos emocionais se curam, em tais pessoas, mais depressa e melhor sem deixar chagas que envenenam a vida e perturbam a felicidade.

2. Uma atitude confiante e responsável nos torna menos vulneráveis

Como observou o Dr. Holland, o delinqüente juvenil, sem embargo de seu duro revestimento exterior, é intimamente uma personalidade vulnerável, que *quer depender* de outros, quer ser amado por outros.

Vendedores me asseguram que o freguês que aparentemente oferece a maior resistência inicial é quase sempre "venda" fácil, desde que saibamos vencer-lhe as defesas; e que aqueles que colocam avisos de "Não se atendem vendedores", o fazem por saberem que são "moles" e precisam de proteção. O indivíduo de exterior duro e ríspido adquiriu essa defesa porque instintivamente sabe que é tão brando que precisa dessa capa protetora.

É a pessoa que tem pequena ou nenhuma confiança em si mesma, e que se sente emocionalmente dependente dos outros, que é a mais vulnerável a feridas emocionais. Todo ser humano precisa de amor e afeição. Mas o indivíduo criador, autoconfiante, sente também a necessidade *de dar amor*. Ele não espera que lhe tragam o amor em uma salva de prata. Nem tem uma necessidade invencível de que "todo mundo" deva amá-lo e aprovar suas atitudes. Sabe que certo número de pessoas não o apreciará nem aprovará seus atos. Ele sente algum senso de responsabilidade pela sua vida e considera a si mesmo, antes de tudo, como alguém que age, determina, dá e busca aquilo que deseja, não sendo mero receptáculo passivo de todas as boas coisas da vida.

O indivíduo tipo passivo-dependente, porém, confia seu destino a outras pessoas, às circunstâncias, ao acaso. A vida lhe deve um viver pleno e as outras pessoas lhe devem consideração, apreciação, amor, felicidade. Ele faz aos outros exigências descabidas e se sente enganado, injustiçado, ferido, quando elas não são atendidas. Procura o impossível e se expõe de peito aberto a feridas e danos emocionais. Alguém já disse que a personalidade neurótica vive "chocando-se" contra a realidade.

Adquira uma atitude de maior confiança em si mesmo. Assuma a responsabilidade de sua própria vida e de suas necessidades emocionais. Procure *dar* afeto, amor, aprovação, aceitação, compreensão, a outras pessoas, e verá que tais sentimentos retornarão a você como uma espécie de ação reflexa.

3. A relaxação afasta os ferimentos emocionais

Tive um paciente que me perguntou certa vez: "Se a formação de tecido cicatricial é coisa natural e automática, como se explica que não se produza quando o especialista em plástica faz uma incisão?"

A resposta é que quando cortamos o rosto e este cicatriza naturalmente, forma-se tecido cicatricial porque há tensão no ferimento e logo abaixo dele. Isso puxa para trás a superfície da pele, criando por assim dizer uma "lacuna" que é preenchida pelo tecido cicatricial. O cirurgião, quando opera, não somente une bem a pele, por meio de suturas, como também corta uma pequena quantidade de carne sob a pele, de modo a eliminar a tensão. A incisão se cura suavemente e por igual, sem deixar cicatriz.

É interessante observar que o mesmo ocorre no caso de feridas emocionais. Se não houver tensão não permanecerá cicatriz emocional desfiguradora. O leitor alguma vez já observou com que facilidade se sente "magoado" ou "ofendido" quando é presa de tensões decorrentes de frustração, medo, ódio ou depressão? Vamos para o trabalho indispostos, deprimidos ou com nossa autoconfiança abalada por alguma experiência adversa. Um colega se aproxima e faz uma observação galhofeira. Nove vezes em dez acharíamos graça, riríamos, não daríamos importância, e provavelmente responderíamos com outra piada. Mas hoje não. Hoje, estamos sofrendo tensões resultantes de autodúvida, insegurança, ansiedade. Recebemos mal a brincadeira, sentimo-nos ofendidos, e uma cicatriz emocional começa a formar-se.

Essa simples experiência ilustra bem o princípio de que nos sentimos emocionalmente feridos não tanto por outras pessoas ou pelo que elas dizem ou deixam de dizer, mas *pelas nossas próprias atitudes e nossas próprias reações*.

A RELAXAÇÃO AMORTECE OS CHOQUES EMOCIONAIS

Lembremo-nos de que quando nos sentimos "feridos" ou "ofendidos", esse *sentimento* é questão apenas de nossa própria reação. Na verdade, o sentimento "é" a nossa reação. E é com as nossas reações que nos devemos preocupar — não com as dos outros. Podemos ficar tensos, furiosos, ansiosos ou ressentidos e sentirmo-nos "magoados". Ou podemos "não ligar", permanecer relaxados e não receber ferimento algum. Experiências científicas mostraram que é absolutamente impossível sentirmos medo, ódio, ansiedade ou emoções negativas de qualquer espécie, enquanto nossos músculos estiverem perfeitamente relaxados. Precisamos "fazer alguma coisa" para sentirmos medo, raiva, ansiedade. "Nenhum homem é ferido, a não ser por si mesmo", disse Diógenes.

"Ninguém pode me causar danos a não ser eu mesmo", disse S. Bernardo. "O mal que sustenho eu o trago comigo e só padeço realmente por causa de minhas próprias faltas".

Você é o único responsável por suas reações. Você não é *obrigado* a reagir. Você pode permanecer relaxado e, portanto, isento de ferimentos.

O controle do pensamento trouxe nova vida a estas pessoas

No "Shirley Center" (em Massachussets, E.U.A.), resultados obtidos pela psicoterapia de grupo ultrapassaram os que se obtiveram pela psicanálise clássica, e em tempo muito menor. Ali se insiste em dois pontos: "Treinamento do Controle do Pensamento de Grupo" e períodos de relaxação diária. O objetivo é a "reeducação intelectual e emocional, de maneira a descobrir o caminho para uma espécie de vida que seja fundamentalmente bem-sucedida e feliz." (Winfred Rhoades, "Treinamento de Controle do Pensamento de Grupo para Atenuar Desordens Nervosas", *Mental Hygiene*, 1935.)

Os pacientes, além de "reeducação intelectual" e conselhos sobre controle do pensamento, aprendem a relaxar, deitando-se numa posição confortável, enquanto o orientador pinta-lhes, com palavras, uma calma e repousante cena ao ar livre. Os pacientes são, ainda, instados a praticar diariamente a relaxação em casa, e a trazer consigo, durante todo o dia, um inalterável sentimento de paz e serenidade.

Uma paciente, que encontrou nova vida no "Shirley Center", escreveu: "Estive doente sete anos. Não podia dormir. Era de temperamento explosivo e de convivência extremamente difícil. Por muitos anos vi em meu marido um pobre coitado. Quando ele chegava em casa após tomar apenas um gole, e estava talvez lutando contra o desejo de beber mais, eu me punha colérica, usava de expressões duras e, assim, o levava a embriagar-se em vez de o ajudar a vencer sua luta. Agora eu nada digo e me conservo calma. Isso o ajuda e, como resultado, vivemos em perfeita harmonia. Eu antes vivia antagonicamente. Exagerava as pequenas dificuldades. Estava à beira do suicídio. Quando passei a freqüentar o Centro, comecei a ver que não era o mundo que estava errado. Sinto-me agora melhor e mais feliz do que em qualquer outra época de minha vida. Antigamente jamais conseguia relaxar os nervos, nem sequer durante o sono. Agora não corro tanto como antes e faço a mesma quantidade de trabalho, sem me cansar tanto."

Como remover velhas cicatrizes emocionais

Podemos evitar cicatrizes emocionais, e nos imunizar contra elas, praticando as três regras indicadas. Mas... e as velhas cicatrizes emocionais, que se formaram no passado — as antigas feridas, mágoas, queixas contra o mundo, ressentimentos?

Uma vez formada a cicatriz emocional, só há uma coisa a fazer — removê-la por cirurgia, tal como no caso da cicatriz física.

Dê a si mesmo um soerguimento espiritual

Na remoção de velhas cicatrizes emocionais, só você mesmo poderá fazer a operação. Você precisa ser o seu próprio especialista em plástica — e dar a si mesmo um soerguimento espiritual. O resultado será uma nova vida, nova vitalidade, a descoberta de uma nova paz de espírito e felicidade. Falar em soerguimento emocional e no uso de "cirurgia mental" é mais do que mera analogia. Velhas cicatrizes emocionais não podem ser tratadas ou medicadas. Elas precisam ser "extirpadas", erradicadas. Muitas pessoas aplicam várias espécies de ungüento ou bálsamos para antigos ferimentos emocionais, mas isto jamais dá resultado. Elas podem evitar a vingança física, e no entanto "vingar-se" de muitas maneiras sutis. Exemplo típico é o da esposa que descobre a infidelidade do marido. A conselho do padre ou do psiquiatra, concorda em que deve "perdoá-lo". Portanto, não lhe dá um tiro. Não o abandona. Em seu comportamento exterior ela é, em tudo e por tudo, a esposa cumpridora de seus deveres. Mantém a casa em ordem, prepara as refeições do marido e assim por diante. Mas transforma a vida dele num inferno, de muitas maneiras sutis, pela frieza do seu coração e fazendo alarde de sua superioridade moral. Quando ele se queixa, a resposta dela é: "Meu caro, eu perdoei — mas não posso esquecer." O próprio "perdão" se transforma, para ele, numa coroa de espinhos. Ela seria mais benigna para com o marido, e ela própria mais feliz, se lhe negasse esse tipo de perdão e o abandonasse.

O perdão é um escalpelo que remove cicatrizes emocionais

"Posso perdoar, mas não posso esquecer" é apenas outra maneira de dizer "Não perdoarei", disse Henry Ward Beecher. "O perdão de-

veria ser como uma nota promissória — que é rasgada em dois e queimada para que não possa ser de novo apresentada contra alguém."
O perdão, quando é verdadeiro, completo, e *esquecido* — é o bisturi que pode remover o pus de velhas feridas emocionais, curá-las, e eliminar o tecido cicatricial. O perdão que é parcial ou tíbio não dá melhores resultados que uma operação plástica feita pela metade. O perdão disfarçado, que é tido na conta de dever, não é mais eficaz que uma cirurgia facial simulada.
Nosso perdão deve ser esquecido, tanto quanto a ofensa que foi perdoada. O perdão que é lembrado, mantido no pensamento, infecciona de novo a ferida que pretendemos cauterizar. Se você se sente muito orgulhoso de seu perdão, ou o relembra freqüentemente, isto é porque com certeza acha que a outra pessoa lhe deve alguma coisa por você a ter perdoado. Você perdoa-lhe uma dívida, mas ao fazê-lo ela incorre em outra, mais ou menos como acontece com as pequenas companhias de financiamento, que reformam uma promissória de duas em duas semanas.

O perdão não é uma arma

Há muitas idéias erradas a respeito do perdão, e um dos motivos por que seu valor terapêutico não tem sido devidamente reconhecido, é que o *verdadeiro* perdão rara vezes é posto em prática. Por exemplo, muitos moralistas nos têm dito que precisamos perdoar para ser "bons". Mas poucas vezes nos aconselharam a perdoar para podermos ser "felizes". Outra idéia errônea é que o perdão nos coloca em posição superior ou que é um método para conquistarmos nosso inimigo. Tillotson, que foi Arcebispo de Canterbury, nos diz: "Não podemos ter sobre alguém vitória mais gloriosa do que esta — que quando a ofensa começou da parte dele, a bondade deve começar da nossa." Isto é apenas outra maneira de dizer que o próprio perdão pode ser usado como eficiente arma de vingança, o que aliás é verdade. O perdão vingativo, porém, não é o perdão terapêutico.
O perdão terapêutico extirpa, cancela, erradica a ofensa, como se esta jamais tivesse existido. O perdão terapêutico é como a cirurgia.

Você pode perdoar — se o desejar

O perdão terapêutico não é difícil. A única dificuldade está em você conseguir ter vontade de abandonar e passar sem o seu sentimento de condenação — vontade de cancelar a dívida, sem fazer qualquer reserva mental.
Achamos difícil perdoar, apenas porque temos uma mórbida e perversa satisfação em acalentar nossas mágoas. E enquanto pudermos condenar alguém, podemos sentir-nos superior a ele...

Suas razões para perdoar são importantes

No perdão terapêutico nós cancelamos a dívida da outra pessoa não porque decidimos ser generosos, ou fazer-lhe um favor, ou porque sejamos moralmente superiores. Cancelamos o débito, demos "quitação" dele, não porque fizemos a outra pessoa "pagar" o mal que fez, mas porque chegamos à conclusão de que a dívida propriamente dita não tinha razão de ser. O verdadeiro perdão ocorre somente quando conseguimos ver, e emocionalmente aceitar, o fato de que não há, nem nunca houve, *nada que perdoar*. Que não devíamos ter condenado ou odiado a outra pessoa.

Não faz muito tempo, compareci a um almoço a que estavam presentes também alguns clérigos. Veio à tona o assunto do perdão em geral, e da mulher adúltera perdoada por Cristo, em particular. Ouvi uma discussão erudita sobre a razão por que Jesus pôde "perdoar" a mulher, do modo como a perdoou, como seu perdão constituiu uma lição aos sacerdotes que estavam prontos para apedrejá-la, etc. etc.

Jesus não "perdoou" a mulher adúltera

Resisti à tentação de escandalizar aqueles cavalheiros, o que teria acontecido se lhes dissesse que Jesus, verdadeiramente, não perdoou a mulher. Em nenhum ponto da narrativa, tal como aparece no Novo Testamento, se vê a palavra "perdoar" ou "perdão". Nem nada nos autoriza a deduzir que houve perdão. Lemos ali unicamente que, depois que os acusadores se afastaram, Jesus perguntou à mulher: "Ninguém te condenou?" Quando ela respondeu pela negativa, Ele disse: "Nem eu tampouco te condeno. Vai e não peques mais."

Não podemos perdoar a quem não tenhamos antes condenado. Jesus não chegou a condenar a mulher, por isso nada tinha que perdoar. Ele reconheceu-lhe o pecado, o erro, mas não achou que devia odiá-la por causa disso. Ele sabia ver, antes do fato, o que o leitor e eu poderemos ver após o fato, ao praticar o perdão terapêutico: que nós próprios erramos quando odiamos alguém por causa de seus erros, quando o condenamos ou classificamos num determinado tipo, confundindo o indivíduo com o seu comportamento; ou quando mentalmente estabelecemos uma dívida que a outra pessoa precisa "pagar", para voltar a gozar de nossas boas graças ou a ser emocionalmente aceita por nós.

Que o leitor também proceda daquela maneira, ou que "deva" proceder daquela maneira — é assunto que escapa aos objetivos deste livro e à minha especialidade. Eu, na qualidade de médico, só posso dizer ao leitor que, se o fizer, será muito mais feliz, terá mais saúde e paz de espírito. Gostaria contudo de lembrar que esse, sim, é o perdão terapêutico — a única espécie de perdão que realmente "dá certo".

Perdoe a si mesmo tal como perdoa aos outros

Nós não somente recebemos ferimentos emocionais de outros, como também os infligimos a nós mesmos. Flagelamo-nos com a autocondenação, o remorso e o arrependimento. Consumimo-nos em autodúvidas. Dilaceramo-nos com excessivos sentimentos de culpa. O remorso e o arrependimento são tentativas de viver emocionalmente no passado. O excessivo sentimento de culpa é uma tentativa de corrigir *no passado* alguma coisa que fizemos de errado, ou que supúnhamos que era errado.

As emoções são utilizadas de modo correto e apropriado quando nos ajudam a reagir adequadamente a alguma realidade do nosso ambiente atual. Uma vez que não podemos viver no passado, não podemos reagir adequadamente ao passado. O passado pode ser simplesmente cancelado, encerrado, esquecido, no que diz respeito às nossas reações emocionais. Não precisamos assumir uma "posição emocional", de uma ou outra forma, no tocante às coisas que no passado nos desviaram do caminho. O importante é o rumo que tomamos agora, o alvo que perseguimos no presente.

Precisamos reconhecer nossos próprios erros como tais. De outra maneira não poderíamos corrigir nossa rota, pois a "direção" seria impossível. Mas seria fútil e fatal odiarmos e condenarmos a nós mesmos por causa dos nossos erros.

Você faz erros — os erros não fazem você

Também, ao meditarmos em nossos próprios erros (ou nos erros de outros), é útil — e realista — pensarmos neles em termos do que *fizemos*, ou *não fizemos*, e não do que os erros *fizeram a nós*.

Um dos maiores erros que possamos cometer é confundir o nosso comportamento com a nossa pessoa... para concluir que pelo fato de termos *praticado* um certo ato, isso nos caracteriza como um determinado tipo de indivíduo. Conseguiremos pensar mais claro quando virmos que os erros envolvem algo que *fazemos*; eles se referem a ações e, para sermos realistas, deveríamos, ao descrevê-los, usar verbos que denotem ação, em vez de substantivos que traduzam uma maneira de ser. Dizer, por exemplo: "Eu *fracassei*" (forma verbal) equivale a reconhecer um erro, e pode levar-nos ao êxito futuro. Mas dizer "Eu sou um *fracasso*" (substantivo) não descreve o que você *fez*, mas *o que você pensa que o erro fez a você*. Isso não contribui para o conhecimento; antes, tende a "fixar" o erro e torná-lo permanente. Isto já foi demonstrado inúmeras vezes em experiência psicológicas clínicas.

Nós aparentemente reconhecemos que toda criança, quando está aprendendo a andar, de vez em quando cai. Dizemos então "Ela caiu" ou "Ela tropeçou". Não dizemos "Ela é uma caidora" ou "Ela é uma tropeçadora". Muitos pais, contudo, não reconhecem que toda criança, quando está aprendendo a falar, também faz erros — vacila, tartamudeia, repete sílabas e palavras. É comum vermos o pai ansioso e preocupado concluir logo: "Ela é gaga." Tal atitude, ou julgamento — não das *ações* da criança, mas da própria criança, impressiona a esta, que começa a considerar-se gaga. Seu aprendizado se fixa, a gagueira tende a se tornar permanente.

De acordo com o Dr. Wendell Johnson, a maior autoridade norte-americana em gagueira, essa é a maior causa deste mal. O Dr. Johnson verificou que os pais de crianças não gagas são mais propensos a usar termos descritivos ("Ela não falou"), enquanto os pais de crianças gagas se inclinam a usar expressões julgatórias ("Ela *não pôde* falar"). Em artigo escrito para a revista *Saturday Evening Post*, de 5 de janeiro de 1957, disse o Dr. Johnson: "A pouco e pouco começamos a perceber o ponto vital que passara despercebido durante tantos séculos. Caso após caso de gaguez desenvolveu-se depois de ter sido diagnosticado como tal por pessoas excessivamente preocupadas e desconhecedoras dos fatos relativos ao desenvolvimento da fala normal. Os pais, antes que as crianças, pareciam ser os que mais necessitavam de compreensão e ensinamentos."

O Dr. Knight Dunlap, que durante vinte anos estudou os hábitos — como se formam, como se desfazem, e a relação deles com o aprendizado — descobriu que o mesmo princípio se aplicava a virtualmente todos os "maus hábitos", incluindo maus hábitos emocionais. Era essencial, disse ele, que o paciente aprendesse a parar de culpar a si mesmo, de condenar a si mesmo, e de sentir remorsos de seus hábitos — para que pudesse curá-los. O Dr. Dunlap achava especialmente nociva a conclusão "Eu estou arruinado" ou "Eu não valho coisa nenhuma", porque o paciente tinha praticado, ou estava praticando, determinados atos. Portanto, lembre-se: "Você" faz erros. Os erros não fazem você.

Quem quer viver como o caramujo?

Uma palavra final sobre como evitar e remover feridas emocionais. Para vivermos criadoramente, precisamos estar dispostos a ser *um pouco vulneráveis* e, se de todo for necessário, um pouco feridos. Muitas pessoas precisam de uma "cútis" emocional mais grossa e resistente do que a que possuem. Mas precisam apenas de uma pele emocional mais dura — não de uma concha. Confiar, amar, abrirmo-nos para a comunicação emocional com os outros, é arriscarmo-nos a ser feridos. E se alguma vez formos feridos podemos fazer uma destas duas coisas: ou adquirirmos uma grossa capa protetora — tecido cicatricial — para evitarmos ser feridos novamente, e viveremos como o caramujo. Ou então podemos "voltar a outra face", permanecer vulneráveis e continuar vivendo criativamente.

O indivíduo tipo "caramujo" jamais é ferido. Tem uma grossa concha que o protege de tudo. Vive isolado. O "caramujo" vive seguro, mas não vive criadoramente. Ele não pode "ir ao encontro" das coisas que almeja — precisa esperar que elas venham a ele. O tipo "caramujo" não conhece nenhum dos "ferimentos" da comunicação emocional com seu ambiente — mas também não conhece os prazeres dela.

Um soerguimento emocional faz você parecer e sentir-se mais jovem

Procure dar a si mesmo um "soerguimento espiritual". Isso está longe de ser mero jogo de palavras. Abre-lhe horizontes para mais vida, mais vitalidade, que são características da juventude. Não poucas vezes, vi homens ou mulheres ficarem cinco ou dez anos mais jovens na aparência, após a remoção de velhas cicatrizes emocionais. Olhe ao seu redor. Quem são aqueles que ainda parecem jovens, embora tenham passado dos quarenta? Os rabugentos? Os amargurados? Os pessimistas? Os que se queixam permanentemente do mundo? Ou os alegres, os otimistas, os bem-humorados?

Alimentar rancores contra alguém ou contra a vida pode trazer-nos a curvatura própria da velhice, tal como se trouxéssemos nos ombros um pesado fardo. As pessoas com cicatrizes emocionais, lamentações e coisas semelhantes, estão vivendo no passado, o que é característico dos velhos. A atitude jovem e o espírito jovem apagam as rugas da alma e do rosto, põem brilho nos olhos, voltam a vista para o futuro e têm grande coisas a esperar da vida.

Por conseguinte, por que não dar a si mesmo um soerguimento emocional? Para tanto, tudo de que você precisa é relaxação das tensões negativas, para evitar a formação de cicatrizes, perdão terapêutico, para remover cicatrizes antigas; dotar a si mesmo de uma resistente (mas não dura) epiderme, em lugar de uma concha; viver criativamente; dispor-se a ser *um pouco vulnerável*; e ter uma nostalgia do futuro, antes que uma nostalgia do passado.

Pontos a Lembrar

(Preencha)

1.
2.
3.
4.
5.
6.
7.

CAPÍTULO XI

COMO LIBERTAR SUA VERDADEIRA PERSONALIDADE

"PERSONALIDADE", essa qualidade magnética e misteriosa, que é fácil reconhecer mas difícil de definir, não se adquire de fora; é *libertada* de dentro. O que chamamos de "personalidade" é a evidência exterior do "eu" criador, único e individual, feito à imagem de Deus — a faísca divina que há em nós — ou o que podemos chamar de livre e plena expressão do verdadeiro "eu".

Esse "eu" real que há em todo indivíduo "é" atraente, "é" magnético. Tem um poderoso impacto e influência sobre outras pessoas. Dá-nos a sensação de que estamos em presença de algo real — e único — que provoca alguma coisa em nós. Por outro lado, todos aborrecem e detestam o indivíduo "postiço".

Por que todo mundo gosta de um bebê? Não é, certamente, pelo que ele possa *fazer*, ou pelo que *saiba*, ou pelo que *tem,* mas simplesmente pelo que *é.* Todo bebê tem grande personalidade. Não há nele superficialidade, fingimento, hipocrisia. Numa linguagem toda própria, que consiste quase só de choro ou arrulhos, a criancinha expressa seus reais sentimentos. Ela "diz o que pensa", sem artifícios. O bebê é emocionalmente honesto. Ele exemplifica ao máximo o preceito psicológico — "Seja você mesmo". Ele não tem escrúpulos em se expressar. Ele de modo nenhum é inibido.

Todos têm personalidade encerrada em si mesmos

Todo ser humano tem esse "algo" misterioso que conhecemos como personalidade. Quando de uma pessoa dizemos que "tem bela personalidade", o que realmente queremos dizer é que ela libertou o potencial criador que há dentro de si e é, assim, capaz de expressar seu verdadeiro eu.

"Personalidade fraca" e "personalidade inibida" são uma só coisa. O indivíduo de "personalidade fraca" não expressa o eu criador que tem dentro de si. Ele o reprimiu, algemou, prendeu e atirou a chave fora. A palavra "inibir" significa literalmente parar, evitar, proibir, restringir. A personalidade inibida pôs um limite à expressão do seu verdadeiro eu. Tem medo de exprimir a si mesma, e fechou seu verdadeiro eu numa prisão interna. Os sintomas de inibição são muito variados; timidez, retraimento, hostilidade, exagerados sentimentos de culpa, insônia, nervosismo, irritabilidade, dificuldade de convivência. A frustração é característica de praticamente todos os setores de atividade do indivíduo de personalidade inibida. Sua verdadeira e básica frustração é a incapacidade de ser "autêntico" e de expressar adequadamente a si mesmo. Mas essa frustração básica tende a exercer influência sobre tudo que ele faz.

O excesso de retroalimentação negativa constitui a chave da inibição

A ciência da Cibernética nos fornece uma nova compreensão da personalidade inibida, e aponta-nos o caminho para a "desinibição", a libertação, ensinando-nos a libertar nossas aptidões da prisão onde nós mesmos as encarceramos. A retroalimentação negativa de um servomecanismo é equivalente à *crítica*. A informação negativa diz, com efeito: "Você está errado — está fora de rota — precisa de uma ação corretiva para voltar ao rumo certo."

A finalidade da informação negativa é, contudo, *modificar a atitude*, alterar o curso do *impulso para frente* e não *interrompê-lo inteiramente*. Se o mecanismo de retroalimentação negativa estiver funcionando como deve, o projétil ou torpedo reage à "crítica" apenas o suficiente para retificar o curso, e continua progredindo na direção do alvo. Esse curso consistirá, como já explicamos anteriormente, numa série de ziguezagues. Entretanto, se o mecanismo for demasiadamente sensível às retroalimentações negativas o servomecanismo corrige-se exageradamente. Em vez de progredir na direção do alvo, faz ziguezagues exagerados, quando não cessa inteiramente seu impulso para diante.

Nosso próprio servomecanismo intrínseco trabalha da mesma maneira. Nós precisamos de retroalimentações negativas para operarmos deliberadamente, para dirigirmos nosso curso ou para sermos guiados até um determinado alvo.

Excesso de retroalimentações negativas equivale à inibição

As informações de retroalimentação negativas sempre dizem, realmente: "Interrompa o que está fazendo, ou a maneira como está fazendo — *e faça outra coisa qualquer.*" A intenção delas é modificar a reação, ou alterar o grau do movimento para a frente mas não interromper toda ação. A informação negativa nunca diz simplesmente: "Pare!" Ela diz: "O que você está fazendo está errado", mas não: "É errado fazer qualquer coisa." Contudo, nos casos em que as informações negativas são excessivas, ou nosso próprio mecanismo é *demasiadamente sensível* a elas, o resultado não é modificação da reação, mas inibição dela.

O lenhador ou o caçador muitas vezes se orientam de volta ao seu automóvel escolhendo algum proeminente ponto de referência que esteja perto do carro — como por exemplo uma árvore muito alta que possa ser vista de quilômetros de distância. Quando se dispõe a voltar, ele procura a árvore (ou o seu alvo) e começa a caminhar na direção dela. A árvore pode, às vezes, desaparecer de sua vista, mas ele, logo que possível "confere o seu rumo", comparando sua direção com a localização da árvore. Se descobrir que a direção em que vai o está afastando quinze graus para a esquerda da árvore, ele precisa reconhecer que o que está fazendo é "errado". Imediatamente corrige o rumo e caminha de novo diretamente na direção da árvore. *Ele porém não conclui que é errado, para ele, andar.*

Entretanto, muitos cometem o erro déssa conclusão insensata. Quando percebem que sua *maneira de expressão* está "fora do rumo" ou "errada", concluem que a própria *auto-expressão* é errada, ou que o êxito (atingir a árvore) é errado. Tenha em mente, pois, que o excesso de informações negativas tem o efeito de interferir com as reações apropriadas, quando não de interrompê-las completamente.

A gaguez como sintoma de inibição

A gaguez oferece magnífico exemplo de como excessivas informações de retroalimentação negativas trazem inibição e interferem com as reações adequadas. Se bem que poucos estão conscientemente a par do fato, nós, quando falamos, recebemos informações negativas através dos ouvidos, ouvindo ou "controlando" nossa própria voz. Essa é a razão por que os indivíduos totalmente surdos raramente aprendem a falar bem. Eles não têm maneira de saber se sua voz soa como um guincho, um grito, ou um grunhido ininteligível. É essa também a razão por que os surdos de nascença jamais aprendem a falar, a não ser quando submetidos a treinamento especial. Se o leitor canta, possivelmente já se surpreendeu ao verificar que desafina, ou não canta em harmonia com os outros, quando está sofrendo de surdez temporária por causa de um resfriado.

Assim, a informação negativa propriamente dita não constitui barreira para a fala. Pelo contrário, ela nos *permite* falar, e falar corretamente. Os especialistas em dicção nos aconselham a registrar nossa voz num gravador, e depois ouvi-la, como método para aperfeiçoarmos o tom, a enunciação, etc. Ao fazermos isso, notamos erros de dicção que até então nos haviam passado despercebidos. Podemos julgar claramente o que estamos fazendo "errado" — e proceder à necessária correção.

Contudo, para que a informação negativa nos auxilie efetivamente a falar melhor, ela deve (1) ser mais ou menos automática ou subconsciente, (2) deve ocorrer espontaneamente, ou *enquanto estamos conversando* e (3) a reação à informação não deve ser tão sensível que resulte em inibição.

Se formos, conscientemente, muito críticos com relação à nossa dicção, ou se tomarmos *muito cuidado* para procurar de antemão evitar erros, em lugar de reagir espontaneamente é possível que a gaguez se manifeste.

Por isso, se a excessiva informação negativa dos gagos puder ser reduzida, ou tornada espontânea, antes que preventiva, a melhoria na fala se manifestará imediatamente.

A autocrítica consciente piora nossa ação

Isto foi demonstrado pelo Dr. E. Colin Cherry, de Londres. Em artigo escrito para a revista científica inglesa *Nature*, manifesta ele sua crença de que a gagueira é causada por "autopoliciamento excessivo". Para provar sua teoria equipou 25 pacientes de gaguez grave com fones de ouvido, através dos quais um som muito alto encobria as próprias vozes deles. Quando se lhes pediu que lessem em voz alta um determinado texto, nessas condições que eliminavam a autocrítica, a melhora foi "notável". Outro grupo de pacientes que sofriam de gaguez extrema foi treinado em "fala imitada", isto é, seguir, de maneira tão perfeita quanto possível, uma pessoa que lê um texto qualquer, uma voz no rádio ou na televisão, ou procurar "falar com" essa pessoa ou voz. Após breve exercício, os gagos aprenderam com facilidade a "fala imitada" — e a maioria deles podia falar normal e corretamente nessas condições, que eliminavam a "crítica antecipada" e os "forçava" a falar espontaneamente — ou a sincronizar a fala com o ato de a "corrigir". A prática continuada da "fala imitada" permitiu-lhes aprenderem a falar corretamente em qualquer ocasião.

Sempre que o excesso de informações negativas, ou autocrítica, era eliminado, a inibição desaparecia. Quando não havia tempo para preocupação ou excessivos "cuidados" antecipados, a expressão imediatamente melhorava. Isto nos dá uma importante pista de como podemos "desinibir" ou libertar uma personalidade "amarrada", bem como melhorar o comportamento da pessoa em outras áreas de atividade.

Excessivo "cuidado" acarreta inibição e ansiedade

O leitor já experimentou enfiar uma agulha? Em caso afirmativo, e se não tinha experiência anterior, com certeza reparou que foi capaz de segurar a linha com absoluta firmeza "até que" a aproximou do olho da agulha e procurou inseri-la no minúsculo orifício. Mas todas as vezes que tentava introduzir a linha no orifício, sua mão inexplicavelmente tremia, e você errava.

A tentativa de despejar líqüido na boca de um vidro de gargalo muito estreito resulta quase sempre em idêntica espécie de comportamento. Sua mão fica perfeitamente firme até que você procura executar sua *intenção*, e então, por algum estranho motivo, você se agita e treme.

Nos círculos médicos, chamamos a isso de "tremor de intenção". Ele ocorre em pessoas normais, como nos casos acima, quando elas se aplicam com muita diligência a alguma coisa, ou tomam "muita cautela" para não errar ao fazerem o que quer que seja. Em certos estados patológicos, como lesões em determinadas áreas do cérebro, esse "tremor de intenção" pode acentuar-se enormemente. Um paciente, por exemplo, é capaz de manter a mão firme enquanto não tenta executar qualquer ação. Basta porém que procure enfiar uma chave na fechadura, que sua mão faz ziguezagues para diante e para trás, até a uma distância de quinze a vinte e cinco centímetros. Ele pode ser capaz de segurar uma caneta com absoluta firmeza, até o momento, em que tenta assinar seu nome. Então sua mão começa a tremer incontrolavelmente. Se ele se envergonha disso e toma ainda mais "cuidado" para evitar erros na presença de estranhos, chegará ao ponto de não poder assinar.

Tais pessoas podem ser auxiliadas, às vezes de maneira notável, praticando técnicas em que aprendem a relaxar-se de esforços excessivos, e a não ser exageradamente cuidadosas em tentar evitar erros ou "fracassos". Excessivo cuidado ou desmedida ansiedade em não cometer erros é uma das formas de excesso de retroalimentação negativa. Tal como no caso do gago, que tenta evitar possíveis erros e se torna por isso demasiadamente cauteloso, tem-se, como resultado, inibição e mau desempenho. Cuidado excessivo e ansiedade são parentes próximos. Ambos estão associados à demasiada preocupação com possíveis fracassos, ao medo de fazer a "coisa errada", ou ao exagerado esforço para acertar.

"Não me agradam esses indivíduos frios, precisos, perfeitos que, para não falarem errado, nunca falam, e para não errarem, jamais fazem coisa alguma", disse Henry W. Beecher.

Conselhos de William James a alunos e professores

"Quais são os alunos que gaguejam e se atrapalham na hora da sabatina?", perguntava o filósofo. "Os que pensam na possibilidade de fracasso e se capacitam da grande importância da ocasião." Continua

James: "Quais os que se saem bem?" Quase sempre os mais indiferentes. Nestes, as idéias fluem espontaneamente da memória.

"Fala-se muito, nos círculos pedagógicos de hoje em dia sobre a obrigação de o professor se preparar antecipadamente para cada aula. Isto até certo ponto é útil. Mas o conselho que eu daria à maioria dos professores está contido nas palavras de um homem que é, ele próprio, um mestre admirável: Prepare-se para um tema de maneira tão completa que ele esteja sempre na ponta da língua; depois, na sala de aulas, confie na sua espontaneidade e abandone toda preocupação. "Meu conselho aos alunos, e sobretudo às alunas, é semelhante. Assim como a corrente da bicicleta pode estar apertada demais, também ser cuidadoso e consciencioso demais pode causar uma tensão tão grande que prejudique o livre curso das idéias. Tome-se, por exemplo, os períodos que antecedem os dias de exame. Uma pitada de um bom tônus nervoso, no exame, vale por muitos quilos de ansiosa preparação. Se quiser se sair bem nos exames, abandone os livros no dia anterior e diga com seus botões: 'Não desperdiçarei mais um minuto com isto, e pouco se me dá que eu passe ou não.' Diga-o sinceramente, sinta-o, e vá passear ou se divertir, ou vá para a cama, e durma. Estou certo de que os resultados, no dia seguinte, o encorajarão a usar esse sistema permanentemente." (William James, *On Vital Reserves* — As Reservas Vitais.)

A preocupação consigo mesmo é na verdade preocupação com outros

A relação de causa-e-efeito entre o excesso de retroalimentação negativa e a inibição pode ser facilmente percebida. Em toda espécie de relação social recebemos constantemente informações negativas de outras pessoas. Um sorriso, um franzir de sobrancelhas, uma centena de sinais sutis de aprovação ou reprovação, de interesse ou falta de interesse, nos previnem continuamente sobre "como nos estamos saindo", se estamos impressionando bem, se estamos atingindo ou errando o alvo. Em toda espécie de relação social há uma constante correlação entre narrador e ouvinte, entre ator e espectador. Sem essa constante comunicação de um para outro, as relações humanas e as atividades sociais seriam virtualmente impossíveis. E se não impossíveis, por certo enfadonhas, cansativas, pouco inspiradoras, sem "chispas".

Os bons atores e atrizes, e os oradores, sentem essa comunicação do auditório, e isso os ajuda a atuar melhor. Indivíduos dotados de "bela personalidade", que sabem ser simpáticos e magnéticos em toda situação social, percebem essa comunicação de outras pessoas e, de maneira automática e espontânea, reagem a ela de forma criadora. A comunicação de outras pessoas é utilizada como retroalimentação negativa, e nos permite melhor comportamento social. O indivíduo que não sabe reagir a essa comunicação de outras pessoas é um tipo frio — a personalidade "reservada", que não se entusiasma diante de seus semelhantes. Sem essa "comunicação", o indivíduo é socialmente inútil — o tipo "difícil", que a ninguém interessa.

Entretanto, essa espécie de retroalimentação negativa, para que seja eficiente, precisa ser criadora. Quer dizer, deve ser mais ou menos subconsciente, automática e espontânea, antes que conscientemente planejada e produto do raciocínio.

"O que os outros acham" cria inibição

Se você se impressiona demais com o que "os outros" pensam ou acham; se se preocupa muito em querer agradar a outras pessoas, se é demasiadamente sensível à reprovação real ou imaginária dos outros — você então tem excesso de retroalimentações negativas, inibição, e sua atuação é insatisfatória.

Quando você fiscaliza de maneira contínua e consciente cada um de seus atos, palavras ou gestos, você se torna, também, inibido e constrangido. Você se preocupa demasiadamente em causar boa impressão e, ao fazê-lo, asfixia, reprime e inibe seu "eu" criador, acabando por causar má impressão.

A única maneira de causar boa impressão nos outros é esta: nunca "tente", conscientemente, causar boa impressão. Nunca aja ou deixe de agir apenas para causar um efeito conscientemente calculado. Jamais "se pergunte" conscientemente o que o outro está pensando de você ou como está julgando você.

Como um vendedor se curou de inibição

James Mangan, o famoso vendedor, escritor e conferencista, conta que, quando saiu de sua cidade pela primeira vez, era inibido ao extremo, principalmente quando entrava no refeitório de um hotel ou restaurante de luxo. Sentia que centenas de olhos se voltavam para ele, analisando-o, criticando-o. Sentia-se dolorosamente cônscio do menor movimento ou gesto — o modo de andar, de se sentar, de comer etc. Todos esses atos lhe pareciam rígidos e desajeitados. Por que se sentia tão encabulado? Sabia que tinha boas maneiras e conhecia a etiqueta. Por que jamais se sentira acanhado e pouco à vontade ao comer na cozinha com mamãe e papai?

Chegou à conclusão de que era porque, quando tomava refeições na companhia dos pais, não era cuidadoso nem autocrítico. Não se preocupava em produzir efeito. Sentia-se calmo, sereno, e seus gestos eram impecáveis. E Mangan se curou de sua inibição lembrando-se de como se sentia e comportava quando "ia para a cozinha comer com mamãe e papai". Depois, sempre que entrava num restaurante de luxo, *imaginava* que "ia comer com mamãe e papai" — e se comportava da maneira correspondente.

O equilíbrio se produz quando ignoramos o excesso de retroalimentações negativas

Mangan verificou que era capaz de superar o nervosismo e acanhamento quando visitava um cliente importante, ou em qualquer outra situação social, dizendo a si mesmo: "Vou almoçar com mamãe e papei", invocando em pensamento a maneira como se tinha sentido, ou como tinha agido — e agindo, então, "da mesma maneira". Em seu livro, *The Knack of Selling Yourself*, Mangan aconselha os vendedores a porem em prática, em toda espécie de situações novas e estranhas, esta atitude: "Vou para casa jantar com mamãe e papai. Já fiz isso milhares de vezes — nada de novo poderá surgir."

"Essa atitude de permanecer indiferente a pessoas estranhas ou situações novas, esse total descaso por tudo que é desconhecido ou inesperado, tem um nome   *equilíbrio*. Ter equilíbrio significa pôr de lado, deliberadamente, todo medo oriundo de circunstâncias novas e incontroláveis."

Você precisa ser mais introvertido

O falecido Dr. Albert Edward Wiggam, famoso educador, psicólogo e conferencista, contava que, na meninice, era tão dolorosamente inibido que achava quase impossível repetir uma lição em aula. Evitava todo mundo e era incapaz de falar com alguém sem ficar de cabeça baixa. Lutava constantemente contra essa inibição, sem resultado, até que um dia teve uma idéia. Seu mal não era o excesso de preocupação consigo mesmo, e sim a sua preocupação com os outros. Era exageradamente sensível ao que os outros pudessem pensar sobre o que ele dissesse ou fizesse. Isso o inibia inteiramente. Não conseguia pensar com clareza, e nunca lhe ocorria a coisa apropriada para dizer. O mesmo porém não acontecia quando estava só: sentia-se perfeitamente tranqüilo, os nervos relaxados, e se lembrava de uma porção de idéias e pensamentos capazes de interessar um possível interlocutor.

Cessou então de lutar contra sua introversão. Concentrou-se, pelo contrário, em acentuá-la, sentindo-se, agindo, comportando-se e pensando como *fazia quando estava só*, e desinteressando-se do que os outros pudessem pensar. Esse descaso para com a opinião alheia não o tornou empedernido, arrogante ou insensível à sorte de seus semelhantes. Não há perigo de extirparmos as retroalimentações negativas, por muito que tentemos. Mas esse esforço na direção oposta fez com que ele normalizasse seu ultra-sensível mecanismo de retroalimentações negativas. Começou a se dar melhor com todos, e passou a ganhar a vida orientando outras pessoas e realizando palestras para grandes auditórios, *sem a mínima inibição.*

"A consciência torna-vos covardes"

Assim disse Shakespeare. E o dizem também os modernos psiquiatras e pastores esclarecidos. A consciência em si é um servomecanismo *erudito*, relacionado com a Moral e a Ética. Se os conhecimentos aprendidos e armazenados forem corretos (quanto ao que é "certo" e o que é "errado"), e se o mecanismo de retroalimentação não for exageradamente sensível, mas realista, o resultado é que alijamos o peso de termos que "decidir" constantemente sobre o que é certo ou o que é errado. Isso, aliás, é o que acontece em qualquer outra situação em que perseguimos um objetivo. A consciência nos guia até ao objetivo do comportamento que é apropriado e realista no tocante à Ética e à Moral. Ela funciona subconscientemente, e de maneira automática, como qualquer outro servomecanismo.

Todavia, conforme diz o Dr. Harry Emerson Fosdick, "nossa consciência pode enganar-nos". Ela também pode *estar errada*. Ela depende de nossas convicções básicas sobre o certo e o errado. Se estas forem certas, realistas e sensatas, a consciência se torna um valioso aliado em nosso trato com o mundo real, auxiliando-nos a navegar com segurança no mar da ética. Ela atua como uma bússola que nos afasta de transtornos. Mas se nossas convicções básicas forem erradas, falsas, irreais ou insensatas, elas "desviam" do rumo a nossa bússola, a exemplo das partículas magnéticas de metal que podem desarranjar a bússola do marinheiro, e guiá-lo para o perigo, ao invés de o afastar dele.

A consciência pode significar diferentes coisas para diferentes indivíduos. Quem desde criança aprendeu que é pecado usar botões nas roupas terá problemas de consciência se o fizer. Quem foi educado na crença de que decepar a cabeça de um ser humano, encolhê-la e pendurá-la na parede de sua casa é certo, próprio, e sinal de masculinidade, se sentirá culpado, indigno e destituído de valor se não conseguir encolher uma cabeça. (Os índios encolhedores de cabeças chamariam a isto, provavelmente, de "pecado de omissão".)

O objetivo da consciência é nos tornar felizes, não desgraçados

A finalidade da consciência é contribuir para nos tornar felizes e produtivos — não o oposto disso. Mas para deixarmos "que a consciência seja nosso guia", ela precisa basear-se na verdade — deve, como a bússola, apontar para o norte. Do contrário, a cega obediência à consciência pode apenas causar-nos aborrecimentos, em vez de nos desviar deles, além de nos tornar infelizes e improdutivos.

A auto-expressão não é questão moral

Muitos danos resultam do fato de tomarmos posição "moral", em questões que fundamentalmente nada têm que ver com a moral. Por exemplo, a auto-expressão, ou a ausência dela, não é basicamente uma questão de ética. Além disso, todos nós temos o "dever" de usar as aptidões que o Criador nos deu. No entanto, a auto-expressão pode tornar-se moralmente "errada", no que respeita à consciência, se o indivíduo, quando criança, foi reprimido, humilhado ou talvez punido por falar sem restrições, exprimir suas idéias, "mostrar-se". A criança, em tais condições, "aprende" que é errado expressar a si mesma, achar que tem idéias dignas de atenção, ou até mesmo falar. A criança que é punida por demonstrar raiva, sujeita a vexame por demonstrar medo, ou ridicularizada por demonstrar afeto, acaba aprendendo que é "errado" externar seus sentimentos. Algumas crianças aprendem que é pecado ou errado exprimir as "emoções ruins" de raiva ou de medo. Entretanto, quando inibimos as emoções ruins, inibimos também a expressão das emoções boas. E as emoções não são na verdade, "boas" ou "más" — elas são adequadas ou inadequadas. É próprio que sinta medo o homem que topou o urso pela frente em seu caminho. É próprio sentirmos ódio se houver uma necessidade legítima de destruir algum obstáculo pela força e a violência. Quando devidamente dirigida e controlada, a cólera é importante elemento de coragem. Se a criança a cada vez que expressa uma opinião é reprimida e posta em seu lugar, ela aprende que o "certo", para ela, é ser ninguém, e que é errado querer ser alguém.

Essa consciência torcida e pouco realista faz realmente covardes de todos nós. Podemos ficar ultra-sensíveis e excessivamente preocupados sobre se "temos direito" de vencer, até mesmo em algum empreendimento que seja por todos os títulos louvável. Atormentamo-nos exageradamente sobre se "merecemos" tal coisa ou não. Muitas pessoas, inibidas por uma falsa consciência, se retraem e "tomam o assento de trás", até mesmo na igreja. Sentem no íntimo que não seria "certo", para elas, "se projetarem", como líderes, ou "pretenderem ser alguém". Ou têm medo de que os outros pensem que elas estão querendo "se exibir".

O nervosismo que se apodera do ator novato, num palco, é fenômeno comum e geral. E é fácil de compreender se o encararmos como um excesso de retroalimentação negativa oriundo de uma "consciência desviada". Tal nervosismo nasce do medo de sermos punidos por falar o que temos que falar, de exprimirmos nossas opiniões, de pretendermos "ser alguém", ou de "exibir-nos" — coisas que a maioria de nós, na infância, aprendemos que era "errado" e justificava punição. Esse tipo de nervosismo ilustra como é geral a supressão e a inibição da auto-expressão.

Desinibição — um grande passo na direção oposta

Se o leitor está entre os milhões de pessoas que sofrem de infelicidade e fracasso por causa de inibição — precisa deliberadamente praticar a *desinibição*. Precisa exercitar-se em ser menos cauteloso, menos atormentado. Precisa exercitar-se em falar antes de pensar em vez de pensar antes de falar — agir sem pensar, em vez de pensar ou "ponderar cuidadosamente" antes de agir.

Normalmente, quando aconselho um paciente a praticar a desinibição (e os mais inibidos são justamente os que mais resistem) quase sempre ouço objeções como esta: "Mas o senhor decerto não acha que não devamos ter cuidado algum, nenhuma preocupação com os resultados. Sou de opinião que o mundo precisa de uma certa dose de inibição, pois do contrário seríamos como selvagens, e a sociedade civilizada entraria em colapso. Se nós nos expressássemos sem *nenhuma* restrição, dando livre curso aos nossos sentimentos, sairíamos por aí socando o nariz de quem nos desagradasse."

"Sim", costumo responder, "tem razão". O mundo precisa de uma certa dose de inibição. Mas não você. As palavras decisivas são exatamente "uma certa dose". Você tem um grau de febre que diz: "O calor corporal é certamente necessário para a saúde. O homem é um animal de sangue quente e não sobrevive sem uma certa temperatura. Nós todos precisamos de calor, e o senhor no entanto afirma que eu devo cuidar apenas em *reduzir minha temperatura* e ignorar completamente o perigo de não ter nenhum calor."

Os gagos, que são já tão manietados por "tensões morais", excesso de retroalimentação negativa, autocrítica, inibições, e que mal conseguem falar, são propensos a raciocinar da mesma maneira quando recomendamos que *ignorem totalmente* a retroalimentação negativa e a autocrítica. E são capazes de citar numerosos provérbios e máximas para demonstrar que devemos pensar antes de falar, que uma língua descuidosa pode nos trazer complicações, que devemos ter muita cautela com aquilo que afirmamos, etc. etc. Tudo o que eles estão dizendo com isso é, na verdade, que as informações de retroalimentação negativas são úteis e benéficas. Mas *não para eles*. Quando ignoram totalmente a retroalimentação negativa, porque um ruído muito forte os ensurdeceu, ou por meio da "fala imitada" — eles conseguem falar fluentemente.

A "estrada estreita" entre a inibição e a desinibição

Disse alguém que a personalidade inibida, aflita, ansiosamente preocupada "gagueja dos pés à cabeça". Equilíbrio e harmonia é o que se procura. Quando a temperatura do doente sobe demais, o médico procura reduzi-la; quando desce demais, ele procura elevá-la.

Quando o indivíduo não consegue dormir suficientemente, prepara-se uma receita que o faça dormir mais; quando ele dorme demais, prescreve-se um estimulante que o mantenha desperto, etc. Não se trata do que é "melhor" — se a temperatura alta ou a baixa, se a sonolência ou a insônia. A "cura" está em dar um longo passo na direção oposta. Aqui, novamente, entra em cena o princípio da Cibernética. Nosso alvo é uma personalidade adequada, auto-realizadora, criadora. O caminho para o alvo está entre a inibição excessiva e a inibição insuficiente. Quando a inibição é demasiada, corrigimos nossa rota ignorando a inibição e exercitando-nos em desinibição.

Como saber se você precisa de desinibição

Estes são os sinais de "retroalimentação" que indicam se você está fora de rumo por causa de excesso ou de falta de inibição. Se você continuamente se mete em complicações em virtude de excesso de confiança; se costuma entrar estabanadamente onde até os anjos temem pisar; se habitualmente se encontra em maus lençóis por causa de atitudes impulsivas ou impensadas; se seus projetos vão por água abaixo porque você pratica o princípio de "agir antes e perguntar depois"; se você é incapaz de admitir que está errado; se fala alto e demais — você provavelmente tem *insuficiente* inibição. Precisa pensar mais nas conseqüências, antes de agir. Precisa parar de agir como touro em loja de louça, e planejar meticulosamente suas atividades.

Mas, a grande maioria das pessoas não se enquadra nessa categoria. Se você é tímido na presença de estranhos; se receia as situações novas e desconhecidas; se se sente inadequado, aflige-se muito, é ansioso, excessivamente preocupado; se é nervoso e acanhado; se tem "sintomas nervosos", como tiques faciais, piscar desnecessariamente os olhos, tremores, dificuldade em dormir; se fica constrangido em situações sociais; se se retrai e continuamente toma o assento de trás — estes são, todos eles, sintomas de que você tem excesso de inibição, é demasiadamente cauteloso em tudo, "planeja" muito. Você precisa praticar o conselho de São Paulo aos filipenses: "Não vos preocupeis com cuidado algum..."

Exercícios: 1. Não se preocupe antecipadamente com o que vai dizer. Limite-se a abrir a boca e dizê-lo. Vá improvisando à medida que fala. (Jesus aconselhou os discípulos a que não se preocupassem em como se defender, quando levados aos tribunais, pois o Espírito lhes aconselharia o que haveriam de dizer.)

2. Não faça planos (não se preocupe com o amanhã). Não pense antes de agir. Aja — e corrija suas ações à medida que prossegue. Esse conselho pode parecer radical, mas é assim, na verdade, que todo servomecanismo *deve* funcionar. Um torpedo não "prevê" todos os

seus erros, nem os tenta corrigir antecipadamente. Ele precisa *agir antes* — começar a movimentar-se na direção do alvo — e *então* corrigir os erros que possam ocorrer. "Não podemos pensar antes e agir depois", disse A. N. Whitehead. "Desde o instante do nascimento, mergulhamos na ação, e só intermitentemente a dirigimos por meio do raciocínio."

3. Pare de criticar a si mesmo. A pessoa inibida se entrega continuamente à análise autocrítica. Após cada ação, por simples que seja, diz a si mesma: "Será que eu deveria ter feito isso?" Após ter conseguido a coragem necessária para falar alguma coisa, diz imediatamente consigo mesmo: "Acho que não deveria ter dito isso. A pessoa com certeza vai me interpretar mal." Pare de se atormentar. Sinais de retroalimentação úteis e benéficos trabalham subconscientemente, e de maneira espontânea e automática. A autocrítica, a auto-análise e a introspecção consciente são benéficas e úteis — se feitas, talvez, uma vez por ano. Mas quando contínuas, feitas dia a dia, momento a momento — são prejudiciais.

4. Adquira o hábito de falar *mais alto* do que de costume. Todo inibido fala baixinho. Levante o volume de sua voz. Não é preciso gritar com as pessoas ou falar em tom irritado — apenas exercite-se conscientemente em falar um pouco mais alto do que habitualmente. Isso é, por si só, um poderoso desinibidor. Experiências recentes mostraram que podemos exercer mais quinze por cento de força, e erguer mais peso, se gritarmos ou gemermos alto enquanto o suspendemos. A explicação é que o ato de gritar desinibe — e permite que exerçamos *toda* a nossa força inclusive a que havia sido bloqueada e presa pela inibição(*).

5. Faça com que as pessoas saibam que você gosta delas. A personalidade inibida receia expressar tanto os bons como os maus sentimentos. Se exprime amor, receia que o julguem sentimental; se exprime amizade, receia que o considerem adulador ou servil. Se se congratula com alguém, receia que o outro o julgue superficial ou suspeite de segundas intenções. Você deve ignorar totalmente estes sinais de retroalimentação negativa. Dê os parabéns a, pelo menos, três pessoas por dia. Se gostar do que alguém está fazendo, vestindo ou dizendo — faça com que ele saiba. Seja direto. "Gostei disso, João." "Maria, essa blusa é muito bonita." "Antônio, isso mostra que você é um homem honesto." E se você for casado, diga a sua esposa "Gosto de você" pelo menos duas vezes por dia.

(*) Relatado ao Congresso Pan-Americano de Esporte-Terapia pelo Dr. Michio Ikay, da Universidade de Tóquio, e Dr. Arthur H. Steinhaus, do "George Williams College", de Chicago.

Pontos a Lembrar

(Preencha)

1.
2.
3.
4.
5.
6.
7.

CAPÍTULO XII

"PREPARE" OS SEUS PRÓPRIOS TRANQÜILIZANTES

As DROGAS tranqüilizadoras, que se tornaram tão populares nestes últimos anos, trazem paz de espírito e repouso, e reduzem ou eliminam os "sintomas nervosos", por meio de uma "ação de guarda-chuva". Do mesmo modo que o guarda-chuva nos protege da chuva, os vários calmantes erguem uma "cortina psíquica" entre nós e os estímulos perturbadores. Ninguém sabe ao certo de que maneira os calmantes erigem esse "guarda-chuva", mas sabemos a razão por que isso produz tranqüilidade. Os calmantes atuam porque diminuem sensivelmente, ou eliminam, *nossas próprias reações* aos estímulos perturbadores externos. Os calmantes não modificam o ambiente. Os estímulos perturbadores continuam presentes. Estamos ainda em condições de *reconhecê-los* intelectualmente, mas não *reagimos* a eles emocionalmente. Lembra-se de que no capítulo sobre felicidade dissemos que nossos sentimentos não dependem de coisas externas, mas de nossas próprias atitudes e reações? Os calmantes oferecem prova convincente desse fato. Eles, em última análise, reduzem ou atenuam nosso excesso de reação às retroalimentações negativas.

O excesso de reação é um mau hábito que pode ser corrigido

Suponhamos que o leitor, enquanto lê este livro, está tranqüilamente sentado em seu gabinete. Súbito, o telefone toca. Por força do hábito e da experiência, esse é um "sinal" ou estímulo a que você aprendeu a obedecer. Sem pensar, sem tomar sobre o assunto qualquer decisão consciente, você reage a ele: salta de sua confortável poltrona e corre ao telefone. Esse estímulo exterior teve o efeito de "mover" você. Ele modificou sua armação mental, sua "posição", ou o curso de ação que você se havia proposto seguir. Você havia decidido passar uma hora sentado, a ler sossegadamente, e estava, intimamente, preparado para isso. Agora, tudo foi subitamente alterado pela reação ao estímulo externo.

O ponto a que quero chegar é o seguinte: você não *precisa* atender o telefone. Não *precisa* obedecer. Você pode, *se quiser, ignorar* totalmente a campainha do telefone. Pode, se quiser, continuar tranqüilamente sentado — mantendo seu estado de espírito original, *negando-se a reagir* ao sinal. Procure gravar com nitidez em sua mente esse quadro mental, pois lhe poderá ser muito útil para ajudá-lo a vencer a força que os estímulos externos têm para o perturbar. Veja a si mesmo sentado impassivelmente, deixando que o telefone toque, ignorando o sinal dele, indiferente ao seu comando. Embora esteja cônscio dele, você já não mais precisa dar-lhe atenção, ou obedecer-lhe. Procure também compreender o fato de que os sinais externos não têm, por si só, poder para perturbá-lo. Você no passado obedeceu a eles, reagiu a eles por mero hábito. Você pode, se quiser, formar o novo hábito de não reagir. Note ainda que o fato de você não reagir ao estímulo não consiste em "fazer alguma coisa" ou fazer um esforço, ou resistir, ou lutar — mas em "não fazer nada". Você simplesmente relaxa, ignora o sinal, e deixa que a convocação dele fique sem resposta.

Como condicionar a si mesmo para a equanimidade

De maneira muito semelhante àquela em que você automaticamente obedece ou responde ao toque do telefone, todos nós fomos condicionados a reagir de uma certa maneira aos vários estímulos do meio ambiente. A palavra "condicionamento", nos círculos da Psicologia, nasceu das conhecidas experiências de Pavlov, que "condicionou" um cachorro a salivar quando ouvia uma campainha. Pavlov tocava uma campainha imediatamente antes de dar alimento ao animal. Repetiu o processo inúmeras vezes. Primeiro, a campainha; alguns segundos depois, o alimento. O cachorro "aprendeu" a reagir à campainha salivando, numa prelibação do alimento. A campainha era sinal de que a comida estava a caminho e ele se preparava mediante a salivação. Depois que o processo se repetiu um certo número de vezes, ele salivava ao ouvir a campainha, viesse ou não viesse alimento imediatamente a seguir. Tornara-se "condicionado" a salivar ante o mero som da campainha. A reação era sem sentido e inútil, mas ele continuava a reagir da mesma maneira, por uma questão de hábito.

Há em nossas várias situações ambientais grande número de "campainhas", ou estímulos perturbadores, aos quais fomos condicionados e aos quais continuamos a reagir por mero hábito, quer as reações tenham sentido, quer não tenham.

Muitas pessoas, por exemplo, aprenderam a recear desconhecidos, por causa de advertências dos pais no sentido de que evitassem estranhos. "Não aceite balas de estranhos", "Não entre em automóvel com estranhos", etc. A reação de evitar estranhos serve a um fim útil no caso de crianças pequenas. Mas muitos continuam a se achar constrangidos, e pouco à vontade na presença de *qualquer* estranho, até mesmo quando sabem que este se apresenta como amigo e não como inimigo. Os estranhos se transformam em "campainhas", e a reação aprendida se converte em medo, preocupação de evitar, ou desejo de fugir.

Outros, ainda, podem reagir a multidões, espaços confinados, espaços abertos, pessoas em posição de mando — como "o patrão" — com sentimentos de medo ou ansiedade. Em cada um desses casos, a multidão, o espaço fechado, o espaço aberto, o patrão, etc., agem como *campainhas* que dizem — "perigo à vista, fuja, sinta medo". E em virtude do hábito, continuamos a reagir da maneira de costume. "Obedecemos" à campainha.

Como extinguir as reações condicionadas

Podemos, todavia, extinguir as reações condicionadas, se nos exercitarmos em relaxar em vez de reagir. Poderemos, se quisermos, tal como no caso do telefone, aprender a ignorar a "campainha", continuar calmamente sentados e "deixar que ela toque". Um pensamento-chave que podemos trazer conosco para ser usado sempre que nos defrontamos com algum estímulo perturbador consiste em dizermos a nós mesmos: "O telefone está tocando, mas eu não sou *obrigado* a atendê-lo. Posso deixar que ele toque." Esse pensamento se enquadra na imagem mental em que você vê a si mesmo sentado sossegadamente, relaxado, sem reação, sem fazer coisa alguma, deixando o telefone tocar inutilmente. E atuará como gatilho ou "sinal" para você adotar a mesma atitude que assumiu ao deixar o telefone tocar.

Se não puder ignorar a reação — retarde-a

No processo de extirpar um condicionamento, a pessoa pode achar difícil, principalmente no início, ignorar de todo a "campainha", sobretudo se ela soar inesperadamente. Em tais casos você pode conseguir o mesmo resultado final — extinção do condicionamento — *retardando* sua reação. Uma senhora, a quem chamarei de Mary S., sentia-se ansiosa e constrangida na presença de grupos de pessoas. Ela conseguiu, praticando a técnica adequada, imunizar-se ou tranqüilizar-se contra os estímulos perturbadores, na maior parte das vezes. Entretanto, vez ou outra, o desejo de correr, de fugir, se tornava para ela quase irresistível.

"Lembra-se de Scarlett O'Hara, em *E o Vento Levou?*", perguntei-lhe. "Sua filosofia era: 'Não me preocuparei com isso agora — deixarei para me preocupar amanhã.' Scarlett conseguiu manter o equilíbrio interior e enfrentar eficazmente o meio ambiente, a despeito de guerra, fogo, peste, amor não correspondido, pelo simples processo de adiar sua reação." O adiamento da reação "atrapalha" o funcionamento automático do condicionamento.

"Contar até dez", quando você se sente tentado a perder a calma, se baseia em idêntico princípio, e constitui excelente recurso — desde que você conte lentamente, e na verdade adie a reação, em vez de meramente "engolir" a raiva, gritando ou esmurrando a mesa. A "reação", na raiva, consiste em algo mais do que gritar ou esmurrar a mesa. A tensão de seus músculos é uma reação. Você não pode "sentir" as emoções de raiva ou medo se seus músculos estiverem perfeitamente relaxados. Por conseguinte, se puder transferir a raiva por dez segundos, adiando qualquer reação, você extinguirá os reflexos automáticos.

Mary S. extinguiu seu medo condicionado de multidões adiando sua reação. Quando sentia que *precisava* fugir, dizia a seus botões: "Sim, mas não neste instante. Vou adiar por dois minutos o momento de sair da sala. Recuso-me a obedecer por apenas dois minutos!"

A relaxação ergue uma cortina psíquica ou calmante

É importante compreendermos que nossos sentimentos perturbados — raiva, hostilidade, medo, ansiedade, insegurança — são induzidos por nossas próprias reações — não por causas externas. Reação significa tensão. Falta de tensão significa relaxação. Já se demonstrou, em experiências científicas feitas em laboratório, que absolutamente não podemos sentir cólera, medo, ânsia, insegurança, enquanto nossos músculos estiverem perfeitamente relaxados. Todas essas coisas são, na essência, *nossos próprios sentimentos*. A tensão nos músculos é uma "preparação para a ação" — isto é, ficamos prontos para reagir. A relaxação dos músculos traz a relaxação mental, ou uma serena atitude de repouso. A relaxação é pois sedativo natural, que ergue um guarda-chuva ou cortina psíquica entre nós e os estímulos perturbadores.

A relaxação física é um poderoso "desinibidor", pela mesma razão. No capítulo anterior aprendemos que a inibição nasce do excesso de retroalimentação negativa, ou, antes, da nossa excessiva reação à retroalimentação negativa. A relaxação significa ausência de reação. Portanto, em seu exercício diário de relaxação, você aprende a desinibição, ao mesmo tempo que utiliza em si mesmo o calmante da própria natureza, que você pode trazer consigo em suas atividades cotidianas. Proteja-se contra os estímulos perturbadores mantendo uma atitude de relaxação.

Construa para si mesmo um tranqüilo refúgio mental

"Os homens procuram retiros, campos, praias, montanhas; também tu te habituaste a desejar com ardor tais asilos. Mas é coisa

insensata, porque, a qualquer hora, podes ter em ti mesmo o teu retiro interior. Com efeito, retiro algum é tão repousante para o homem como o que encontra na própria alma, sobretudo se nela encerra essas verdades que, apenas aprofundadas, nos conferem quietação absoluta; e dizendo "quietação", entendo equilíbrio perfeito da alma. Oferece, pois, a ti mesmo, constantemente, esse retiro, e renova-te aí..." (*Meditações de Marco Aurélio*.)
Durante os últimos dias da Segunda Grande Guerra, observou alguém ao Presidente Harry Truman que ele parecia suportar as labutas e tensões inerentes à função da Presidência melhor do que qualquer um de seus antecessores; que o trabalho não parecia tê-lo "envelhecido", nem minado sua vitalidade, e isso era coisa notável, sobretudo considerando-se os problemas com que ele se defrontava na qualidade de chefe do governo em tempo de guerra. Sua resposta foi: "Eu tenho uma trincheira em meu espírito." E prosseguiu dizendo que a exemplo do soldado que se retira para sua trincheira em busca de proteção, repouso e recuperação, ele periodicamente se recolhia para sua própria trincheira espiritual, onde não permitia que nada o perturbasse.

Sua própria câmara de descompressão

Todos nós precisamos ter em nossa mente um quartinho tranqüilo, um lugar como as profundezas do oceano, que jamais são perturbadas, por encapeladas que estejam as águas na superfície. Esse tranqüilo recanto interior, construído na imaginação, age como uma câmara de descompressão mental e emocional. Descompressiona-nos das nossas tensões, preocupações, pressões, nos refrigera o espírito e nos permite voltar ao mundo de trabalho cotidiano com melhor disposição para enfrentá-lo.

Estou persuadido de que todos têm já, dentro de si mesmos, um refúgio tranqüilo que jamais é perturbado, e que se mantém sempre igual, tal como o ponto matemático no centro de um eixo ou roda, que permanece estacionário. Precisamos apenas descobrir esse recanto e a ele nos recolher periodicamente, para repouso, recuperação e renovado vigor.

Uma das prescrições mais benéficas que já dei a meus pacientes é a recomendação de que aprendam a voltar a esse tranqüilo refúgio interior. E, para isso, uma das melhores formas que descobri é cada qual construir para si mesmo, em imaginação, um quartinho mental. Decore-o, então, com o que seja mais repousante e revigorador para você: belas paisagens, talvez, se você gostar de pintura; um livro com seus poemas favoritos, se apreciar poesia. As cores das paredes serão as que lhe parecerem mais agradáveis, mas escolha-as entre os repousantes tons de azul, verde claro, amarelo, ouro. O quarto deve ser mobiliado com simplicidade: não deverá conter elementos distrativos. É muito asseado e tudo ali está em ordem. Simplicidade, sossego, beleza, são seus traços predominantes. Contém sua poltrona favorita. Através de uma pequena janela você enxerga uma linda praia. As ondas rolam sobre a orla de areia e recuam, mas você não as ouve, porque seu quarto é muito, muito quieto. Adote ao construir esse quarto imaginário o mesmo rigor que teria se fosse construir um cômodo de verdade. Familiarize-se inteiramente com cada um de seus pormenores.

Pequenas férias todos os dias

Sempre que tiver alguns momentos de folga durante o dia — entre dois encontros, viajando de ônibus, etc. — recolha-se a seu refúgio íntimo. Quando sentir a tensão crescer, ou estiver inquieto ou aborrecido, vá para seu quartinho por alguns momentos. Uns poucos minutos subtraídos, dessa maneira, a um dia muito agitado, mais do que se pagarão por si mesmos: Não é tempo perdido, mas investido. Diga consigo mesmo: "Vou repousar um pouco em meu recanto tranqüilo."

Depois, em pensamento, veja a si mesmo subindo os degraus para seu quarto. Diga intimamente: "Agora estou subindo as escadas — agora estou abrindo a porta — agora estou dentro." Em pensamento, observe todos os detalhes aconchegantes, repousantes. Veja a si mesmo sentando-se em sua poltrona favorita, músculos inteiramente relaxados, em paz com o mundo. Seu quarto é seguro. Ali nada poderá perturbá-lo. Você não tem com que se amofinar. Você deixou suas preocupações na soleira da porta. Ali você não tem decisões a tomar — não há pressa, nem distúrbios.

Você precisa de certa dose de escapismo

Sim, isso é "escapismo". O sono também é escapismo. Carregar um guarda-chuva, quando chove, é escapismo. Construir uma casa onde nos possamos abrigar do tempo e dos elementos é escapismo. E tirar férias é escapismo. Nosso sistema nervoso exige certa porção de escapismo, requer alguma liberdade e proteção contra o incessante bombardeio de estímulos externos. Precisamos de férias anuais, durante as quais fisicamente nos evadimos das velhas cenas, dos velhos deveres, das velhas responsabilidades.

Nosso espírito e nosso sistema nervoso exigem um retiro para repouso, recuperação e proteção, tanto quanto nosso corpo físico requer uma casa física, e pelas mesmas razões. Nosso aconchegante quarto mental nos dá ao sistema nervoso um pouco de férias, todos os dias. Durante aquele momento, nos libertamos mentalmente de nosso mundo de obrigações, responsabilidades, decisões, pressões — escapamos de tudo isso, abrigando-nos em nossa câmara "despressurizada".

As figuras sempre fazem em nosso mecanismo automático mais impressão do que as palavras. E mais ainda se contiverem algum forte significado simbólico. Um quadro mental que descobri ser sobremodo eficaz é o seguinte:

Numa visita ao Parque Nacional de Yellowstone, esperava eu pacientemente pelo gêiser "Old Faithful", que se manifesta aproximadamente de hora em hora. Súbito, o gêiser explodiu numa grande massa de vapor sibilante, como uma caldeira gigante cujo tampão de segurança tivesse escapado. Um menino que estava a meu lado perguntou ao pai: "Por que ele fez isso?"

"Bom...", disse o pai, "acho que Mamãe Terra é como todos nós. Ela acumula uma certa quantidade de pressão e precisa de vez em quando descarregar um pouco de vapor, para manter a saúde".

Não seria maravilhoso, pensei, se nós humanos pudéssemos também, dessa maneira, "descarregar vapor" inofensivamente quando a pressão emocional cresce dentro de nós? Eu não tinha na cabeça um gêiser, nem uma válvula de vapor, mas imaginação não me faltava. E comecei a utilizar esse quadro mental quando me recolhia para meu quartinho interior. Recordava o "Old Faithful", e formava um quadro mental da pressão emocional escapando-se do alto de minha cabeça e evaporando-se inofensivamente. Experimente em si mesmo esse quadro mental, quando estiver extenuado ou tenso. A própria idéia de "soltar vapor" tem poderosas associações em sua maquinaria mental.

"Limpe" seu mecanismo antes de enfrentar um novo problema

Quando usamos uma máquina de somar, ou um computador eletrônico, precisamos "limpar" a máquina dos problemas anteriores, antes de iniciarmos nova operação. Do contrário, parte do problema anterior, ou da antiga situação, são "transportadas" para a situação nova, dando-nos um resultado errado.

O exercício de nos retirarmos por alguns momentos para nosso quartinho mental pode operar idêntica espécie de "limpeza" em nosso mecanismo de êxito. É pois de grande utilidade pôr isso em prática entre duas tarefas, duas situações ou ambientes, que reclamem diferentes maneiras de ser, novos ajustes mentais ou atitudes diversas.

Exemplos corriqueiros de "transportes", ou descuido em limparmos nossa maquinaria mental, são os seguintes: Um homem de negócios "transporta" consigo para casa as preocupações do escritório e sua "atitude" de trabalho. Durante todo o dia esteve afobado, apressado, agressivo. Possivelmente sofreu um pouco de frustração que o pôs irritadiço. Ele cessa de trabalhar fisicamente quando vai para casa, mas leva consigo um resíduo de sua agressividade, frustração, pressa e preocupação. Está ainda embalado para a ação, e não pode relaxar os nervos. Mostra-se irritadiço com a esposa e a família.

Continua a preocupar-se com os problemas do escritório, embora nada possa fazer a respeito deles.

Insônia e rispidez são muitas vezes "transportes" emocionais

Muitos levam seus dissabores consigo para o leito, quando deviam estar repousando. Mental e emocionalmente, estão ainda procurando fazer alguma coisa a respeito de uma dada situação, num momento em que não deveriam estar fazendo coisa alguma.

Durante todo o dia necessitamos de muitos e diferentes tipos de atitude emocional e mental. Para falar com nosso chefe precisamos de uma atitude diferente da que usamos para nos dirigirmos a um freguês. E se acabamos justamente de tratar com um freguês atrabiliário e colérico, precisamos alterar nossa atitude antes de atendermos a um segundo freguês. Do contrário o "transporte emocional" de uma situação será inadequado para atendermos à outra.

Uma grande empresa verificou que seus chefes-de-seção involuntariamente atendiam ao telefone em tom áspero, irritado, hostil. O telefone toca no meio de uma reunião enfadonha e cansativa, ou enquanto a pessoa está emaranhada em frustração e hostilidade. Seu tom de voz hostil e colérico espanta e ofende quem está na outra extremidade da linha. A direção da empresa instruiu seus chefes-de-seção a esperarem cinco segundos — e sorrirem — antes de apanharem o fone.

"Transportes" emocionais provocam acidentes

As companhias de seguro, e outras entidades que pesquisam as causas de acidentes, descobriram que esses "transportes" emocionais respondem por muitos acidentes automobilísticos. Se o motorista acabou de ter uma discussão com a esposa ou o chefe, se acabou de experimentar frustração, ou de sair de uma situação que reclamava um comportamento agressivo, maiores são suas probabilidades de sofrer um acidente. Ele transporta para a direção do veículo atitudes e emoções inapropriadas. Ele não está zangado com os demais motoristas. É mais ou menos como o homem que desperta pela manhã de um sonho em que sentiu extremo ódio. Dá-se conta de que a injustiça de que foi vítima aconteceu apenas no sonho. Mas continua zangado!

O medo pode ser "transportado" da mesma maneira.

A calma também pode ser "transportada"

Mas o que é realmente animador a esse respeito é que cordialidade, afeto, paz, calma e serenidade também podem ser "transportados". É de todo impossível, como já frisamos, você experimentar medo, cólera ou ansiedade, enquanto estiver completamente relaxado, tranqüilo e sereno. Fugir para seu "recanto tranqüilo" torna-se assim o mecanismo ideal para a limpeza de emoções e mau humor. As velhas emoções se dissipam e desaparecem. E ao mesmo tempo você experimenta calma, paz e bem-estar que também "se transportam" para as atividades que vierem em seguida, sejam elas quais forem. Aquele momento tranqüilo "limpa a lousa", "limpa a máquina" e lhe dá uma "página nova" para o ambiente seguinte.

Eu costumo pôr em prática esse recurso imediatamente antes e depois de uma operação. A cirurgia exige alto grau de concentração, serenidade e controle. Seria desastroso "transportar" para a cirurgia sentimentos de afobação, de agressividade, ou inquietações pessoais. Eu, portanto, limpo minha maquinaria mental, passando alguns momentos de completo sossego em meu quartinho interior. Por outro lado, o elevado grau de concentração e decisão, bem como de abstração de tudo que se passa ao redor, tão necessário numa situação cirúrgica, seria de todo inadequado numa situação social — quer seja uma entrevista em meu consultório, quer um baile de gala. Por conseguinte, após concluir a operação, jamais deixo também de passar alguns minutos em meu refúgio tranqüilo, a fim, de por assim dizer, limpar o convés para um novo tipo de ação.

Faça seus próprios guarda-chuvas psíquicos

Exercitando-se nas técnicas descritas neste capítulo, você pode preparar seus próprios guarda-chuvas psíquicos, que o protegerão de estímulos perturbadores, trarão maior paz de espírito, e permitirão uma ação mais satisfatória. Tenha em mente, acima de tudo, que a chave, o segredo de você sentir-se ansioso ou calmo, alvoroçado ou tranqüilo, *não são* os estímulos externos, sejam eles quais forem, *mas sua própria reação*. São *suas próprias reações* que o tornam medroso, agitado, inseguro. Mas se você não reagir, e sim "deixar que o telefone toque", é impossível que se sinta incomodado, independentemente do que esteja ocorrendo em volta. "Torna-te semelhante ao promontório, contra o qual as ondas vêm quebrar-se; ele ergue-se impávido, e à sua volta apazigua-se o furor das águas." (Meditações de Marco Aurélio.)

O Salmo 91 é o quadro vívido de um homem que sente segurança e firmeza no meio mesmo dos terrores da noite, de setas que voam de dia, de flagelos, perigos (dez mil tombam ao seu lado), porque descobriu o "retiro secreto" dentro de sua própria alma, e está impassível — isto é, não reage emocionalmente aos toques de alarma que vibram ao redor. Emocionalmente, ele os ignora por completo, tal como William James preconizava que, para sermos felizes, ignorássemos o mal e os acontecimentos infelizes, e como James T. Mangan recomendava que, para permanecermos em estado de equilíbrio, ignorássemos as situações adversas do ambiente.

Você é basicamente um "ator" — não um "reator". Temos até aqui falado em *reagir* adequadamente os fatores ambientais. O homem, porém, não é primacialmente um "reator", mas um "ator". Nós não nos limitamos a reagir aos fatores ambientais que estejam presentes, como o veleiro que vai para onde o vento sopra. Na qualidade de seres perseguidores de objetivos, nós primeiro *agimos*. Fixamos nosso próprio alvo, estabelecemos nossa própria rota. Então, dentro do contexto dessa estrutura perseguidora de objetivos, reagimos apropriadamente, ou seja, de um modo que impulsione nosso progresso e sirva aos nossos propósitos.

Se a reação à retroalimentação negativa não nos fizer caminhar na direção do nosso objetivo, nem servir às nossas finalidades, não há então por que reagir. E se uma reação de qualquer espécie nos desvia do nosso rumo, ou atua contra nós — então a reação apropriada é a *ausência de reação*.

Seu estabilizador emocional

Em quase todas as situações em que perseguimos um objetivo, nossa estabilidade interna é em si um importante objetivo que não deveremos perder de vista. Devemos ser sensíveis às informações negativas que nos avisam que estamos fora de direção, para que possamos retificar a rota e caminhar para a frente. Precisamos, porém, ao mesmo tempo, manter nosso barco flutuante e em estabilidade. Ele não pode ser sacudido e agitado, ou talvez afundado, por qualquer ondazinha, nem mesmo por uma tempestade. Conforme disse Prescott Lecky: "A mesma atitude deve ser mantida, sejam quais forem as alterações do ambiente." "Deixar que o telefone toque" é uma atitude mental que mantém a nossa estabilidade. Evita que sejamos atirados de um lado para outro, sacudidos ou postos fora de rota por qualquer "onda" ou agitação do ambiente.

Cessemos de lutar contra espantalhos

Outra espécie de reação inadequada que acarreta preocupações, insegurança e tensão é o mau hábito de procurarmos reagir emocionalmente a coisas que só existem em nossa imaginação. Não satisfeitos em reagir de maneira exagerada a estímulos insignificantes, embora reais, criamos espantalhos na imaginação, e reagimos emocionalmente aos nossos próprios quadros mentais. Além dos fatores negativos que existem de fato no ambiente, criamos outros por nossa conta: Isto ou aquilo *pode acontecer. E se* tal coisa acontecer? Quando nos preocupamos, formamos quadros mentais — imagens mentais adversas do que *poderá* existir no ambiente, ou do que *poderá acontecer*. E então reagimos a esses quadros negativos *como se* estivessem realmente presentes. Devemos nos lembrar *que* nosso sistema nervoso não sabe distinguir entre uma experiência real e a que seja vividamente imaginada.

"Não fazer nada" é a reação adequada diante de um problema irreal

Repetimos: você pode se proteger contra essa espécie de distúrbio, não por alguma coisa que você "faz" — mas por algo que você "não faz" — sua recusa em reagir. No *que toca às suas emoções*, a reação adequada a imagens perturbadoras consiste em ignorá-las totalmente. Você deve viver emocionalmente no momento presente. Analise seu ambiente — torne-se mais perceptivo do que existe nele — e reaja espontaneamente a isso. Para tanto você precisa concentrar toda sua atenção no que está acontecendo agora. Então sua reação será adequada — e você não terá tempo para notar o ambiente fictício, nem para reagir a ele.

Seu estojo de "socorros urgentes"

Traga estes pensamentos com você como uma espécie de estojo de socorros urgentes. O distúrbio interior — oposto da tranqüilidade — é quase sempre suscitado por excesso de reação, ou reação exageradamente sensível. Você cria um calmante inerente, ou uma cortina psíquica entre você e os estímulos perturbadores, quando pratica a não-reação, e "deixa que o telefone toque". Curamo-nos de antigos hábitos de excesso-de-reação, e extinguimos velhos reflexos condicionados, quando nos exercitamos em *adiar* a reação habitual, automática e irrefletida.

A relaxação é o tranqüilizante natural. Relaxação é não-reação. Aprenda a relaxação física por meio de exercícios diários. Depois, quando tiver de pôr em prática a não-reação em suas atividades cotidianas, basta apenas fazer "aquilo que faz" quando está praticando a relaxação física. Use a técnica do "refúgio mental" tanto como calmante diário para moderar suas reações nervosas como para "limpar" seu mecanismo emocional de emoções "transportadas", as quais seriam inadequadas em uma nova situação. Pare de se amedrontar com seus próprios quadros mentais. Pare de combater espantalhos. Emocionalmente, reaja apenas ao que realmente *existe* aqui e agora — e ignore o resto.

Exercício: Desenhe na imaginação, de maneira tão nítida quanto possível, um quadro mental em que você está tranqüilamente sentado, sereno e impassível, deixando que o telefone toque, tal como sugerimos no começo deste capítulo. Depois, em suas atividades do dia, "transporte" essa atitude tranqüila, imperturbada e serena, lembrando-se dessa imagem mental. Diga a si mesmo "Estou deixando que o telefone toque" sempre que se sentir tentado a "obedecer" ou reagir a algum sinal de medo ou inquietação. A seguir, use a imaginação para praticar a não-reação em vários tipos de situações: Veja a si mesmo sentado, perfeitamente calmo, enquanto um companheiro de escritório grita e se afoba a seu lado. Veja a si mesmo executando calmamente suas tarefas diárias uma por uma, sem pressa, apesar das tensões de um dia muito agitado. Veja a si mesmo mantendo o mesmo ritmo, constante e estável, apesar dos vários "sinais" de pressão e agitação do meio ambiente. Veja a si mesmo em várias situações que no passado o transtornavam — mas que agora não impedem que você permaneça tranqüilo e imperturbado — graças à técnica da não-reação.

Nosso termostato espiritual

Nosso corpo físico tem um termostato embutido, o qual é em si mesmo um servomecanismo que mantém a temperatura interna de corpo à média constante de 36,5°, independentemente do meio exterior. A temperatura ambiente pode estar abaixo de zero, mas nosso corpo conserva seu próprio clima, que oscila em torno de 36,5°. Ele é capaz de funcionar adequadamente no ambiente porque não toma o clima do ambiente. Faça frio ou calor, mantém sua própria temperatura.

Temos igualmente um termostato espiritual embutido que nos permite manter uma atmosfera espiritual constante, seja qual for o clima emocional ao redor. Muitas pessoas não usam esse termostato espiritual por não saberem que o possuem e que *não são obrigadas* a se sujeitar ao clima externo. Esse termostato espiritual é, porém, tão necessário para a saúde e bem-estar espiritual quanto o nosso termostato físico o é para a saúde do corpo. Comece a utilizá-lo agora, pondo em prática a técnica descrita neste capítulo.

CAPÍTULO XIII

COMO TRANSFORMAR UMA CRISE NUMA OPORTUNIDADE CRIADORA

CONHEÇO UM JOVEM e grande golfista que jamais conseguiu sequer colocar-se em algum torneio realmente importante. Quando joga só, ou com amigos, ou em pequenos torneios onde os riscos são baixos, seu jogo é impecável. Mas sempre que se inscreve num grande torneio, ele piora sensivelmente.

Muitos "lançadores" de beisebol jogam com absoluto controle até que se encontram em alguma situação de grande responsabilidade. Então se atrapalham, perdem o controle, e parecem não ter perícia alguma.

Por outro lado, determinados atletas atuam melhor quando sob pressão. A própria situação parece dar-lhes mais força, mais agilidade e mais perícia.

Os que se saem melhor nos momentos críticos

Por exemplo, John Thomas, da Universidade de Boston, o grande campeão de salto em altura, apresentava quase sempre melhor desempenho nas competições do que nos treinos. Em fevereiro de 1960, Thomas estabeleceu o novo recorde mundial, saltando 2,13 m no Campeonato Nacional em Recinto Fechado. Sua melhor marca nos treinos, até então, havia sido de 2,03 m.

Determinado vendedor pode se engasgar na presença de um cliente importante. Toda sua habilidade desaparece. Outro vendedor, nas mesmas circunstâncias, pode realizar uma grande venda. O desafio da situação parece trazer à tona qualidades que ele normalmente não possui. Há mulheres que são encantadoras e graciosas quando conversam com uma pessoa num pequeno grupo não-formal, mas ficam inibidas, sem jeito, apagadas, num jantar de cerimônia ou num grande acontecimento social. Por outro lado, conheço uma senhora que revela todo o seu encanto apenas quando sob o estímulo de uma grande ocasião. Quem com ela jantar a sós nada verá nela de fora do comum. Seu rosto não é dos mais bonitos. Ela é algo melancólica. Mas tudo isso muda quando ela comparece a uma reunião importante. O estímulo do momento desperta e traz à tona qualidades que ela tem em seu íntimo. Seus olhos ganham novo brilho. Sua palestra é animada e espirituosa. Até seus traços faciais parecem sofrer modificação, a ponto de começarmos a enxergar nela uma criatura realmente encantadora.

São numerosos os casos de estudantes que se saem muito bem em suas lições mas que não conseguem raciocinar durante um exame. Há outros que em nada se destacam durante as aulas, mas que fazem exames magníficos.

O segredo dos ases

A diferença que há entre essas pessoas não é alguma qualidade inerente que um tenha e o outro não. É principalmente questão de como uns e outros *aprenderam a reagir* em momentos críticos.

O "momento crítico" é uma situação que tanto pode nos fazer como nos destruir. Se reagirmos à situação de maneira adequada, a "crise" pode nos dar força, poder e sabedoria que habitualmente não possuímos. Se reagirmos inadequadamente, a crise pode aniquilar toda a perícia, o controle e a aptidão que normalmente tenhamos.

O ás no esporte, nos negócios ou em atividades sociais — o indivíduo capaz de se sair bem numa dificuldade, que atua melhor sob o acicate de um desafio, é invariavelmente aquele que, consciente ou inconscientemente, aprendeu a reagir bem ante situações críticas.

Para nos comportarmos bem numa crise, precisamos: (1) adquirir certas aptidões em condições nas quais não sejamos supermotivados; precisamos praticar sem estar sob pressão; (2) precisamos aprender a reagir à crise com uma atitude afirmativa, não defensiva; reagir ao *desafio* da situação, e não à *ameaça* dela; e conservarmos em mente o nosso alvo positivo; (3) precisamos aprender a encarar as chamadas situações de "crise" em sua verdadeira perspectiva; não fazemos de qualquer problema um bicho de sete cabeças, nem nos comportarmos como se cada pequena dificuldade fosse questão de vida ou morte.

1. Praticar sem pressão

Apesar de aprendermos depressa, nunca aprendemos bem, em situações de "crise". Jogue no rio um homem que não sabe nadar, e a própria "crise" pode dar-lhe o poder de nadar até à margem. Ele aprende depressa e, seja como for, consegue nadar. Mas, assim, jamais aprenderá o suficiente para se tornar um campeão. As braçadas ineptas e defeituosas que usou para se salvar se tornam "fixas" e ele dificilmente se corrigirá. E por sua inépcia ele corre o risco de perecer numa ocasião de verdadeira crise, em que se veja obrigado a nadar uma longa distância.

O Dr. Edward C. Tolman, da Universidade da Califórnia, psicólogo e especialista no comportamento de animais, afirma que tanto os animais como os homens formam "mapas cerebrais" ou "mapas cognitivos" do ambiente, à medida que aprendem. Quando a motivação não é muito intensa, e não há demasiada "crise" presente na situação de aprendizado, tais mapas são amplos e gerais. Quando o animal é supermotivado, o mapa cognitivo se torna estreito e restrito. O animal aprende apenas uma forma de resolver seu problema. No futuro, se essa forma única estiver bloqueada, ele se sente frustrado e não consegue descobrir soluções alternativas. Ele cria uma "reação única", estereotipada, preconcebida, e tende a perder a habilidade de reagir de maneira espontânea ante uma nova situação. É incapaz de improvisar. Só consegue obedecer a um plano preestabelecido.

A PRESSÃO RETARDA O APRENDIZADO

Numa experiência com ratos, o Dr. Tolman verificou que se permitirmos que eles *aprendam* e *pratiquem* em condições de "não-crise", posteriormente apresentarão melhor desempenho numa crise. Por exemplo, permitindo-se que os ratos percorram à vontade e explorem um labirinto quando bem alimentados e com bastante água para beber, eles *aparentemente* nada aprendem. Mais tarde, porém, quando os mesmos ratos, agora famintos, foram postos no mesmo labirinto, demonstraram ter aprendido muita coisa, pois alcançaram seu objetivo com eficiência e rapidez. A fome defrontou-lhes uma crise à qual souberam reagir satisfatoriamente.

Outros ratos, que foram obrigados a aprender o caminho no labirinto sob a pressão de fome e sede não se saíram tão bem. Haviam sido supermotivados e seus mapas cerebrais se tornaram estreitos. O único trajeto "certo" para o objetivo se tornou fixo. Bloqueando-se esse caminho, os ratos se tornavam frustrados e tinham enorme dificuldade em aprender novo percurso.

Quanto mais intensa for a crise sob a qual aprendemos, menos aprendemos. O prof. Jerome S. Bruner, da Universidade de Harvard, treinou dois grupos de ratos na travessia de um labirinto, a fim de obterem alimento. Um dos grupos, que não comia há doze horas, aprendeu o caminho em seis tentativas. O segundo grupo, que não comia há 36 horas, precisou de mais de vinte tentativas.

EXERCÍCIO CONTRA INCÊNDIO ENSINA CONDUTA DE CRISE EM SITUAÇÃO DE NÃO-CRISE

Os seres humanos reagem da mesma maneira. Pessoas que precisam sair de um edifício em chamas requerem, para aprenderem a maneira certa de sair, duas ou três vezes mais tempo do que se não houvesse incêndio. Algumas não chegam a aprender. A supermotivação afeta os processos do raciocínio. E o excesso de esforço consciente emperra o mecanismo de reação automática. Alguma coisa semelhante ao "tremor de intenção" se instala, prejudicando a capacidade de pensar com clareza. Os que conseguiram escapar do edifício aprenderam uma reação estreita e estereotipada. Quando se encontrarem num edifício diferente, ou se as circunstâncias mudarem ligeiramente — eles reagirão na segunda vez tão mal como na primeira.

O que acontecerá, porém, se fizermos essas pessoas praticarem exercícios de incêndio quando não há incêndio? Como não existe ameaça, não há excesso de retroalimentações negativas que afetem a clareza do pensamento ou a segurança da ação. Elas deixam o edifício em fila, de maneira calma, eficiente e correta. Após terem ensaiado um determinado número de vezes, podemos estar certos de que se comportarão de igual modo no caso de um incêndio de verdade. Seus músculos, nervos e cérebros memorizaram um "mapa" amplo, geral e clássico. A atitude de calma e a clareza de raciocínio serão "transportadas" do exercício para o incêndio real. Afora isso, elas aprenderam um pouco sobre como sair de qualquer edifício em chamas ou enfrentar qualquer alteração nas circunstâncias. Não estão presas a uma reação rígida; serão capazes de improvisar, de reagir espontaneamente, sejam quais forem as condições que se apresentarem.

A moral da história é evidente tanto para ratos como para seres humanos: se nos exercitarmos sem pressão aprenderemos com mais eficiência e seremos, pois, capazes de nos sair melhor numa situação de crise.

BOXE SIMULADO PARA OBTERMOS ESTABILIDADE

O antigo campeão mundial Jim Corbertt tornou popular a expressão "shadow-boxing" (boxe simulado ou sombra). Quando lhe perguntaram como conseguiu o perfeito controle do "jab" de esquerda com que derrotou John L. Sullivan, respondeu que se exercitara em atirar a esquerda à sua própria imagem, num espelho, mais de dez mil vezes, quando se preparava para a luta. Gene Tunney fez a mesma coisa. Anos antes de enfrentar Jack Dempsey no ringue, lutara mais de cem vezes com um Dempsey imaginário, na intimidade de seu próprio quarto. Obteve todos os filmes das velhas lutas de Dempsey. Estudou-os até conhecer todos os movimentos do campeão. Depois praticou o boxe simulado. Fazia de conta que tinha Dempsey pela frente. Quando o Dempsey imaginário usava um determinado golpe, Tunney respondia com o contragolpe adequado.

Sir Harry Lauder, o famoso ator e comediante escocês, admitiu certa vez que ensaiara um ato de vaudeville dez mil vezes antes de o representar para o público. Lauder estava na verdade praticando o "boxe simulado" com uma platéia imaginária. Billy Graham fazia sermões a tocos de cipreste, num pântano da Flórida, antes de adquirir a arrebatadora personalidade que o distingue como orador. Quase todos os bons oradores fizeram coisa semelhante. A forma mais comum de "boxe simulado" para quem pratica a oratória é falar com sua própria imagem num espelho. Um homem que conheço enfileira seis ou oito cadeiras vazias, faz de conta que vê pessoas sentadas nelas e dirige seus discursos à platéia imaginária.

UM EXERCÍCIO TRANQÜILO TRAZ MELHOR APROVEITAMENTO

Alguns atletas treinam na intimidade com o mínimo de pressão possível. Tanto eles próprios como seus treinadores se recusam a permitir a presença de jornalistas e se negam até a distribuir notícias sobre os treinos, com vistas à publicidade, a fim de se protegerem contra o perigo de pressões. Tudo é feito de modo a que os exercícios sejam realizados com a máxima calma e a maior isenção de pressão possíveis. O resultado é que eles enfrentam a "crise" representada pela competição quase como se fossem destituídos de nervos, sem a menor preocupação com os resultados, mas confiantes em que sua "memória muscular" executará fielmente os movimentos aprendidos.

A técnica do "boxe simulado", ou "exercício sem pressão" é tão simples, e os resultados são tão espetaculares, que muitos a confundem com alguma espécie de mágica. Lembra-me, por exemplo, uma dama da alta sociedade que havia anos vinha experimentando nervosismo e constrangimento em situações sociais. Após praticar o "boxe simulado" ela me escreveu: "...Devo ter ensaiado cem vezes ou mais uma *grand entrante* em meu *living* vazio. Descia para o *living,* estendia a mão a numerosos convidados imaginários. Sorria e tinha para cada um deles uma expressão agradável, pronunciando as palavras em voz alta. Depois me movimentava entre os "convidados", tagarelando um pouco aqui e ali. Ensaiava a maneira de caminhar, sentar e falar com graça e autoconfiança.

"Não lhe sei dizer como estou feliz — e um pouco surpresa também — pela maravilhosa noite que passei no baile do G. Senti-me serena e confiante. Surgiram várias situações que eu não previra e nem ensaiara, e no entanto me surpreendi a improvisar impecavelmente as soluções. Meu marido não tem dúvidas de que o senhor praticou em mim alguma espécie de feitiço..."

O BOXE SIMULADO TRAZ À TONA A AUTO-EXPRESSÃO

A palavra "expressar" significa literalmente manifestar, revelar. A palavra "inibir" significa restringir, embaraçar, impedir. A auto-expressão é a manifestação, a revelação dos poderes, talentos e aptidões da pessoa. Significa ligar nossa própria lâmpada e deixá-la brilhar.

A auto-expressão é uma reação afirmativa. A inibição é uma reação negativa. Ela sufoca a auto-expressão, apaga ou escurece a nossa lâmpada.

No boxe simulado praticamos a auto-expressão sem a presença de condições inibidoras. Aprendemos os movimentos corretos. Formamos um "mapa mental" que é retido na memória. Um mapa amplo, geral, elástico. Então, ao termos que enfrentar uma crise na qual esteja presente uma ameaça de verdade, ou um fator inibidor, teremos aprendido a agir de maneira calma e correta. Há em nossos músculos, nervos e cérebro um "transporte" do treinamento para a situação real. Além disso, pelo fato de nosso aprendizado ter sido tranqüilo e isento de pressão, estaremos aptos a nos portar à altura da situação, improvisar e agir espontaneamente. Ao mesmo tempo, nosso "boxe-simulado" estará construindo uma auto-imagem em que nos vemos agindo de maneira correta e vitoriosa. A lembrança dessa auto-imagem bem-sucedida contribui também em que nos vemos agindo de maneira correta e vitoriosa.

O TIRO SIMULADO É O SEGREDO DA BOA PONTARIA

Os novatos na prática do tiro verificam que quase sempre são capazes de segurar a arma com absoluta imobilidade, enquanto não procuram atirar. Quando apontam a arma descarregada a um alvo, a mão permanece firme. Mas quando, com a arma carregada, procuram fazer um tento, surge o "tremor de intenção". O cano da arma sobe e desce, vai para a frente para trás, mais ou menos como acontecia com a mão do leitor quando tentava enfiar uma agulha' (v. Capítulo II).

Os bons instrutores de tiro são quase unânimes em preconizar bastante tiro-ao-alvo simulado para corrigir essa dificuldade. Com calma e deliberação o aluno aponta, engatilha e "atira" num alvo pregado à parede. Com calma e deliberação presta atenção em como segura a arma, se ela está inclinada ou não, se ele não está fazendo muita pressão no gatilho. Adquire bons hábitos, calmamente. Não há aí "tremor de intenção" porque não há excesso de cuidado, nem de preocupação com os resultados. Após fazer alguns milhares desses "tiros a seco", o novato verifica que já é capaz de segurar a arma carregada, e até mesmo atirar, sem deixar de manter a mesma atitude mental, e executando os mesmos movimentos calmos e deliberados.

Um meu amigo aprendeu a atirar em codornas de maneira mais ou menos semelhante a essa. O ruflar das asas e o grito da codorna quando levantava vôo, e a ansiedade dele com o resultado — ou seja, supermotivação — faziam com que ele errasse quase todos os tiros. Em sua seguinte caçada, e após ter aprendido sobre o boxe simulado, levou consigo, no primeiro dia, uma espingarda descarregada. Não havia razão para ficar agitado, uma vez que não podia atirar. Quem leva uma espingarda sem balas não tem motivos para supermotivação!

Naquele dia "alvejou" umas vinte codornas. Depois dos primeiros seis "tiros", todo o seu nervosismo e ansiedade se dissiparam. Seus companheiros temiam que ele tivesse perdido alguns parafusos.... Mas ele se redimiu no dia seguinte, após matar suas primeiras oito codornas, tendo abatido um total de quinze aves com apenas dezessete tiros!

O BOXE SIMULADO AJUDA-NOS A ACERTAR NA BOLA

Não faz muito tempo, visitei num domingo um amigo que mora num subúrbio de Nova York. Seu filho de dez anos sonhava tornar-se um astro de beisebol. A posição dele era correta, mas não conseguia acertar na bola. Cada vez que seu pai lhe atirava a bola através do quadrilátero, ele se enrijecia — e a errava por mais de vinte centímetros. Resolvi fazer alguma coisa. "Você está tão ansioso por acertar na bola, e com tanto medo de errar, que nem a consegue ver com clareza", disse-lhe. Essa tensão e ansiedade interferiam com a visão e os reflexos do garoto — os músculos do braço não executavam as ordens do cérebro.

"Nos próximos dez arremessos", aconselhei, "não tente acertar na bola. Não tente nem um pouquinho. Conserve o bastão no ombro. Mas observe a bola com *muito* cuidado. Fixe os olhos nela desde que sai da mão de seu pai até passar por você. Mantenha-se calmo, com os músculos soltos, e apenas observe a bola passar".

Depois que ele fez dez experiências dessas, eu disse: "Agora observe a bola passar, mantenha o bastão no ombro, mas faça de conta que vai girar o bastão de maneira que ele acerte na bola — com firmeza e em cheio." A seguir aconselhei-o a que continuasse a "se sentir da mesma maneira", a observar a bola atentamente, e a "deixar" que o bastão girasse e desse na bola, sem qualquer preocupação em atingi-la com força. Ele acertou na primeira tentativa. Após ter acertado, assim, uns golpes fáceis, atirava já a bola a meio quilômetro de distância. E eu conquistei um amigo para sempre.

O VENDEDOR QUE SE EXERCITAVA EM "NÃO" VENDER

Você pode usar a mesma técnica para "acertar na bola" em vendas, no ensino, ou na direção de um negócio. Um jovem vendedor me consultou queixando-se de que "esfriava" sempre que tinha de visitar um novo cliente. Seu grande problema era a incapacidade de refutar as objeções do cliente. "Quando o cliente levanta uma objeção, ou quando critica meu produto, não acho o que dizer naquele instante. Posteriormente, me ocorrem várias maneiras satisfatórias de responder à objeção."

Falei-lhe a respeito do boxe simulado e do menino que aprendeu a acertar na bola deixando que ela passasse enquanto mantinha o bastão no ombro. Ponderei que para acertar na bola de beisebol, ou para raciocinar depressa, precisamos ter bons reflexos. Nosso Mecanismo de Êxito automático deve reagir de maneira adequada e automática. Excesso de tensão, de motivação, ou de ansiedade em relação aos resultados emperram o mecanismo. "Você mais tarde se lembra de respostas apropriadas porque está calmo e a pressão se desfez. Seu problema é que você não está reagindo com rapidez e espontaneidade às objeções que o cliente apresenta. Em outras palavras, não está acertando nas bolas que ele lhe atira."

Recomendei-lhe antes de tudo que praticasse um certo número de entrevistas imaginárias — entrar no escritório, apresentar-se ao cliente, expor sua mensagem de vendas — depois imaginar todas as objeções possíveis, por absurdas que parecessem, e respondê-las em voz alta. A seguir, devia ensaiar "com o bastão no ombro", com um cliente de verdade. Devia entrar com a "espingarda descarregada", no tocante ao seu objetivo e intenções. A finalidade dessa entrevista não seria vender — ele devia se conformar em sair sem o pedido. Seria fazer um treino — treino com "o bastão no ombro", com a "espingarda descarregada". Nas próprias palavras do meu jovem consulente, esse boxe simulado teve o efeito "de um passe de mágica".

Quando estudante de medicina, eu praticava o boxe simulado operando em cadáveres. Esse treino isento de pressão me ensinou muito mais do que mera técnica. Deu ao futuro cirurgião calma, deliberação, clareza de raciocínio, porque praticara essas qualidades em condições que não eram "de vida ou morte"

COMO FAZER SEUS NERVOS TRABALHAREM PARA VOCÊ

A palavra "crise" vem de uma raiz grega que significa literalmente "decisão" ou "ponto de decisão". A crise é a bifurcação no caminho. Um ramo encerra a promessa de melhores condições; o outro, de condições piores. Na Medicina, a "crise" é um ponto crítico, onde o paciente ou piora e morre, ou melhora e sobrevive. Toda situação de crise tem pois duas saídas. Mas se pudermos manter uma atitude ativa, reagir de maneira positiva em vez de negativa ante as ameaças e crises, a própria situação pode atuar como estímulo para a liberação de forças latentes.

Há alguns anos, os jornais noticiaram o caso de um negro "gigantesco" que fez o que vinte homens e três carros-socorro não conseguiram. Deslocou a cabina metálica de um caminhão, amassado num desastre, e libertou o chofer, que estava preso entre os destroços. Arrancou fora, com as mãos nuas, o pedal de freio, em que estavam entalados os pés do motorista. E apagou — com as mãos — as labaredas que se espalhavam no chão da cabina. Posteriormente, quando o "gigante" foi localizado e identificado, verificou-se que não era propriamente um gigante. Charles Dennis Jones tinha 1,85 m de altura e pesava uns cem quilos. Sua explicação para o fato extraordinário: "Odeio o fogo." Quatorze meses antes, sua filhinha de oito anos perecera queimada num incêndio que lhe destruíra a casa. ("O Homem Não Sabe do Que É Capaz", *Reader's Digest,* outubro de 1952.) Conheço um homem de compleição franzina, que com as mãos nuas conseguiu, não se sabe como, tirar o piano de dentro de sua casa, descer com ele três degraus, fazê-lo subir numa guia de dez centímetros de altura, e levá-lo para o meio do gramado, quando o prédio estava pegando fogo. Haviam sido necessários seis carregadores para pôr aquele piano na casa. Mas um homem que nada tinha de robusto, sob o estímulo da excitação e de uma crise, removeu-o sozinho.

2. A "crise" traz força

O neurologista J. A. Hadfield realizou extensos estudos sobre os poderes extraordinários — físicos, mentais, emocionais e espirituais — que acorrem em auxílio de homens e mulheres comuns, nos momentos de crise. "É maravilhoso como o poder salta em nosso auxílio em qualquer ocasião de emergência", diz ele. "Vivemos vidas tímidas, fugindo a tarefas difíceis, até que somos forçados a enfrentá-las e imediatamente parece que liberamos as forças invisíveis. Quando temos de fazer face ao perigo, vem a coragem; quando as atribulações nos submetem a longos sofrimentos, descobrimos possuir a força necessária para suportá-los; ou quando o desastre traz afinal a ruína que tanto temíamos, sentimos sob nós, a nos sustentar, uma força como a dos troncos gigantes. A experiência comum nos ensina que quando se exigem de nós ingentes sacrifícios, *se aceitamos sem temor o desafio e confiantemente expandirmos nossa força* todo o perigo ou dificuldade traz consigo sua própria força — "Como são teus dias assim é a tua força."(*)

O segredo está na atitude que se resume em "aceitar sem temor o desafio" e "confiantemente expandir nossa força".

Significa isto manter uma atitude positiva, dirigida para um objetivo, em lugar de uma atitude defensiva, vacilante ou negativa. "Não importa o que aconteça, estou pronto para enfrentar e resolver a situação", e não: "Faço votos para que nada aconteça."

TENHA EM MENTE O SEU OBJETIVO

A essência dessa atitude positiva está em permanecermos orientados para um objetivo. Não perca de vista seu alvo positivo. Você pretende "atravessar" a crise para atingir o seu objetivo. Mantenha seu alvo positivo original, e não deixe que a situação de crise desvie você para objetivos secundários — desejo de fugir, evitar, ocultar-se. Ou, nas palavras de William James, sua atitude deve ser de "luta" e não de medo ou de fuga. Se assim procedermos, a própria situação

---

(*) J. A. HADFIELD, *The Psychology of Power* (A Psicologia do Poder).

de crise atua como estímulo que *libera força adicional*, para nos ajudar a alcançar o objetivo.

Disse Lecky que a finalidade da emoção é trazer "reforço", força adicional, e não servir como sinal de fraqueza. Acreditava ele que havia apenas uma emoção básica — a "excitação" — e que esta se manifesta como medo, cólera, coragem, etc., tudo dependendo de nossos objetivos íntimos na ocasião, isto é, se estamos intimamente preparados para vencer um obstáculo, para fugir dele ou para destruí-lo. "O verdadeiro problema não está em dominar a emoção, mas sim na escolha da tendência que deva receber o reforço emocional." (Prescott Lecky, *Self Consistency, A Theory of Personality* — Autoconsistência, uma Teoria da Personalidade.)

Se nossa intenção — nossa atitude-objetivo — é avançar, aproveitar ao máximo a situação de crise, e vencer a despeito dela, então a excitação da ocasião *reforçará* essa tendência, nos dará mais coragem e mais força, para avançar. Se perdermos de vista nosso objetivo original, e se nossa atitude-objetivo passar a ser a de fugir da crise, contorná-la ou evitá-la — essa tendência de fuga será também reforçada, e experimentaremos então medo ou ansiedade.

NÃO CONFUNDIR EXCITAÇÃO COM MEDO

Muitos cometem o erro de interpretar o sentimento de excitação como sendo medo e ansiedade, e o têm portanto como prova de inadequação. Toda pessoa normal, que é bastante inteligente para compreender as situações em que se encontra, fica "excitada" ou "nervosa" logo antes de uma situação de crise. Essa excitação, enquanto não a dirigirmos para um objetivo, não significa medo, coragem, confiança, nem outra coisa qualquer a não ser um acelerado — e reforçado — suprimento de vapor emocional em nossa caldeira. *Não é sinal de fraqueza. É, sim, um sinal de força adicional para ser usada da maneira que quisermos.* Jack Dempsey, o grande campeão de boxe, ficava de tal modo nervoso antes de uma luta que não podia sentar-se nem ficar parado. Ele porém não considerava essa excitação como sinal de medo. Não achava que devia fugir por causa dela. Ia para frente e usava a excitação para pôr ainda mais dinamite em seus punhos.

Artistas veteranos sabem que este sentimento de excitação antes de uma representação é bom sinal. Muitos deles, propositadamente, excitam-se emocionalmente logo antes de irem para o palco. O bom soldado é em geral o que se sente nervoso antes do combate.

Muitos amantes do turfe fazem suas apostas baseados no "nervosismo" dos cavalos logo antes de irem para a linha de partida. Os treinadores sabem também que o cavalo que se põe fogoso e animado antes da prova correrá melhor do que habitualmente. O termo "animado", aliás, é bom. A excitação que sentimos antes de uma situação crítica é uma infusão de "alma", e assim devemos interpretá-la.

Não faz muito tempo, encontrei num avião um conhecido que não via há vários anos. No decorrer de nossa conversa, perguntei-lhe se ainda fazia tantos discursos como no passado. Respondeu que sim. Havia aliás várias vezes trocado de emprego de modo a aumentar suas oportunidades de falar em público, e agora fazia pelo menos um discurso por dia. Conhecendo seu gosto para a oratória, comentei que ele devia estar satisfeito por ter conseguido um emprego como esse. "Sim", respondeu, "de certo modo é verdade. Mas por outro lado não tanto. Já não faço tantos discursos bons como antes. Falo agora com tanta freqüência que para mim se tornou 'carne de vaca', e já não sinto mais aquela sensação na boca do estômago que me diz que estou me saindo bem".

Há pessoas que ficam tão nervosas durante uma prova escrita que se tornam incapazes de pensar claramente ou até mesmo de segurar o lápis com firmeza. Outros, nas mesmas circunstâncias, ficam estimulados a ponto de se superarem a si mesmos. Sua inteligência funciona melhor e com mais acuidade que de costume. A memória se aguça. Não é a excitação em si que faz a diferença, e sim o *modo como é usada*.

3. "Qual é o pior que pode acontecer?"

Muitos propendem a ampliar desmedidamente o potencial de "castigo" ou "fracasso" contido numa situação crítica. Usamos nossa imaginação contra nós mesmos e vemos montanhas onde há apenas cupinzeiros. Ou então não usamos nossa imaginação para "ver" o que a situação pode realmente acarretar. Por força do hábito, e irrefletidamente, reagimos como se qualquer ameaça insignificante fosse questão de vida ou morte.

Quando nos defrontamos com uma crise *de verdade* necessitamos de boa dose de excitação. A excitação, numa situação de crise, pode ser usada com proveito. Contudo, se superestimarmos o perigo ou a dificuldade, se reagirmos a informações falsas, deformadas ou fantasiosas, seremos possivelmente presas de excitação muito maior do que a ocasião exige. Por ser a ameaça muito menor do que esperávamos, não podemos utilizar toda essa excitação apropriadamente. Não podemos nos "desfazer dela" através de ação criadora. Assim, uma excitação emocional excessiva prejudica em vez de ajudar a realização, pelo simples fato de ser inadequada.

O filósofo e matemático Bertrand Russell falava de uma técnica que aplicou em si mesmo, com excelentes resultados, para atenuar a excitação excessiva: "Quando alguma desventura o ameaçar, considere seriamente o que de pior poderá acontecer. Após encarar de frente o infortúnio, dê a si mesmo boas razões para pensar que, afinal de contas, a calamidade não seria tão grande. Tais razões sempre existem, pois na pior das hipóteses, nada que possa suceder ao indivíduo tem importância cósmica. Após encarar durante tempo, e com firmeza, a pior das possibilidades, e dizer a si mesmo com muita convicção: "Bem, isto afinal não teria grande importância", você verá que suas apreensões diminuem extraordinariamente. Pode ser necessário repetir o processo algumas vezes, mas no final, se não receou considerar a pior eventualidade possível, você descobrirá que sua preocupação se esvai inteiramente, vindo em seu lugar uma espécie de euforia." (Bertrand Russell, *The Conquest of Happiness* — A Conquista da Felicidade.)

COMO CARLYLE ENCONTROU CORAGEM

Carlyle, o grande filósofo e historiador escocês, foi testemunha de como este processo modificou seu ponto de vista, que era de um "permanente não", para um "permanente sim". Achava-se ele numa fase de profunda depressão espiritual. "Minha estrela polar se eclipsara; naquele sobrecéu tenebroso não luzia astro algum. O universo era uma gigantesca, morta e incomensurável máquina a vapor, a rolar para a frente, em sua inanimada indiferença, para me esmagar membro por membro." Então, no meio dessa bancarrota espiritual, surgiu uma nova maneira de vida. "E perguntei a mim mesmo: 'Que receias? Por que, semelhante a um covarde, te queixas e reclamas, te encolhes e tremes? Bípede abjeto! Qual é o pior que te pode acontecer? A morte? Pois bem, a morte; e digamos também que o tormento dos Infernos e tudo quanto o demônio e o homem queiram e possam contra ti! Não tens um coração? Não podes suportar o que quer que seja e, como Filho da Liberdade, ainda que desamparado, calcar aos pés o próprio Inferno, enquanto ele te consome? Que ele venha, então: eu o enfrentarei e desafiarei!'

"E enquanto eu assim pensava, uma torrente de fogo como que invadiu toda a minha alma; e eu sacudi de mim, para sempre, o vil temor. Eu era forte, de uma força desconhecida; era um espírito, quase um Deus. Desde então, a índole do meu tormento se modificou: já não era medo, nem a lamuriante Tristeza, mas Indignação e o implacável Desafio de olhos de fogo." (Th. Carlyle, *Sartor Resartus*.)

Russell e Carlyle ensinam-nos, assim, como mantermos uma atitude positiva, autônoma, dirigida para um objetivo, ainda que na presença de ameaças e perigos reais.

FAZER DE PROBLEMINHAS BICHOS-DE-SETE-CABEÇAS

A maioria das pessoas, entretanto, se resignam a ser desviadas por ameaças insignificantes, quando não imaginárias, que insistem em interpretar como situações de vida ou morte. Disse alguém que a causa mais comum de úlceras do estômago é a transformação de pequenos problemas em bichos-de-sete-cabeças. A debutante que enfrenta seu primeiro baile pode se comportar como se fosse defender sua vida. Muitas pessoas que vão ser entrevistadas para um emprego agem como se estivessem aterrorizadas. E assim por diante.

Esse sentimento de "vida ou morte", que muitos experimentam em qualquer espécie de situação crítica, é talvez herança do nosso obscuro e distante passado, quando o "fracasso", para o homem primitivo, em geral significava "morte". Qualquer que seja sua origem, porém, a experiência que tive com inúmeros pacientes mostrou que esse sentimento pode ser curado, analisando-se a situação de maneira serena e racional. Pergunte a si mesmo: "Qual a coisa pior que pode acontecer se eu fracassar?", ao invés de reagir automaticamente, de maneira cega e irracional.

QUE É QUE VOCÊ TEM A PERDER?

Um exame atento bastará para mostrar que a maioria das chamadas "situações críticas" de todos os dias não são questões de vida ou morte, e sim *oportunidades*, seja para progredirmos, seja para ficarmos onde estamos. Por exemplo, o que de pior pode acontecer a um vendedor? Ele ou obterá o pedido, e estará em melhores condições do que antes — ou não o obterá, e não estará pior do que antes de fazer a visita. O candidato a um emprego conseguirá o emprego ou não o conseguirá. Se não o conseguir, estará na mesma posição de antes. A debutante, o pior que pode acontecer é ela permanecer como era antes do baile; relativamente desconhecida, e não chegar a produzir grande comoção nos círculos sociais.

Poucas pessoas se compenetram do significado que uma pequena mudança de atitude, como essa, pode ter. Conheço um vendedor que duplicou seus rendimentos depois que substituiu sua atitude, que era de medo, pânico, e que se resumia no pensamento "Tudo depende disto", por outra, consubstanciada nesta frase: "Tenho tudo a ganhar e nada a perder."

Walter Pidgeon, o conhecido ator cinematográfico, relatava como sua primeira apresentação ao público redundou em total fracasso. Ele estava literalmente apavorado. Contudo, entre dois atos, raciocinou com seus botões que já havia mesmo fracassado e, portanto, não tinha mais o que perder; que se naquele instante desistisse de representar seria um completo fracasso como ator. Não havia pois razões para ter medo de retornar ao palco. Voltou para o segundo ato calmo e confiante, e fez enorme sucesso.

Lembre-se, acima de tudo, que a chave de qualquer situação crítica é você. Pratique e aprenda as técnicas, todas elas muito simples, que delineamos neste capítulo, e, a exemplo de centenas de outras pessoas, aprenderá a fazer com que a "crise" trabalhe por você, bastando que a transforme numa oportunidade criadora.

CAPÍTULO XIV

COMO OBTER O "SENTIMENTO DE VITÓRIA"

Nosso MECANISMO criador automático é teleológico. Quer dizer, opera em termos de objetivos e resultados. Desde que lhe damos um alvo definido para atingir, podemos confiar em que seu sistema de direção automática nos levará a esse alvo muito melhor do que "nós" seríamos capazes de fazer através do raciocínio consciente. "Nós" fornecemos o alvo, ao pensarmos em termos de resultados finais. Nosso mecanismo automático, então, fornece os "meios" para alcançá-lo. Se nossos músculos precisarem, para isso, executar algum determinado movimento, nosso mecanismo automático os guiará de maneira muito mais precisa e delicada do que nós poderíamos fazer pelo raciocínio. Se precisarmos de idéias, nosso mecanismo automático está, também, apto a fornecê-las.

Pense em termos de possibilidades

Mas para conseguirmos isso — "nós" precisamos fornecer o objetivo. E para fornecermos um objetivo capaz de ativar nosso mecanismo criador, precisamos pensar no objetivo *em termos de uma possibilidade atual*. A *possibilidade* do objetivo deve ser vista de maneira tão nítida que se torne "real" para o nosso cérebro e sistema nervoso. Tão real, na verdade, que fará com que sejam evocados sentimentos iguais aos que ocorreriam se o alvo já tivesse sido alcançado.

Isto não é tão difícil nem tão místico como possa parecer à primeira vista. O leitor e eu fazemos isso todos os dias. Por exemplo, o que são as inquietações em torno de possíveis resultados adversos, acompanhadas de sentimentos de ansiedade, incapacidade, ou talvez humilhação? Sentimos, praticamente, de antemão, as mesmas emoções que seriam adequadas para o caso de termos fracassado. Desenhamos para nós mesmos o fracasso, não vagamente, nem em linhas gerais, mas vividamente com abundância de detalhes. E repetimos para nós mesmos imagens de fracasso, muitas e muitas vezes. Procuramos na memória e de lá tiramos imagens de fracassos passados.

Lembre-se do que frisamos antes: nosso cérebro e sistema nervoso não distinguem a diferença entre a experiência real e a que foi *vividamente imaginada*. Nosso mecanismo criador automático sempre age e reage adequadamente ao meio ambiente, às circunstâncias ou à situação. A única informação de que ele dispõe sobre o meio ambiente, as circunstâncias ou a situação é *aquilo que pensamos ser verdade* a respeito dessas coisas.

Nosso sistema nervoso não distingue um fracasso verdadeiro de um fracasso imaginário

Assim, se nos detivermos no fracasso e continuamente o desenharmos para nós mesmos, com detalhes tão nítidos que ele se torne "real" para o nosso sistema nervoso, experimentaremos todos os sentimentos que acompanham o fracasso. Por outro lado, se conservarmos em mente o nosso alvo positivo, se o desenharmos para nós mesmos de maneira vívida a ponto de o tornar "real", e nele pensarmos em *termos* de fato consumado, experimentaremos, por igual razão, os "sentimentos de vitória": autoconfiança, coragem, e fé em que os resultados serão os que desejamos.

Não podemos, conscientemente, espiar dentro do nosso mecanismo criador e ver se ele está engrenado para o êxito ou para o fracasso. Mas podemos determinar sua "tendência", por meio dos nossos sentimentos. Quando ele está "armado para o êxito", experimentamos o "sentimento de vitória".

Preparando sua maquinaria para o êxito

E se segredo existe para o controle do seu mecanismo criador inconsciente, tal segredo é este: invoque, capture o *sentimento de êxito*. Quando nos sentimos vitoriosos e confiantes, agimos com êxito. E se este sentimento for realmente forte, de maneira nenhuma fracassaremos. Não é o "sentimento de vitória", em si, que nos leva a agir com êxito, ele é antes um indício ou sintoma de que estamos engrenados para o êxito. É mais como o termômetro, que não traz calor a uma sala — ele mede o calor. Contudo, podemos usar esse termômetro de forma muitíssimo prática. Lembre-se: Quando você experimenta o "sentimento de vitória", sua maquinaria interna está engrenada para o êxito.

Um exagerado esforço consciente para conseguir a espontaneidade tende a destruir a ação espontânea. É muito mais fácil e eficiente definir, simplesmente, o seu objetivo. Desenhe-o mentalmente de maneira clara e vívida. Basta depois capturar o *sentimento* que você experimentaria se o objetivo tivesse sido atingido. Você estará então agindo de maneira espontânea e criadora. Estará usando os poderes do seu subconsciente. Sua maquinaria interna estará então engrenada para o êxito: para orientar você no sentido de fazer os movimentos e ajustes musculares corretos; para supri-lo de idéias criadoras, e fazer tudo que for preciso para transformar o objetivo em fato consumado.

"Isto é difícil mas pode ser feito"

Há realmente mágica nesse "sentimento de vitória". Ele é, aparentemente, capaz de eliminar obstáculos e impossibilidades. Pode usar erros e falhas para alcançar o sucesso. J. C. Penney conta como ouviu o pai dizer em seu leito de morte: "Sei que Jim vencerá na vida." Daquele dia em diante, Penney sentiu que teria êxito — seja lá como fosse, embora não possuísse bens, nem dinheiro, nem grande instrução. A cadeia de lojas J. C. Penney foi erguida sobre muitas circunstâncias impossíveis e momentos desencorajadores. Sempre, porém, que Penney se sentia desanimado, lembrava-se da predição do pai e então "sentia" que, de uma forma ou outra, encontraria meios de vencer o obstáculo que tinha pela frente.

Após fazer fortuna, perdeu-a numa idade em que a maior parte dos homens já estão de há muito aposentados. Achou-se sem vintém, já em idade madura, e com poucas evidências tangíveis que lhe alimentassem novas esperanças. Mas de novo lhe vieram à memória as palavras do pai, e ele sem demora reconquistou o sentimento de vitória, que agora já lhe era habitual. Reconstruiu a fortuna, e dentro de poucos anos operava com maior número de lojas do que antes.

Disse Henry J. Kaiser: "Quando tenho uma tarefa áspera e desafiadora para ser feita, procuro alguém que tenha entusiasmo e otimismo pela vida, que enfrente seus problemas cotidianos com animada confiança, que demonstre coragem e imaginação, que tempere seu espírito alegre com planejamento cuidadoso e trabalho duro, e que diga:
— "Isto é difícil, mas pode ser feito."

Como o sentimento de vitória trouxe êxito a Les Giblin

Les Giblin, fundador da famosa Clínica de Relações Humanas Les Giblin, e autor do livro *How to Have Power and Confidence in Dealing With People* (Como Ter Poder e Confiança no Trato com as Pessoas), leu o primeiro rascunho deste capítulo, depois me contou como a imaginação, mais o sentimento de vitória, obraram como mágica em sua própria carreira. Les fora durante anos excelente vendedor e gerente de vendas. Havia feito alguns trabalhos de relações públicas, e ganhara certa reputação como especialista em relações humanas. Gostava do trabalho, mas queria ampliar seu campo de atividades. Seu grande interesse eram os seres humanos, e após anos de estudo, tanto teórico como prático, acreditou que tinha algumas soluções para os problemas que os homens às vezes têm com seus semelhantes. Queria fazer conferências sobre relações humanas. Seu grande obstáculo, porém, era sua pouca experiência de falar em público.

"Uma noite", disse-me Les, "estava eu deitado meditando no meu grande desejo. A única experiência que tinha tido como orador foi quando me dirigia a pequenos grupos de meus próprios vendedores em reuniões de vendas, e um pouco também no Exército, onde servi como instrutor. O próprio pensamento de me erguer diante de um grande auditório me aterrorizava. Não podia imaginar a mim mesmo fazendo tal coisa com êxito. E no entanto era capaz de falar aos meus vendedores com absoluta naturalidade. E falava a grupos de soldados sem nenhum constrangimento. Ali, deitado na cama, recapturei mentalmente o sentimento de êxito e confiança que eu tinha quando dirigia a palavra a esses pequenos grupos. Recordei todos os pequenos detalhes incidentais que acompanharam minha sensação de autoconfiança. Depois, em imaginação, vi a mim mesmo em pé diante de um gigantesco auditório, discorrendo sobre relações humanas — e ao mesmo tempo experimentando a sensação de aprumo e confiança que tivera diante dos pequenos grupos. Vi a mim mesmo em detalhe, exatamente como iria me pôr de pé. Sentia até a pressão dos pés no soalho, via a expressão das pessoas, e ouvia-lhes os aplausos. Vi a mim mesmo discursando com brilho — e com retumbante êxito.

"Alguma coisa pareceu estalar em minha inteligência. Sentia-me eufórico. Naquele preciso momento, senti que 'seria capaz'. Eu fundira o sentimento de confiança e êxito do passado ao quadro de minha carreira futura, o qual eu desenhara na imaginação. Era tão real o meu sentimento de êxito que eu não tinha mais dúvida de que triunfaria. Consegui o que você chama de 'sentimento de vitória', que aliás nunca mais me abandonou. Embora parecesse não haver porta aberta para mim naquela ocasião, e o desejo se afigurasse irrealizável, em menos de três anos vi meu sonho concretizar-se — quase exatamente igual, até nos pormenores, ao que eu imaginara e sentira. Por ser eu relativamente desconhecido, e como carecia de experiência, nenhuma agência queria me dar trabalho. Isso porém não me deteve. Passei a ser meu próprio empresário, como ainda sou. E tenho mais compromissos para palestras e conferências do que jamais poderei atender."

Hoje Les Giblin é conhecido como grande autoridade em relações humanas. Não é raro, para ele, ganhar vários milhares de dólares em uma só noite de trabalho. Mais de duzentas entre as grandes firmas norte-americanas lhe pagaram já milhares de dólares para dirigir cursos de relações humanas para seus funcionários. Seu livro *How* to Have Confidence and Power (Como Ter Confiança e Poder) se tornou um clássico na matéria. E tudo começou com um quadro em sua imaginação, e mais aquele "sentimento de vitória".

Como a ciência explica o sentimento de vitória

A cibernética projeta nova luz sobre a maneira como atua o sentimento de vitória. Mostramos anteriormente como os servomecanismos eletrônicos utilizam dados acumulados, comparáveis à memória humana, para "relembrar" ações bem-sucedidas e repeti-las. O aprendizado de uma aptidão é sobretudo questão de se fazerem tentativas (errar-e-acertar) até que um certo número de ações bem-sucedidas fique registrado na memória.

Os cientistas especializados em cibernética construíram o que chamaram de "rato eletrônico", que é capaz de descobrir o caminho através de um labirinto. Na primeira tentativa o rato comete grande número de erros. Ele constantemente vai de encontro a paredes e obstruções. Mas cada vez que dá com uma obstrução, vira 90 graus e tenta de novo. Se for de encontro a outra parede, dá outras viradas e vai de novo para a frente. Finalmente, após muitos erros, paradas e viradas, o rato atravessa o labirinto. O rato eletrônico, porém "se lembra" das viradas bem-sucedidas, e na vez seguinte reproduz os movimentos certos, atravessando o labirinto com rapidez e eficiência.

A finalidade do exercício é fazer tentativas repetidas, corrigir constantemente os erros, até marcar um "tento". Após obter-se um molde de ações bem-sucedidas, esse molde é armazenado não somente no que chamamos de "memória consciente", como também em nossos próprios nervos e tecidos. A linguagem popular é muitas vezes surpreendentemente intuitiva e descritiva. Quando dizemos: "Eu sentia nos ossos que seria capaz de fazer tal coisa", não estamos muito longe da verdade. Descrevemos assim, de maneira muito adequada, os últimos conceitos científicos do que se passa na mente humana quando aprendemos, imaginamos ou recordamos.

Como nosso cérebro registra o sucesso e o fracasso

Especialistas no setor de fisiologia do cérebro, como o Dr. John C. Eccles e *Sir* Charles Sherrington, dizem-nos que o córtex humano se compõe de aproximadamente dez bilhões de neurônios, cada um com numerosos axones (apalpadores ou "fios de extensão") que formam sinapses (ligações elétricas) entre os neurônios. Quando pensamos, recordamos ou imaginamos, esses descarregam uma corrente elétrica que pode ser medida. Quando aprendemos ou experimentamos alguma coisa, um molde de neurônios formando uma "cadeia" se instala no tecido cerebral. Nesse molde os arranjos e as ligações elétricas entre os vários neurônios são mais ou menos semelhantes ao molde magnético gravado em uma fita. O mesmo neurônio pode assim ser parte de qualquer que seja o número de moldes distintos e separados, tornando quase que ilimitada a capacidade que o cérebro possui de aprender e recordar. Esses moldes, ou "engramas", são armazenados no tecido cerebral para uso futuro, e são reativados, ou "reproduzidos", sempre que recordarmos uma experiência passada.

Diz o Dr. Eccles: "O número de interligações entre as células da massa cinzenta ultrapassa toda imaginação; é de tão grande alcance, que o córtex todo pode ser considerado como uma grande unidade de atividade integrada. Se insistirmos em encarar o cérebro como sendo uma máquina, devemos então dizer que é, sem termos de comparação, a máquina mais complicada que existe. Somos tentados a afirmar que é infinitamente mais complicada que a mais complexa das máquinas feitas pelo homem — o computador eletrônico." ("The Physiology of Imagination" — A Fisiologia da Imaginação — *Scientific American*, setembro de 1958.)

Em suma, a ciência confirma que há em nosso cérebro uma "tatuagem", ou molde de engramas, para cada ação bem-sucedida que tenhamos executado no passado. E se soubermos fornecer a centelha para reviver esse molde de ação, isto é, "reproduzi-lo", ele se executará a si mesmo, e tudo que temos a fazer é "deixar que a natureza siga seu caminho".

Quando reativamos os moldes de ações bem-sucedidas no passado, reativamos igualmente o "tom" de sentimento, ou o "sentimento de vitória" que os acompanhou. Pela mesma razão, se pudermos recapturar o "sentimento de vitória", poderemos evocar também todas as "ações de vitória" que o acompanharam.

Grave moldes de êxito em sua massa cinzenta

O presidente da Universidade de Harvard, Elliot, fez certa ocasião um discurso em torno do que ele denominava "O Hábito do Sucesso". Muitos fracassos que se verificam em escolas elementares, dizia ele, se deviam ao fato de os alunos não terem recebido, no começo dos estudos, uma quantidade bastante de trabalhos em que pudessem "fazer bonito", e assim nunca tiveram a oportunidade de desenvolver a "atmosfera de êxito", ou o que chamamos de "sentimento de vitória". O aluno que nunca *experimentou* o êxito no começo de sua vida escolar — dizia ele — não teve oportunidade de adquirir o "hábito do sucesso" — o sentimento habitual de fé e confiança ao encetar uma nova tarefa. O Dr. Elliot conclamou os professores a passarem aos alunos das séries inferiores tarefas que lhes permitissem *provar o êxito*. A tarefa deveria estar dentro da capacidade do aluno, e ser ao mesmo tempo bastante interessante para despertar nele entusiasmo e motivação. Esses pequenos triunfos, acrescentou o Dr. Elliot, dariam ao aluno a "sensação de êxito", que seria um aliado inestimável em todos os seus empreendimentos futuros.

Nós podemos adquirir o "hábito de sucesso"; podemos incorporar em nossa massa cinzenta moldes e sentimentos de êxito a qualquer tempo e em qualquer idade, se seguirmos o conselho que o Dr. Elliot deu aos professores. Se habitualmente somos frustrados pelo fracasso, corremos o risco de adquirir "sentimentos de fracasso" habituais, que afetam qualquer nova iniciativa que tenhamos. Mas dispondo as coisas de modo a podermos ter êxito nos pequenos cometimentos, construiremos uma atmosfera de sucesso que será transportada para as realizações de maior vulto. Podemos passo a passo empreender trabalhos mais importantes; depois de vencermos nestes, estaremos em posição de atacar coisas ainda mais ousadas. O êxito é, literalmente, construído sobre o êxito, e há muita verdade no ditado: "Nada tem tanto êxito como o êxito."

O segredo está na gradualidade

Todo halterofilista começa com halteres que *possa* levantar e *gradativamente* aumenta os pesos. Os bons instrutores de pugilismo dão aos seus pupilos, no começo, adversários fáceis *e, gradativamente*, os põem na frente de lutadores mais experimentados. Podemos aplicar idênticos princípios gerais em praticamente todos os setores de atividade. Tais princípios se resumem simplesmente em começar com um "adversário" contra o qual é quase certo que teremos êxito, e passo a passo enfrentar tarefas mais difíceis.

Pavlov, em seu leito de morte, foi solicitado a dar a seus discípulos um último e breve conselho sobre como vencerem na vida. Sua resposta foi: "Paixão e gradualidade."

Mesmo nos setores em que tenhamos já alcançado grande perícia, às vezes é útil recuarmos, baixarmos um pouco a nossa pontaria, e praticarmos com uma sensação de facilidade. Isso é especialmente verdade quando atingimos em nosso progresso um "ponto morto", em que todo esforço para ir adiante se mostra inútil. O esforço continuado para ir além do "ponto morto" pode acarretar a formação de indesejáveis "hábitos de sentimento" — do esforço, dificuldade, tensão. Em tais condições o halterofilista reduz o peso dos halteres e durante algum tempo se exercita com pesos que lhe são fáceis de erguer. O pugilista que mostra sinais de estagnação é posto à frente de um certo número de oponentes fáceis. Albert Tangora, que foi durante muitos anos Campeão Mundial de Velocidade em Datilografia, costumava exercitar-se em "escrever devagar" — na metade da sua velocidade normal — sempre que atingia um ponto em que novo aumento de velocidade lhe parecia impossível. Conheço um vendedor de primeira categoria que usa técnica semelhante quando percebe que já não consegue aumentar sua produção. Ele deixa de tentar grandes vendas; deixa de trabalhar fregueses difíceis e se concentra em vender apenas àqueles que considera "galinhas mortas".

Como trazer à memória seus próprios moldes-de-êxito embutidos

Todos nós tivemos algum êxito no passado, em uma ou outra circunstância. Não é preciso que tenha sido um "grande" êxito. Pode ter sido uma coisa pueril como enfrentar corajosamente o valentão da escola e derrotá-lo; vencer um concurso na escola primária; ganhar a corrida de saco no piquenique do escritório; derrotar um rival superiormente dotado nas afeições da pequena mais cobiçada da escola. Ou pode ser a lembrança de uma venda bem conduzida, do nosso maior sucesso comercial ou da conquista do grande prêmio para o bolo mais bem feito da exposição. *Qual* foi o objeto do êxito importa menos que a sensação de êxito que o acompanhou. O que é preciso é apenas alguma experiência em que você conseguiu fazer o que sonhava, realizar o que se propôs realizar, alguma coisa que lhe trouxesse um sentimento de satisfação.

Procure na memória e viva de novo essas experiências vitoriosas. Em imaginação, reviva toda a cena de maneira tão detalhada quanto possível. Com os olhos do espírito "veja" não apenas o acontecimento central, mas todos os pequenos incidentes que acompanharam o evento. Que sons estavam presentes? Que tal era o ambiente que o cercava? Que mais acontecia a você na ocasião? Que objetos estavam presentes? Que época do ano era? Fazia frio ou calor? E assim por diante. Quanto mais pormenorizada for a lembrança, melhor. Se puder recordar com bastantes detalhes o que sucedeu quando você triunfou em alguma época passada, você se surpreenderá sentindo-se exatamente como se seguiu então. Procure, sobretudo, lembrar-se dos sentimentos que experimentava na ocasião. Se puder relembrar acontecimentos do passado, eles serão reativados no presente. Você se sentirá confiante, porque a confiança é baseada na memória de êxitos passados.

Agora, após despertar essa "sensação geral de êxito", concentre seu pensamento na venda, conferência, discurso, transação, ou qualquer que seja a atividade em que quer ter êxito *agora*. Use sua imaginação criadora para se desenhar a si mesmo exatamente como se comportaria e sentiria *se já tivesse triunfado*.

Preocupação positiva e construtiva

Mentalmente, comece a brincar com a idéia de um completo e inevitável êxito. Não force. Não procure coagir a mente. Não tente usar esforço ou força de vontade para suscitar a necessária convicção.

Faça apenas o que faz quando se preocupa; mas, neste caso, "preocupe-se" com um alvo positivo e um resultado desejável, ao invés de um alvo negativo e um resultado funesto.

Não comece tentando obrigar a si mesmo a ter fé absoluta no resultado almejado. Isso é um bocado grande demais para, no começo, você dirigir mentalmente. Comece pensando no resultado visado, tal como você faz quando se aflige com o futuro. Quando você está preocupado, você não procura convencer-se de que os resultados serão desfavoráveis; você começa gradualmente. Começa em geral com um "suponhamos". "Apenas suponhamos que tal e tal coisa aconteça", diz você a seus botões. E repete essa idéia consigo mesmo muitas vezes. Você "brinca" com ela. Em seguida vem a idéia de "possibilidade"; "Bem, afinal de contas", pensa você, "tal coisa é possível". *Pode* acontecer. Depois, vêm as imagens mentais. Você começa a desenhar para si mesmo, repetidas vezes, as cenas imaginárias, ajudando pequenos detalhes e requintes. À proporção que os quadros se tornam mais "reais", os sentimentos correspondentes começam a surgir, tal como se os resultados imaginados tivessem já acontecido. Essa é a maneira pela qual se desenvolvem o medo e a ansiedade.

Como cultivar a fé e a coragem

A fé e a coragem nascem exatamente da mesma maneira. Apenas os objetivos, aqui, são diferentes. Se você vai perder tempo com preocupações, por que não se preocupar construtivamente? Comece esboçando e definindo para si mesmo os resultados mais desejáveis. "Suponhamos que os melhores resultados possíveis realmente acontecessem." A seguir, suponha que, no fim de contas, isso bem que *poderia* acontecer. Não que *acontecerá*, nessa altura, mas apenas *poderia* acontecer. Lembre a si mesmo que, afinal, aquele resultado bom e desejável *é possível*.

Você pode mentalmente aceitar e dirigir essas doses graduais de otimismo e confiança. Depois de haver pensado nos resultados desejados como sendo "possibilidades" — comece a imaginar como seriam esses resultados. Entretenha-se com essas imagens mentais e delineie pormenores e requintes. Veja-os repetidas vezes em pensamento. À medida que suas imagens mentais se tornam mais particularizadas e são repetidas mais e mais vezes, você verificará que, aqui também, maior quantidade de *sentimentos adequados* estão começando a se manifestar, tal como se o resultado favorável já tivesse acontecido. Desta vez os sentimentos adequados serão os de fé, confiança, coragem — tudo envolto numa só embalagem: o "Sentimento de Vitória".

Não peça conselho a seus medos

Perguntaram de uma feita a George Patton, o destemido general da Segunda Grande Guerra, se alguma vez sentiu medo antes de uma batalha. Sim, respondeu; muitas vezes sentia medo antes de entrar num combate importante e, não raro, durante o próprio combate. Mas, acrescentou, "eu jamais peço conselho aos meus medos".

Se você experimentar sentimentos de insucesso — medo e ansiedade — antes de algum empreendimento importante, como vez ou outra acontece a todos nós, isso não deve ser considerado como "sinal infalível" de que você irá fracassar. Tudo depende de como você reagirá a eles, e de que atitude tomará. Se lhes ouvir, obedecer e "pedir conselho", você provavelmente fracassará. Mas não é necessário que tal aconteça.

Primeiro de tudo, é mister compreender que os sentimentos de fracasso — medo, ansiedade, falta de confiança — não têm origem em algum oráculo divino. Nem estão escritos nas estrelas. Não são algum Testamento Sagrado. Nem constituem indicação de um destino rígido e inamovível, a significar que o malogro está decretado e decidido. Eles nascem em sua própria mente. Indicam apenas *quais são as suas atitudes mentais* — não os fatos exteriores que estão articulados contra você. Significam que você está subestimando sua capacidade, superestimando e ampliando as dificuldades que o defrontam, e reativando lembranças de fracassos em vez de memórias de êxitos passados. Não representam a verdade quanto a acontecimentos futuros, mas apenas sua própria atitude mental a respeito desses acontecimentos.

Sabendo isso, está em seu poder aceitar ou rejeitar tais sentimentos de insucesso, obedecer-lhes e pedir-lhes conselho, ou, pelo contrário, ignorar-lhes as recomendações e ir avante. E, além disso, você estará em posição de usá-los para seu próprio benefício.

Aceite os sentimentos negativos como desafios

Se reagirmos aos sentimentos negativos de forma agressiva e positiva, eles se tornam desafios que automaticamente despertarão mais poder e capacidade dentro de nós. A idéia de obstáculos ou ameaças suscita novo poder em nós — se a ela reagirmos de maneira ativa, antes que passiva. No capítulo anterior, vimos que uma certa dose de "excitação" — se interpretada e empregada corretamente — ajuda, em vez de estorvar, a imaginação.

Exemplo frisante disto é a experiência do Dr. J. B. Rhine, chefe do Laboratório de Parapsicologia da Universidade de Duke. Normalmente, dizia o Dr. Rhine, as sugestões negativas, as distrações e as expressões de descrença da parte dos assistentes têm efeito sobre o paciente que procura "adivinhar" a seqüência das cartas de um baralho especial, ou que está sendo, de alguma outra maneira, "testado" quanto à sua habilidade telepática. Elogio, incentivo, "torcida" a favor, fazem sempre que ele obtenha melhores resultados. O desencorajamento e as sugestões negativas quase que inevitavelmente pioram os resultados. Contudo, vez ou outra, o paciente toma essas sugestões negativas como "provocações", e se sai ainda melhor. Por exemplo, um rapaz chamado Pearce conseguia sempre resultados bem acima do "puro acaso" (isto é, cinco chamadas corretas, num baralho de vinte e cinco cartas). O Dr. Rhine resolveu desafiar Pearce a acertar ainda maior número de vezes. Antes de cada tentativa, "apostava" em que ele não acertaria a carta seguinte. "Era evidente que Pearce estava sendo estimulado a uma alta intensidade. A aposta foi a maneira mais conveniente de obrigá-lo a se lançar ao teste com todo entusiasmo de que era capaz", disse o Dr. Rhine. E Pearce adivinhou as vinte e cinco cartas!

Lilian, uma menina de nove anos de idade, obteve resultados acima da média quando nada estava em jogo e ela não tinha com que se preocupar se acaso errasse. Colocaram-na então em uma leve "situação de pressão", dizendo-lhe que ganharia meio dólar se dissesse todas as cartas sem errar nenhuma. À medida que Lilian prosseguia na prova, seus lábios se mexiam sem parar, como se ela falasse consigo mesma. Disse as vinte e cinco cartas sem errar. Quando lhe perguntaram o que dizia a si mesma, ela revelou sua atitude agressiva e positiva ante o desafio: "Estava desejando ser capaz de adivinhar as vinte e cinco cartas."

Reaja agressivamente aos seus próprios "conselhos" negativos

Todos nós conhecemos indivíduos passíveis de serem desencorajados e derrotados por observações de outros, como por exemplo: "Acho que você não tem jeito para isso." Por outro lado, há também aqueles que se erguem à altura da ocasião e ficam ainda mais decididos que antes a triunfar, diante de observações dessa natureza. Conforme diz um sócio de Henry J. Kaiser: "Se não quiser que Henry faça alguma coisa, é melhor não cometer o erro de dizer que aquilo não pode ser feito, ou de que ele é incapaz de o fazer — pois então ele a fará ou estourará."

É não apenas possível, mas de todo praticável, reagir aos "conselhos negativos" dos nossos próprios sentimentos, da mesma forma agressiva e afirmativa com que o fazemos ante os conselhos negativos partidos de outras pessoas.

Vença o mal com o bem

Os sentimentos não podem ser diretamente governados pela força de vontade. Também não podem ser feitos sob medida, nem ligados ou desligados como uma lâmpada elétrica. Todavia, se não podem ser comandados, eles podem ser cortejados. Se não são controláveis por um ato direto da vontade, podem ser controlados de forma indireta. Um "mau" sentimento não se afasta por um esforço consciente ou pela "força de vontade". Ele pode, porém, ser dissipado por outro sentimento. Se não pudermos expelir um sentimento negativo por meio de um assalto frontal, obteremos igual resultado substituindo-o por um sentimentos positivo. Os sentimentos coincidem com o que nosso sistema nervoso aceita como sendo "real", isto é, a "verdade sobre o meio ambiente", e são a isso adequados. Sempre que nos encontramos a experimentar sentimentos indesejáveis, não devemos concentrar-nos neles, ainda que para afugentá-los. Pelo contrário, devemos imediatamente concentrar-nos em ocupar a mente com imagens, pensamentos e lembranças que sejam sadios, positivos e desejáveis. Se fizermos isso, os sentimentos negativos se evaporarão.

Se, por outro lado, cuidarmos unicamente de "expulsar" ou atacar os pensamentos aflitivos, necessariamente nos concentraremos em coisas negativas. E ainda que consigamos afastar o pensamento de preocupação, um novo ou diversos pensamentos semelhantes surgirão, uma vez que a atmosfera mental geral continua sendo negativa. Jesus nos advertiu sobre o perigo de expulsar de nosso espírito um demônio, apenas para que sete deles entrassem, se deixássemos a casa aberta. Ele nos avisou também para não resistirmos ao mal, mas que vencêssemos o mal com o bem.

O método da substituição na cura das preocupações

O moderno psicologista Dr. Matthew Chappel, recomenda exatamente a mesma coisa em seu livro *How to Control Worry* (Como Dominar as Preocupações). Nós nos preocupamos porque praticamente nos exercitamos na preocupação até ficarmos peritos nela, diz o Dr. Chappel. Nós habitualmente costumamos acalentar imagens negativas do passado e antecipar o futuro. Essa preocupação provoca tensão. Fazemos então "esforços" para deixarmos de nos preocupar, e somos apanhados em um círculo vicioso. O esforço aumenta a tensão. A tensão suscita uma "atmosfera de preocupação". A única possibilidade de cura para a preocupação, afirma ele, é *adquirir o hábito* de imediatamente substituir as "imagens de preocupação" desagradáveis, por imagens mentais aprazíveis e sãs. Todas as vezes que nos surpreendermos a nos preocupar, devemos utilizar isso como "sinal" para imediatamente ocupar nossa mente com quadros mentais agradáveis do passado ou com a antevisão de experiências favoráveis no futuro. Com o tempo a preocupação se destruirá a si mesma, pois se torna estímulo para a prática da antipreocupação. O que se tem a fazer, diz o Dr. Chappell, não é subjugar alguma determinada fonte de preocupações, mas trocar os hábitos mentais. Enquanto a mente estiver engrenada para uma atitude passiva e derrotista — haverá sempre algo com que preocupar-se.

O psicólogo David Seabury afirma que o melhor conselho que recebeu do pai foi o de exercitar-se em imagens mentais positivas — assim que percebia a presença de sentimentos negativos. Os sentimentos negativos literalmente se destruíam a si mesmos por tornarem-se uma espécie de "campainha" que alertava reflexos condicionados no sentido de provocarem estados mentais positivos.

Quando eu era estudante de medicina, lembro-me que o professor me chamou certa vez para responder oralmente a perguntas sobre Patologia. Fui tomado de tal medo e embaraço quando frente a frente com a classe, que não consegui responder satisfatoriamente as perguntas. No entanto, em outras ocasiões, quando examinava uma lâmina ao microscópio e respondia às perguntas datilografadas que tinha diante de mim, eu era uma pessoa diferente. Sentia-me tranqüilo, confiante, seguro de mim mesmo, porque sabia a matéria. Estava possuído do "sentimento de vitória" e tudo saía bem. Com o passar dos meses, tomei-me de brios e, quando me levantava para responder às perguntas do professor, fazia de conta que não via um auditório, mas que estava olhando no microscópio. Conseguia assim ficar sereno, e quando era interrogado oralmente substituía o sentimento negativo pelo "sentimento de vitória". Ao final do semestre fiz um exame magnífico, tanto nas provas orais como escritas.

Hoje, enfrento sem a menor inibição auditórios de qualquer parte do mundo, porque aprendi o segredo da relaxação física e mental, e conheço a matéria sobre a qual estou falando. Mais ainda: costumo atrair outras pessoas para a palestra e fazer com que elas também se sintam à vontade.

Nos meus vinte e cinco anos de prática em cirurgia plástica, operei soldados mutilados no campo de batalha, crianças que nasceram com defeitos, homens, mulheres e crianças feridos em acidentes no lar, nas estradas e nas fábricas. Essas infelizes criaturas achavam que jamais poderiam experimentar o "sentimento de vitória". Entretanto, após reabilitá-las e fazer com que ficassem normais, elas substituíram seus sentimentos negativos por outros de confiança no futuro. Ao dar-lhes nova oportunidade para capturar o "sentimento de vitória" eu também me tornei perito na arte de adquirir o mesmo sentimento. Ao ajudá-las a melhorar sua auto-imagem, eu melhorei a minha. Todos nós precisamos fazer o mesmo com nossas cicatrizes morais e nossos sentimentos negativos, se quisermos viver com plenitude.

A escolha depende de você

Dentro de você há um vasto armazém mental de experiências e sentimentos passados — tanto fracassos como triunfos. A exemplo dos rolos de fita gravada que se conservam numa prateleira, tais experiências e sentimentos estão registrados nos engramas neurais de sua massa cinzenta. Há gravações de histórias com finais felizes e de histórias com finais desditosos. Aquelas são tão verdadeiras e reais quanto estas. Só de você depende qual escolherá para "tocar".

Outra interessante descoberta científica em relação a tais engramas é que podem ser substituídos ou modificados, mais ou menos como uma gravação em fita pode ser substituída por material novo, fazendo-se. nova gravação sobre a anterior. Os Drs. Eccles e Sherrington asseveram que os engramas do cérebro humano tendem a se alterar ligeiramente, cada vez que são "tocados". Tomam um pouco do tom e do estado de espírito, pensamentos e atitudes que temos em relação a eles. Também, cada neurônio pode tornar-se parte de, quiçá, uma centena de moldes separados e distintos — à semelhança de determinada árvore, num jardim, que pode formar parte de um quadrado, um retângulo, um triângulo, etc. O neurônio, no engrama original do qual ele fazia parte, toma alguns dos característicos dos engramas subseqüentes, dos quais passa a fazer parte e ao fazê-lo modifica um pouco o engrama original. Isto é não só interessante, como sobremaneira animador. Dá-nos motivo para acreditar que as experiências infantis adversas e infelizes, traumas, etc., não são tão permanentes e fatais, como nos queriam fazer crer os psicólogos de antigamente. Sabemos agora que não é apenas o passado que influencia o presente, mas que o presente influencia indubitavelmente o passado. Em outras palavras, não estamos condenados pelo passado. O fato de termos tido na infância experiências infelizes e traumas que deixaram para trás engramas, não significa que estejamos à mercê desses engramas. Nossos *pensamentos atuais*, nossos *hábitos mentais* atuais, nossa atitude com relação a experiências passadas, e nossa atitude com relação ao futuro — tudo isso influi nos velhos engramas gravados. O que é velho pode ser trocado, modificado, substituído, pelos nossos pensamentos presentes.

Velhas gravações podem ser modificadas

Outra interessante descoberta é que um determinado engrama, quanto mais é ativo, ou "tocado", mais potente se torna. Eccles e Sherrington afirmam que a permanência de engramas decorre da eficácia sináptica (a eficiência e facilidade de ligação entre os neurônios individuais que constituem a cadeia) e, também, que a eficiência sináptica aumenta com o uso e diminui com o desuso. Temos aqui, mais uma vez, sólida base científica para esquecer e ignorar essas experiências infelizes do passado e concentrar-nos no que é feliz e agradável. Ao fazê-lo, robustecemos os engramas que têm a ver com o êxito e a felicidade, e enfraquecemos aqueles que estão associados ao malogro e à desdita.

Esses conceitos nasceram não de especulações extravagantes — ridículas elucubrações sobre homens-de-palha produzidos mentalmente, como o "Id", o "Super-Ego" e que tais — mas de sólidas pesquisas científicas sobre a fisiologia do cérebro. Fundamentam-se em fatos e fenômenos observáveis, não em teorias fantasiosas. Eles contribuíram muitíssimo para restaurar a dignidade do homem como filho de Deus e criatura responsável, apto a superar o passado e planejar o futuro, em oposição à imagem do homem como vítima indefesa de suas experiências passadas.

Mas o novo conceito tem, isso sim, uma grande responsabilidade. Já não podemos mais, agora, obter o mórbido consolo de culpar nossos pais ou a sociedade por nossas experiências passadas, nem as injúrias dos "outros", por nossas aflições atuais. Estas coisas podem e devem ajudar-nos a compreender como chegamos ao ponto em que estamos. Entretanto, culpar a elas, ou até a nós mesmos, pelos erros passados, não resolverá nossos problemas, nem melhorará nosso presente ou nosso futuro. Não há mérito em alguém culpar-se a si mesmo. O passado explica como chegamos onde estamos. Mas aonde iremos a partir daqui é da nossa única e exclusiva responsabilidade. A escolha é nossa. Como o fonógrafo quebrado, podemos continuar repetindo o mesmo e velho disco rachado do passado; compadecer-nos de nós mesmos por nossos erros passados; e tudo isso reativa os moldes de fracasso e os sentimentos de derrota que afetam tanto o nosso presente como o nosso futuro. Ou, se preferirmos, podemos pôr um disco novo, e reativar moldes de êxito e o "sentimento de vitória", que nos ajudarão a atuar de forma mais efetiva no presente, ao mesmo tempo que assegurarão um futuro mais promissor.

Quando nosso fonógrafo está tocando alguma música que não nos agrada, não procuramos obrigá-lo a fazer coisa melhor. Não o espancamos. Simplesmente trocamos o disco. Usemos igual tática no que concerne à "música" que vem de nossa máquina interna. Não voltemos nossa vontade diretamente contra a "música". Enquanto as mesmas imagens mentais (a causa) ocuparem nossa atenção, não há esforço capaz de mudar a música (o efeito). Ao invés disso, procuremos colocar um novo disco. Mudemos nossas imagens mentais, que os sentimentos cuidarão de si mesmos.

CAPÍTULO XV

VIDA MAIS LONGA E MAIS PLENA

SERÁ QUE TODO ser humano tem dentro de si uma Fonte da Juventude? Pode o Mecanismo de Êxito nos manter jovens? Será que o Mecanismo de Fracasso apressa o envelhecimento? A ciência médica ainda não tem respostas definitivas para essas questões. Mas é não apenas possível, como também de utilidade prática, tirarmos certas conclusões e inferências daquilo que já se conhece. Neste capítulo gostaria de falar sobre algumas das coisas nas quais acredito e que foram de utilidade para mim.

William James disse certa vez que todos nós, os cientistas inclusive, adquirimos, a respeito de fatos conhecidos, "superconvicções" que os próprios fatos não justificam. Como medida prática, essas "superconvicções" são não apenas permissíveis como também necessárias. Nossa admissão de um objetivo futuro, que muitas vezes não podemos ver, é o que dita nossas ações presentes e nossa "conduta prática". Colombo precisava admitir que havia no Ocidente uma grande massa de terra, antes que pudesse descobri-la. Do contrário, não teria encontrado ânimo para encetar a grande viagem, e se o tivesse não saberia se devesse dirigir sua rota para o sul, leste, norte ou oeste.

A pesquisa científica é possível apenas por causa da fé em suposições. O cientista precisa antes de tudo estabelecer uma verdade hipotética, uma hipótese baseada não em fatos mas em ilações, antes de poder saber que experiências deve fazer ou onde ir procurar os fatos capazes de comprovar ou refutar sua verdade hipotética.

Quero neste último capítulo partilhar com o leitor algumas de minhas superconvicções, hipóteses e filosofia, não como médico, mas como homem. Conforme disse o Dr. Hans Selke há certas "verdades" que não podem ser usadas pela medicina, mas que podem ser usadas pelo paciente.

A força da cura e o segredo da juventude

Eu acredito que o corpo físico, inclusive o cérebro e o sistema nervoso, é uma máquina, a qual se compõe de numerosos maquinismos menores, todos com suas respectivas finalidades e dirigidos para determinados objetivos. Acredito que a essência do HOMEM é aquilo que anima essa máquina, aquilo que habita a máquina, que a dirige e governa, e que a utiliza como veículo. O homem em si não é uma máquina, como a eletricidade não é o fio que ela atravessa nem o motor que aciona. Acredito que a essência do HOMEM é o que o Dr. J. B. Rhine chama de "extra-físico" — sua vida, ou vitalidade; sua consciência; sua inteligência e sentimento de identidade; aquilo que ele chama "eu".

Durante muitos anos os cientistas — psicologistas, fisiologistas, biologistas — suspeitaram que havia alguma forma de "energia" ou vitalidade universal que "percorria" a máquina humana, e que a quantidade de energia disponível e a maneira como era utilizada explicavam por que alguns indivíduos eram mais resistentes às doenças do que outros; e por que alguns viviam mais que outros. Era também evidente que a fonte dessa energia básica — fosse ela qual fosse — era alguma outra coisa que não a "energia superficial" que obtemos dos alimentos que ingerimos. A energia calórica não explica por que um indivíduo pode refazer-se rapidamente de uma grave operação, ou resistir a longos padecimentos, ou sobreviver a outros. Referimo-nos a tais pessoas como sendo de "constituição forte".

Escreveu há alguns anos o Dr. J. A. Hadfield: "É verdade que acumulamos uma certa quantidade de energia obtida fisiologicamente, por meio da nutrição extraída dos alimentos e do ar... mas vários dos maiores psicologistas e, em particular, aqueles dentre os psicologistas clínicos que se dedicam às doenças do homem, se inclinam cada vez mais a acreditar que a fonte de força deve ser considerada como algum impulso que opera através do homem, e que não é produzido pelo homem. O que Janet chama de "energia mental" é uma força que falta ao neurastênico e flui para o homem sadio; Jung fala de *libido* ou *urgência* como uma força que palpita através de nossas vidas, ora como impulsos no sentido da nutrição, ora como instinto sexual; há também o *élan* vital de Bergson. Essas opiniões estão a sugerir que nós não somos meramente receptáculos, mas *canais* de energia. A vida e o poder não são tanto contidos em nós, como *fluem através de nós*. Se devemos ver em tal impulso uma força cósmica, uma força de vida, ou qualquer que possa ser sua relação com a imanência divina na Natureza, compete a outros investigadores dizerem." (J. A. Hadfield, *The Psychology of Power* — A Psicologia do Poder.)

A ciência descobre a força de vida

Hoje, essa "Força de vida" foi estabelecida como fato científico pelo Dr. Hans Selye, da Universidade de Montreal, que desde 1936 vem estudando os problemas do "stress". Clinicamente e em numerosos estudos e experiências de laboratório, o Dr. Selye provou a existência de uma força de vida básica, que denominou "energia de adaptação". Através da vida, do berço ao túmulo, somos diariamente chamados a nos "adaptar" a situações de "stress". Até mesmo o processo de viver constitui em si mesmo esforço, ou "stress", isto é, contínua adaptação. Descobriu o Dr. Selye que o corpo humano contém vários mecanismos de defesa (Síndrome de Adaptação Local, ou L.A.S.) que defendem contra o "stress" específico, e um mecanismo de defesa geral (Síndrome de Adaptação Geral, ou G.A.S.) que defende contra o "stress" não-específico. O "stress" inclui tudo que exija adaptação ou ajuste — tais como extremos de calor ou frio, invasão de germes maléficos, tensão emocional, o desgaste natural da vida ou, como se costuma dizer, o "processo de envelhecimento".

"O termo *energia de adaptação*", diz o Dr. Selye, "foi cunhado para significar aquilo que é consumido durante um trabalho de adaptação continuado, a fim de indicar que se trata de coisa diferente da energia calórica que recebemos dos alimentos. Isto porém é apenas um nome, e ainda não temos um conceito exato do que possa ser essa energia. Novas pesquisas nessa direção poderiam encerrar resultados promissores, pois parece que demos com as bases do envelhecimento". (Hans Selye, *The Stress of Life.*)

O Dr. Selye escreveu doze livros e centenas de artigos explicando seus estudos clínicos e seu conceito de saúde e doença baseado no "stress". Suas descobertas são reconhecidas por grandes vultos da medicina no mundo inteiro. Para mim, o que de realmente significativo ele demonstrou é que o próprio corpo está equipado para se manter em saúde, curar suas próprias enfermidades, e permanecer jovem, enfrentando com êxito os fatores que acarretam o que conhecemos como "velhice". O Dr. Selye não somente demonstrou que o corpo é capaz de curar a si mesmo, como também que, em última análise, essa é a única espécie de cura possível. Os remédios, a cirurgia, e as várias terapias trabalham, em grande parte, seja estimulando o próprio mecanismo de defesa do corpo quando este se mostra deficiente, seja reduzindo-lhe a atividade, quando esta se torna excessiva A energia de adaptação é em si mesma o que afinal supera a doença, cura o ferimento ou a queimadura, ou vence outras causas provocadoras de "stress".

Será este o segredo da juventude?

Esse *élan* vital, força de vida, ou energia de adaptação — chame-o como quiser — se manifesta de muitas maneiras. A energia que cura uma ferida *é a mesma* que mantém os órgãos do nosso corpo funcionando harmonicamente. Quando essa energia está em seu grau mais favorável, todos os nossos órgãos funcionam melhor, nós "nos sentimos bem", os ferimentos cicatrizam mais depressa, ficamos mais resistentes às enfermidades, nos refazermos mais depressa de qualquer espécie de exaustão, nos sentimos mais jovens, e de fato somos, biologicamente, mais jovens. É, assim, possível correlacionar as várias manifestações dessa força de vida, e supor que *seja o que for aquilo que põe ao nosso dispor maior quantidade dessa força*; seja o que for aquilo que abre para nós um maior influxo desse elemento vital; seja o que for aquilo que nos permite utilizá-lo melhor — trata-se de alguma coisa que nos ajuda, literalmente, "dos pés à cabeça"

Podemos concluir que qualquer terapia não-específica que faz os ferimentos cicatrizarem mais depressa poderá também nos fazer sentir mais jovens. Qualquer terapia não-específica que nos auxilia a vencer dores e sofrimentos, poderá, por exemplo, melhorar nossa vida. E é essa, precisamente, a direção que a pesquisa médica está tomando e que parece ser a mais promissora.

A ciência busca o elixir da juventude

O campo de pesquisa médica que é atualmente o mais fascinante e prometedor é, sem dúvida, o da busca de uma terapia "não-específica" que ajude o homem "dos pés à cabeça"; que o imunize contra *qualquer* doença, ou que o auxilie a curar-se de qualquer doença, em contraste com terapias "específicas" ou localizadas para este ou aquele mal. Já se fizeram progressos notáveis nesse terreno. O ACTH e a cortisona são exemplos de terapias não-específicas. Essas drogas beneficiam não apenas um ou dois estados patológicos, mas toda uma série de doenças, atuando por meio do mecanismo *geral* de defesa do próprio corpo.

Bogomolets conquistou renome universal nos fins da década de quarenta com seu "soro da juventude", feito de baço e tutano de osso, o qual foi aclamado por muitos articulistas (mas não pelo próprio Bogomolets) como uma panacéia para todas as enfermidades. Nos nossos dias, o Dr. Paulo Niehans, da Suíça, se tornou famoso pela sua "terapia celular" (CT) para todas as doenças, inclusive as doenças degenerativas comumente associadas à "velhice". Niehans usou CT no Papa Pio XII, no Chanceler Konrad Adenauer, da Alemanha Ocidental, e em muitas outras personalidades famosas. Cerca de quinhentos médicos na Europa usam atualmente CT no tratamento de toda sorte de enfermidades. O tratamento propriamente dito é simples. Obtém-se nos matadouros tecido embriônico de animais recém-abatidos. Essas células "novas" e "jovens" são a seguir transformadas num extrato e injetadas no paciente. Se é o fígado que funciona mal, usam-se células embriônicas do fígado do animal; se são os rins que estão doentes, usa-se tecido dos rins, e assim por diante. Embora ninguém saiba exatamente por que, não padece dúvida de que se vêm obtendo curas realmente notáveis. A teoria é que essas células "jovens" trazem nova vida para os órgãos doentes do homem, por meio de um processo ainda não de todo conhecido.

Será RES a chave do "envelhecimento" e da resistência à doença?

Minha própria "superconvicção" a respeito da CT é que ela traz melhoria e nova vitalidade por uma razão inteiramente diversa. Estudos feitos pelo Prof. Henry R. Simms, do Colégio de Médicos e Cirurgiões da Universidade de Columbia; pelo Dr. John H. Heller, do Instituto de Pesquisas Médicas de New England, em Ridgefield, Connecticut; pelo Dr. Sandord O. Byers, do Hospital de Mont Zion, em São Francisco e por outros pesquisadores independentes, nos levam a crer que a verdadeira chave, tanto para a longevidade como para a resistência às doenças, está no funcionamento das células que compõem o tecido conjuntivo do corpo, conhecido como Sistema Retículo-Endotelial, ou RES. O RES está presente em todas as partes do corpo — na pele, nos órgãos, nos ossos. O Dr. Selye descreve o tecido conjuntivo como sendo um "cimento" que une as células do corpo e liga as várias células umas às outras. O RES tem ainda um grande número de outras funções importantes. Atua como um forro ou escudo protetor. Envolve, imobiliza e destrói invasores estranhos.

Em artigo para o *New York Times* disse o Dr. William L. Laurence: "Este conhecimento da função protetora do RES abriu uma nova linha de pesquisa capaz de conduzir a um dos mais revolucionários avanços em medicina. O objetivo é proporcionar uma estimulação artificial de atividade das células RES, por meio de métodos químicos e imunológicos. Em vez de combater a doença individualmente, a estimulação química do sistema de resistência natural do próprio corpo proporcionaria assim uma defesa biológica contra as doenças em geral, tanto infecciosas como não-infecciosas, inclusive as doenças degenerativas que atacam o grupo de pessoas idosas, o qual cresce cada vez mais. E isto serviria sem dúvida como defesa contra o próprio processo de envelhecimento, e manteria o indivíduo em um nível de idade mais baixo, diminuindo o ritmo de perda de sua resistência geral."

RES controla os fatores de crescimento e de anticrescimento

O Dr. Kurt Stern, da Escola de Medicina de Chicago descobriu que as células RES têm também efeito controlador sobre os mecanismos de crescimento e de anticrescimento que há em nosso corpo.

O RES atualmente parece ser aquilo que mais se aproxima da fonte de juventude inerente que há no próprio corpo. Quando RES está funcionando como deve, parece que se produz maior quantidade de "matéria vital" ou energia de adaptação. RES é ativado por ameaças, ferimentos, etc. Descobriu-se que é muito ativo, por exemplo, durante uma infecção, quando o corpo *precisa* de defesa adicional. De acordo com o Dr. Selye, o mecanismo de defesa geral do corpo é às vezes levado a uma atividade mais intensa por força de uma pressão geral (infecção, choque elétrico, choque insulínico, uma experiência angustiante, etc.).

Minha própria "superconvicção" é que esse é o mecanismo por meio do qual opera a "terapia celular" do Dr. Niehans; não porque as células de fígado "novas" reativem ou rejuvenesçam o fígado, mas porque o choque resultante da introdução de uma proteína estranha no corpo estimula o RES à atividade. De há muito se sabe que o corpo reage violentamente à injeção de proteínas estranhas, o que aliás acarreta, muitas vezes, a morte. As "células jovens" do Dr. Niehans parece que não têm esse efeito, talvez por serem jovens e talvez porque o extrato é atenuado. Acredito, contudo, que qualquer proteína estranha, e inócua, estimularia o RES à atividade, do mesmo modo que a injeção de germes inócuos de varíola estimula o corpo a produzir anticorpos contra a forma violenta dessa enfermidade.

O Dr. Aslan, de Bucareste, afirma que injeções de uma forma de novocaína — H3 — parecem fazer com que pessoas idosas se sintam jovens. Isso poderá ser devido a algum elemento químico da desintegração do H no corpo, o qual estimula o RES.

Terapia não-específica para a cura de ferimentos fez os pacientes sentirem-se mais jovens

Pomadas, ungüentos, antibióticos, etc., são usados como terapia *específica* em ferimentos. Em 1948, comecei experimentando com uma terapia *não específica* sob a forma de um soro que, eu esperava, poderia acelerar a cicatrização de ferimentos cirúrgicos. Os resultados dessa experiência foram publicados no *The Journal of Immunology*, de novembro de 1948, para quem estiver interessado em detalhes técnicos.

A hipótese que me levou a essas experiências foi a seguinte:

Quando damos um talho num dedo, dois diferentes mecanismos que há em nosso corpo entram em ação para curar o ferimento. Atuando por meio do RES, um mecanismo, denominado "fator de granulação", estimula o crescimento de células inteiramente novas, de modo a que estas formem novo tecido, que chamamos de tecido cicatricial. As células assim criadas são biologicamente "jovens". Outro mecanismo, que também opera por meio do RES, atua como fator de controle, ou seja, de "antigranulação". É um mecanismo de anticrescimento que inibe a produção de células novas. Não fosse assim, o tecido cicatricial continuaria crescendo até nosso dedo atingir talvez o comprimento da perna.

Esses dois mecanismos *trabalham juntos*, simultaneamente, para obter só a quantidade exata de novo tecido. Um atua como uma espécie de retroalimentação negativa, ou de diretor, do outro. Se houver, na ocasião, um excesso de "fator de crescimento", esse excesso estimula o fator de "anticrescimento". De outro lado, um ligeiro excesso de fator de anticrescimento deve atuar como retroalimentação negativa para ativar o fator de crescimento — de maneira muito semelhante ao termostato que mantém em nossa casa a temperatura correta.

Esse tipo de controle alternado permanece em atividade *enquanto se processa a cura*, mas é interrompido quando esta se completa. Alguma espécie de controle geral dá, então, a primazia ao fator de anticrescimento e a formação de tecido cicatricial cessa inteiramente. Desse modo, não deverá mais haver matéria de antigranulação presente nas últimas fases da cicatrização — na crosta que já completou seu crescimento.

Soro de anticrescimento fez ferimentos cicatrizarem mais depressa

Meu soro de tecido de antigranulação foi feito de raspas de tecido de granulação recém-formado mas perfeitamente desenvolvido, extraído de uma ferida em fase de cicatrização. Esse tecido, após ficar suspenso em solução, foi injetado em coelhos, com o fim de estimulá-los a reagir contra o tecido de granulação. Teoricamente, esse soro, que continha grande abundância de fator de antigranulação, deveria estimular o fator de granulação num ferimento recente e provocar um crescimento mais rápido de tecido cicatricial — fazendo uso de um princípio muito semelhante ao que poderíamos utilizar para ligar a nossa caldeira de calefação, isto é, diminuindo a temperatura em redor do termostato. E foi precisamente o que aconteceu.

De modo geral, essas experiências mostraram que ferimentos infligidos em ratos de laboratório precisavam, em média, oito dias para cicatrizarem completamente, quando não se dava soro; e exigiam cerca de cinco dias em outro grupo de ratos que receberam uma injeção de Soro de Tecido de Antigranulação (AGTS). O soro, injetado na boca, no ponto mais afastado do ferimento, acelerou a cicatrização em cerca de quarenta por cento. Como era de se esperar, doses exageradas de AGTS tiveram efeito contrário e retardaram o tempo de cicatrização. Tais resultados foram animadores e levaram a um mais perfeito refinamento do soro, para uso humano. Quando comecei a utilizar o soro em pacientes humanos, minha única esperança era que ele pudesse acelerar a cicatrização de ferimentos cirúrgicos.

Há, no grupo de pessoas de meia-idade, milhões de mulheres que mantiveram seus empregos vinte anos ou mais e que, de um momento para outro, precisam enfrentar a concorrência de pessoas mais jovens, não obstante sua maior experiência e capacidade. Muitas entre elas têm-me consultado em busca de auxílio cirúrgico que removesse os sinais de idade em seu rosto e pálpebras, para que parecessem mais jovens e pudessem reter seus empregos por outros dez anos. Isto significa sobrevivência econômica, psicológica e social. Naturalmente, entre as pessoas desse grupo de idade há algumas que não saram tão depressa quanto outras, e essas receberam o meu soro AGTS.

O que eu não antevira, porém, era o número de pacientes que receberam o soro e que voltaram alguns meses depois para me contar que se sentiam mais jovens, tinha mais disposição e energia, e algumas de suas dores e mazelas desapareceram. Em algumas dessas mulheres a mudança na aparência física era impressionante. Havia em seus olhos para faísca que ali não estava meses antes; a textura da pele parecia mais macia; estavam mais eretas e caminhavam com passos mais confiantes.

Como médico, não tirei disso conclusão alguma. Os "fatos" médicos precisam ser consubstanciados por alguma coisa mais que os sentimentos subjetivos do paciente, ou a observação casual de seu médico. Para se demonstrar o que quer que fosse, era mister fazer numerosas experiências sob observação científica e em condições passíveis de controle. Como leigo, porém, acredito que essas experiências tendem a confirmar minha crença de que *qualquer fator* (emocional, mental, espiritual, farmacêutico) que estimula a Força da Vida, que há em nós tem efeito benéfico, não apenas local — mas geral.

E como leigo acredito também que eu talvez tenha me aproximado de uma possível vitória na busca em prol da longevidade — graças ao uso do AGTS. O tecido de granulação é tecido conjuntivo novo — RES novo. Biologicamente, é um renascimento de vida em uma área localizada. AGTS produzido por uma tal entidade biológica deve estimular o RES de forma mais natural que qualquer substância química.

Como nossos pensamentos, atitudes e emoções agem como terapia não-específica

Comecei a procurar outros fatores ou um denominador comum que pudessem explicar por que os ferimentos cirúrgicos em alguns pacientes cicatrizam mais depressa do que em outros. Isto era em si mesmo um bom tema para pesquisas, porque os resultados obtidos em ratos eram perfeitamente uniformes.

Naturalmente, ratos não se preocupam nem se sentem frustrados. Pode-se, porém, induzir frustração e tensão emocional em ratos, se os imobilizarmos de maneira que não tenham liberdade de movimentos.

A imobilização frustra qualquer animal. Experiências de laboratório mostraram que, sob tensão emocional ou frustração, ferimentos insignificantes saram mais depressa, mas ferimentos graves pioram e a cicatrização é, às vezes, impossível. Já é ponto pacífico também que as glândulas supra-renais reagem de maneira muito parecida ante a tensão emocional e o trauma causado por danos em tecidos físicos.

De que modo nos danifica o mecanismo do fracasso

Assim, pode-se dizer que a frustração e a tensão emocional (esses fatores que descrevemos anteriormente como "mecanismo de fracasso") literalmente acrescentam "o insulto à injúria", sempre que nosso corpo físico sofre dano. Se o dano físico for insignificante, um pouco de tensão emocional pode pôr em atividade o mecanismo de defesa, mas se o ferimento for grande, a tensão emocional "soma-se a ele", agravando-o. Esse conhecimento nos dá o que pensar. Se a "velhice" decorre de exaustão de nossa energia de adaptação, como parece supor a maioria dos especialistas nesse terreno, então o fato de nos entregarmos aos componentes negativos do "Mecanismo de Fracasso" pode literalmente nos tornar velhos antes do tempo. Filósofos já nos disseram há muito tempo, e agora os pesquisadores médicos o confirmam, que o ressentimento e o ódio ferem mais a nós próprios do que àqueles contra quem os dirigimos.

Qual é o segredo dos que saram depressa?

Entre os meus pacientes que não receberam o soro havia alguns indivíduos que reagiram à operação tão bem como os que o receberam. Diferenças de idade, dieta, pulsação, pressão cardíaca, etc., não explicavam a razão disso. Havia contudo uma característica facilmente reconhecível, que todos os que se restabeleciam depressa tinham em comum. Eram todos indivíduos otimistas, alegres, que não somente esperavam sarar num instante, mas invariavelmente tinham alguma forte razão para ficar bons sem demora. "Tenho que voltar ao meu trabalho", "Preciso sair daqui para resolver meus problemas" eram expressões comuns. Eles, em suma, sintetizavam as características e atitudes que descrevemos anteriormente como constitutivas do "Mecanismo do Êxito".

Não estou sozinho nessas observações. O Dr. Clarence William Lieb diz: "A experiência me ensinou a encarar o pessimismo como o principal sintoma da fossilização prematura. Ele em geral chega com o primeiro pequeno sintoma de declínico físico." (William Clarence Lieb, *Outwitting Your Years* — Como Ludibriar Sua Idade). Acrescenta ainda o Dr. Lieb: "Fizeram-se testes sobre o efeito de distúrbios da personalidade na convalescença. Um hospital demonstrou que a duração média da hospitalização aumentava de quarenta por cento devido a essa causa."

É interessante observar que a cifra de quarenta por cento é quase idêntica aos resultados de minhas próprias experiências com o AGTS. Dir-se-ia que o otimismo, a confiança, a fé, a alegria, o êxtase emocional que se induzem no indivíduo tiveram o mesmo efeito do AGTS na aceleração da cura e na faculdade de nos manter jovens? Será que o nosso Mecanismo de Êxito é uma espécie de elixir de juventude inerente, que podemos utilizar para ter mais vitalidade e mais energia?

Os pensamentos acarretam modificações tanto orgânicas como funcionais

Sabemos pelo menos isto: as atitudes mentais *podem* influenciar os mecanismos curativos do corpo. As cápsulas de açúcar, cápsulas feitas de ingredientes inócuos, constituíram por muito tempo um mistério médico. Elas não contêm qualquer substância que possa trazer a cura. No entanto, quando se deram cápsulas de açúcar a um grupo de controle para experimentar a eficácia de uma nova droga, o grupo que recebeu as pastilhas inócuas quase sempre mostrou *alguma* melhoria e, na maioria das vezes, tanto quanto o grupo que recebeu o medicamento verdadeiro. Estudantes a quem se deram pílulas de açúcar mostraram, na verdade, melhor imunização contra resfriados do que o grupo que recebeu um novo específico contra esse mal.

Em 1946, o *New York Journal of Medicine* publicou os resultados de uma mesa-redonda em torno da questão das cápsulas de açúcar, na qual tomaram parte membros do Departamento de Farmacologia e Medicina da Escola de Medicina da Universidade de Cornell. A melhoria acusada por pacientes incluía cura de insônia e melhor apetite. "Sinto-me mais forte. Meus intestinos funcionam melhor. Ando mais sem sentir dor no peito." Apresentaram-se provas de que as cápsulas de açúcar tinham agido em certos casos "com a mesma eficácia das vacinas contra a artrite reumatóide crônica". Durante a Segunda Grande Guerra, a Marinha Real Canadense pôs à prova uma nova droga contra o enjôo. O Grupo 1 recebeu a droga. O Grupo 2 recebeu cápsulas de açúcar e apenas 13 por cento sofreram de enjôo, enquanto 30 por cento do Grupo 3, que não receberam qualquer medicamento, ficaram doentes.

Muitos médicos acreditam agora que um tipo similar de "tratamento por sugestão" constitui a melhor forma de terapia para verrugas. Pintam-se as verrugas com azul de metileno, tinta vermelha ou qualquer outra cor, e se usa uma luz colorida para "tratá-las". O *Journal of the American Medical Association* disse: "A terapia por sugestão, no caso de verrugas, parece constituir prova irrefutável da realidade de tal processo."

A "sugestão" nada explica

Os pacientes a quem se ministram cápsulas de açúcar, ou aqueles que são tratados de verrugas por meio da sugestão, *não devem saber* que o tratamento é ilusório, a fim de que este seja eficaz. Eles *acreditam* que estão recebendo medicamentos reais, que trarão a cura. Dizer dos resultados das cápsulas de açúcar que "se devem unicamente à sugestão" nada nos esclarece. Mais razoável é a conclusão de que ao tomar o "remédio", desperta-se alguma espécie de expectativa de melhora, instala-se uma imagem-objetivo de saúde, e o mecanismo criador atua por meio do mecanismo curativo do próprio corpo no sentido de alcançar o objetivo.

Podemos envelhecer pelo pensamento?

Podemos fazer coisa muito semelhante, mas inversa, quando inconscientemente "esperamos envelhecer" a uma certa idade. No Congresso Internacional de Gerontologia, realizado em Saint Louis, E.U.A., em 1951, o Dr. Raphael Ginzberg afirmou que a idéia tradicional de que o homem deve ficar velho e inútil por volta dos setenta anos é em grande parte responsável pelo envelhecimento que se verifica nessa idade; e que num futuro mais esclarecido é possível que encaremos os setenta anos como meia-idade.

É fato de observação comum que algumas pessoas, entre 40 e 50 anos, começam a parecer e a se comportar como "velhos", enquanto outras continuam a parecer e agir como "jovens". Estudo recente demonstrou que os "velhos" de 45 anos vêem a si mesmos como indivíduos de meia-idade que deixaram para trás a juventude, enquanto os "jovens" de 45 anos consideram que estão ainda aquém da maturidade.

Existem pelo menos duas maneiras que explicam como podemos envelhecer através do pensamento. Esperando "envelhecer" a uma certa idade, fixamos inconscientemente uma imagem-objetivo negativa para o nosso mecanismo criador realizar. Ou, esperando a "velhice" e temendo seu início, podemos involuntariamente fazer justamente aquilo que é necessário para torná-la realidade. Começamos a reduzir as atividades tanto físicas como intelectuais. Eliminando praticamente todas as atividades físicas vigorosas, começamos a perder a flexibilidade das juntas. A falta de exercício faz com que nossos capilares se contraiam e virtualmente desapareçam. O suprimento de sangue através dos tecidos é drasticamente diminuído. O exercício vigoroso é necessário para dilatar os capilares que alimentam todos os tecidos do corpo e removem os resíduos. O Dr. Selye fez culturas de células animais dentro do corpo de um animal vivo, usando para isso um tubo. Por alguma razão desconhecida, células biologicamente novas e "jovens" se formam dentro do tubo. Abandonadas a si mesmas, porém, elas morriam em um mês. Mas se o fluido que há no tubo é lavado diariamente, removendo-se os resíduos, as células vivem indefinidamente. Permanecem eternamente "jovens", e nem envelhecem nem morrem. O Dr. Selye acha que este possa ser o mecanismo do envelhecimento, e se assim for, a velhice pode ser adiada reduzindo-se a taxa de produção de resíduos ou ajudando o organismo a libertar-se deles. No corpo humano os capilares são os canais através dos quais se removem os resíduos. Já é ponto pacífico que a inatividade e a falta de exercícios "secam" virtualmente os capilares.

Atividade é sinônimo de vida

Quando nos decidimos a reduzir as atividades mentais e sociais, nos embrutecemos a nós mesmos. Ficamos "fossilizados" em nossas maneiras de ser, nos aborrecemos e abandonamos nossas esperanças. Não tenho a menor dúvida de que poderíamos pegar um indivíduo saudável de 30 anos e dentro de cinco anos fazer dele um "velho", se pudéssemos convencê-lo de que ele está velho, de que qualquer atividade física é perigosa, e de que as atividades mentais são inúteis. Se pudéssemos induzi-lo a sentar-se o dia inteiro numa cadeira de balanço, abandonar os sonhos do futuro, o interesse em novas idéias, e ver a si mesmo como "liquidado", "inútil", estou certo de que poderíamos criar experimentalmente um velho.

O Dr. John Schindler, em seu famoso livro *How to Live 365 Days a Year* (Como Viver 365 Dias por Ano), salientou o que acreditava serem as seis necessidades básicas de todo ser humano:

1. Necessidade de Afeição
2. Necessidade de Segurança
3. Necessidade de Expressão Criadora
4. Necessidade de Reconhecimento
5. Necessidade de Novas Experiências
6. Necessidade de Amor-Próprio

A essas seis eu acrescentaria mais uma necessidade básica: a necessidade de *mais vida* — a necessidade de encarar o amanhã e o futuro com expectativa e alegria.

Olhe para a frente e viva

E isto me conduz a outra de minhas "superconvicções". Acredito que a vida é em si mesma adaptativa; que não é apenas um fim em si mesma, e sim meio para um fim. A vida é um dos "meios" que nos foi dado o privilégio de usarmos de vários modos para atingir objetivos importantes. Podemos ver esse princípio operando em todas as formas de vida, desde a ameba até o homem. O urso polar, por exemplo, *precisa* de uma grossa camada de pêlos para sobreviver num ambiente gelado. Precisa de uma coloração protetora para espreitar a caça e proteger-se de seus inimigos. A força de vida atua como "meio" para esses fins, e provê o urso polar com sua espessa camada de pêlos brancos. Essas adaptações da vida para enfrentar os problemas do meio ambiente são quase infinitas, e não há por que continuemos a enumerá-las. Quero apenas indicar um princípio, a fim de tirarmos uma conclusão.

Se a vida se adapta a si mesma de tantas e tão variadas formas, para agir como meio para determinados fins, não é então lícito supor que, se nos colocarmos em situação em que *mais vida* seja necessária, nós receberemos mais vida? Se pensarmos no homem como um perseguidor-de-objetivos, podemos pensar na energia de adaptação, ou Força de Vida, como sendo o combustível ou a energia propulsora que o impulsiona na direção de seu objetivo. Um automóvel guardado não precisa de gasolina no tanque. E um perseguidor-de-objetivos sem objetivos não precisa, com efeito, de uma Força de Vida.

Acredito que criamos essa necessidade quando aguardamos o futuro com alegria e expectativa, quando esperamos desfrutar o amanhã e, acima de tudo, quando temos alguma coisa importante (para nós) que fazer ou algum lugar aonde ir.

Criemos a necessidade de mais vida

A criatividade é sem dúvida uma das características da Força de Vida. E a essência da criatividade consiste em olhar para a frente, na direção de um objetivo. O homem de espírito criador precisa de mais Força de Vida. E os registros de óbitos parecem confirmar que eles a obtém. Como grupo, os indivíduos criadores — cientistas, inventores, pintores, escritores, filósofos — não apenas vivem maior número de anos, mas conservam sua produtividade mais tempo que os demais. (Michelangelo pintou alguns de seus melhores quadros depois dos 80 anos; Goethe escreveu "Fausto" também depois dos 80; Edison ainda produzia inventos aos 90; Picasso, com mais de 90 anos dominava o mundo da arte; Wright aos 90 era considerado o arquiteto de maior capacidade criadora; Bernard Shaw ainda escrevia peças de teatro aos 90; *Grandma* Moses começou a pintar aos 79, etc. etc.). É por isso que aconselho meus pacientes a "criarem uma nostalgia do futuro", em vez de uma nostalgia do passado, se quiserem permanecer produtivos e vitais. Adquira entusiasmo pela vida, crie a necessidade de mais vida, e mais vida lhe será dada.

O leitor já se admirou por que tantos atores e atrizes conseguem parecer mais jovens do que a idade que têm, e ostentam aparência juvenil aos cinqüenta anos e mais? Não será porque eles *precisam* parecer jovens, por que estão interessados em manter sua aparência e não abandonam o objetivo de permanecerem jovens, ao contrário do que sucede com a maioria das pessoas que atingem a meia-idade? "Nós envelhecemos não por causa dos anos, mas dos acontecimentos e das nossas reações emocionais a eles", afirma o Dr. Arnold A. Hutschnecker. "O fisiologista Rubner observou que as camponesas, em várias partes do mundo, estão sujeitas a rugas prematuras no rosto, mas não sofrem diminuição da força e resistência físicas. Este é um exemplo da especialização do envelhecimento. Podemos concluir que essas criaturas renunciaram ao seu papel competitivo como mulheres. Resignaram-se à vida de abelhas operárias, que não precisam de encantos, mas apenas de vigor físico." (Arnold A. Hutschnecker, *The Will to Live*, A Vontade de Viver.) Comenta ainda Hutschnecker como a viuvez envelhece algumas mulheres, mas não outras. Se a viúva acha que sua vida chegou ao fim e já não tem para que viver, essa atitude se reflete em "sua aparência exterior — no gradual declínio, no embranquecimento dos cabelos. Outra mulher, talvez mais velha, começa a remoçar. Ela pode entrar na competição por um novo marido, ou embarcar numa carreira de negócios, ou ocupar-se de algum interesse para o qual até então não havia achado tempo." (Ibid.)

Fé, coragem, interesse, otimismo, o olhar para a frente, nos trazem nova vida e mais vida. A futilidade, o pessimismo, a frustração, o viver no passado, não apenas caracterizam a "velhice", como contribuem para apressá-la.

Aposente-se do emprego, mas nunca se aposente da vida

Muitos homens decaem rapidamente depois que se aposentam. Sentem que sua existência ativa e produtiva está finda e seu trabalho chegou ao término. Já não têm mais nada que esperar; ficam entediados, inativos — e freqüentemente sofrem uma perda de amor-próprio por se acharem à margem de tudo. Já não importam mais. Adquirem a auto-imagem do homem inútil, imprestável, gasto. E não poucos morrem logo depois de se aposentarem.

Não é a aposentadoria do trabalho que mata esses homens — é a aposentadoria da vida. É o sentimento de inutilidade, de estarem liquidados, a diminuição do amor-próprio, da coragem e confiança que a vida em sociedade ajuda a estimular. É mister nos compenetrarmos de que são conceitos obsoletos e anticientíficos. Os psicólogos de há cinqüenta anos eram de opinião que as forças mentais do homem atingiam seu ponto mais alto aos 25 anos e começavam então a declinar gradativamente. As últimas descobertas mostram que o homem atinge o clímax de sua capacidade intelectual por volta dos 35 anos e *conserva o mesmo nível* até muito depois dos 70! Disparates como "cavalo velho não aprende passo novo" persistem, muito embora numerosas pesquisas tenham demonstrado que a capacidade de aprender é tão boa aos 70 como aos 17 anos.

Conceitos médicos obsoletos e refutados

Os fisiologistas de antes acreditavam que qualquer espécie de atividade física era prejudicial ao homem que passou dos quarenta. Nós, médicos, também incorríamos no erro de prevenir nossos pacientes quarentões a "irem devagar", abandonarem o golfe e outras formas de exercício. Há cerca de vinte anos, um famoso escritor sugeriu, até, que o homem de mais de quarenta anos nunca deveria ficar de pé quando pudesse sentar-se, e nunca sentar-se quando pudesse deitar-se — a fim de "conservar" suas forças e energias. Fisiologistas e médicos, incluindo-se entre eles os mais famosos cardiologistas do país, afirmam-nos agora que a atividade, até mesmo o exercício vigoroso, é não apenas permissível, mas indispensável à boa saúde em qualquer idade. Nunca estamos velhos demais para fazer exercícios. Podemos é estar doentes demais. Ou se a pessoa ficou comparativamente inativa durante longo tempo, um esforço repentino ou muito grande pode ter efeito nocivo e até provocar a morte.

Portanto, se o leitor não está habituado a exercícios vigorosos, deixe-me preveni-lo a "ir com calma" e aos poucos. O Dr. T. K. Cureton, pioneiro nos estudos do recondicionamento físico de homens de 45 a 80 anos, sugere pelo menos dois anos como o período de tempo razoável para se adquirir *gradualmente* a capacidade de se entregar a atividades realmente enérgicas.

Se o leitor já passou dos quarenta, esqueça o peso que erguia nos tempos de colégio ou sua velocidade nos cem metros. Comece andando diariamente em redor do quarteirão. Gradualmente, estenda a caminhada para um quilômetro, depois, dois, e após mais ou menos seis meses oito quilômetros. Depois, alterne entre caminhar e um "acelerado". Primeiro faça um acelerado de uns trezentos metros por dia, depois seiscentos. Posteriormente pode acrescentar também flexão dos joelhos, e até mesmo treinar com halteres moderados. O Dr. Cureton, graças a programas como esse começou a tratar de indivíduos decrépitos e frágeis de 50, 60 e 70 anos e, ao fim de dois anos ou dois anos e meio, eles corriam até oito quilômetros por dia. E não somente se sentiam melhor, como exames médicos mostraram sensível robustecimento das funções do coração e de outros órgãos vitais.

Por que eu acredito em milagres

Após revelar minhas superconvicções, o melhor é eu desabafar de uma vez e dizer que acredito em milagres. A ciência médica não pretende saber *porque* os vários mecanismos que há no corpo funcionam como os vemos funcionarem. Sabemos um pouquinho sobre *como* as coisas se passam, e alguma coisa sobre o *que* acontece. Podemos descrever *o que* acontece e *como* os mecanismos funcionam quando, por exemplo, o corpo cura um talho no dedo. Mas descrição não é explicação, não importa atrás de que palavreado científico se oculte. Eu ainda não compreendo *por que* o dedo que sofreu um corte se cura a si mesmo; e nem mesmo, em seus pormenores, a maneira como ele se cura. Não compreendo a Força de Vida que opera o mecanismo de cura, e nem também como essa força é aplicada ou o que, precisamente, a põe em ação. Não compreendo a inteligência que criou os mecanismos, nem de que modo alguma força diretora maneja esses mecanismos.

O Dr. Alexis Carrel, escrevendo sobre suas observações pessoais de curas instantâneas verificadas em Lourdes, disse que a única explicação que podia dar, como médico, era que os processos curativos naturais do próprio corpo — os quais, usualmente necessitam de um certo período de tempo para operar a cura — eram, de algum modo, "acelerados" sob a influência de uma fé muito intensa. Se, conforme afirma o Dr. Carrel, "milagres" se produzem pela aceleração ou intensificação dos poderes curativos naturais que há em nosso corpo, então eu presencio pequenos milagres todas as vezes que vejo um ferimento cirúrgico cicatrizar-se graças à formação de novo tecido. Que isto requeira dois minutos, duas semanas ou dois meses, não faz, a meu ver, nenhuma diferença. Ainda assim, vejo em ação alguma força que não compreendo.

A ciência médica, a fé, a vida, vêm todas da mesma fonte

Dubois, o célebre cirurgião francês, tinha em sua sala de operações um enorme quadro com os dizeres: "O cirurgião pensa a ferida, Deus a cura." O mesmo se pode dizer de qualquer tipo de medicamento, desde antibióticos até comprimidos contra a tosse. Todavia, não posso entender como um homem dotado de raciocínio possa renunciar ao socorro médico por considerá-lo incompatível com sua religião. Acho que a perícia médica e as descobertas da medicina foram possibilitadas pela mesma Inteligência, a mesma Força de Vida, que obra por meio da fé curativa. Não consigo pois ver conflito entre a ciência médica e a religião. A cura médica e a cura pela fé derivam ambas da mesma fonte, e devem trabalhar juntas.

Nenhum pai que visse seu filho atacado por um cachorro louco seria capaz de ficar inativo e dizer apenas: "Não devo fazer nada porque preciso demonstrar a minha fé." Ele não rejeitaria o auxílio de um vizinho que acudisse com uma arma ou um cacete. Contudo, se reduzirmos de trilhões de vezes o tamanho do cachorro e o chamarmos de bactérias ou vírus, o mesmo pai é capaz de recusar a assistência do médico seu vizinho que lhe traz uma arma sob a forma de um comprimido, um bisturi ou uma seringa.

Não ponha limitações à vida

E isto me reconduz ao meu raciocínio inicial. Lemos na Bíblia que, quando o profeta sofria fome no deserto, Deus fez descer dos céus um lençol contendo alimentos. Mas ao profeta aqueles alimentos não pareciam bons; achava que eram "impuros" e continham toda sorte de "coisas rastejantes". Deus então o repreendeu, admoestando-o a que não chamasse "impuro" o que provinha do Senhor. Alguns médicos e cientistas de hoje olham com desprezo tudo que tenha visos de fé ou religião. E alguns religiosos fanáticos têm igual atitude de suspeita e repulsão diante de tudo que tenha laivos da "ciência".

O verdadeiro objetivo do ente humano, como afirmamos no início, é mais vida — vida mais plena. Seja qual for nossa definição de felicidade, só *experimentaremos* a felicidade na medida em que experimentarmos mais vida. Vida mais plena significa, entre outras coisas, maior número de realizações, a conquista de objetivos dignos, mais amor dado e recebido, mais saúde e prazer, mais felicidade tanto para nós como para os nossos semelhantes.

Acredito que há UMA VIDA, uma fonte última, mas que essa UMA VIDA tem muitos canais de expressão e se manifesta de inúmeras formas. Para termos "uma vida mais plena" não devemos limitar os canais através dos quais a Vida flui até nós. Devemos aceitá-la, venha ela na forma de Ciência, de Religião, de Psicologia ou do que quer que seja.

Outro importante canal é o nosso próximo. Não recusemos a ajuda, a felicidade e a alegria que os outros nos possam trazer, ou que nós possamos dar-lhes. Não sejamos orgulhosos a ponto de rejeitarmos o auxílio de outrem, nem endurecidos a ponto de lhes negarmos o nosso. Não digamos "impuro" só porque a forma da dádiva não coincide com os nossos preconceitos ou nossas idéias de dignidade.

A melhor auto-imagem de todas

Finalmente, não limitemos a nossa aceitação da Vida por causa de nossos sentimentos de demérito. Deus nos brindou com o perdão, a paz de espírito e a felicidade que vêm da nossa aceitação de nós mesmos. É um insulto ao Criador voltarmos as costas a essas dádivas ou dizermos que sua Criação — o homem — é tão "impuro" que não é digno, nem importante, nem capaz. A auto-imagem mais adequada e realista de todas está em cada um ver a si mesmo como feito à imagem e semelhança de Deus. "Não podemos ver em nós próprios a imagem de Deus, de maneira sincera, profunda e convicta, sem recebermos uma nova fonte de poder e energia", disse o Dr. Frank G. Slaughter.

As idéias e exercícios contidos neste livro ajudaram muitos de meus pacientes a "Viverem uma Vida Mais Plena". Tenho a esperança e a convicção de que farão o mesmo pelo leitor.

www.gruposummus.com.br